비상은 모두가 즐거운 배움의 길을 만듭니다.

배움이 필요한 모든 이들이 그 한계를 넘어설 수 있도록
비상은 더 넓은 세상을 향한 첫 걸음을 응원합니다.

한국에서의 전형 창출을 넘어 세계 교육의 패러다임을
바꾸겠다는 비상은 모든 이의 혁신적 성장에 기여합니다.

교육 문화의 질서와 유기적 융합을 추구하는 비상은
새로운 미래 세대의 행복한 경험과 성장에 기여합니다.

상상 그 이상 ——————————————————

핵심만 빠르게~ 단기간에
내신 공부의 힘을 키운다

내공의 힘

생활과 윤리

구성과 특징

STRUCTURE

내신 개념 정리

시험에 자주 나오는 주제를 선별하여 교과 내용을 정리하였습니다. 한눈에 들어오는 표, 흐름도 등으로 단원의 핵심 개념을 효율적으로 학습할 수 있습니다.

단계적 문제 풀이

1단계 개념 짚어 보기

단원의 핵심 개념을 잘 이해했는지 단답형 문제를 통해 꼼꼼하게 체크할 수 있습니다.

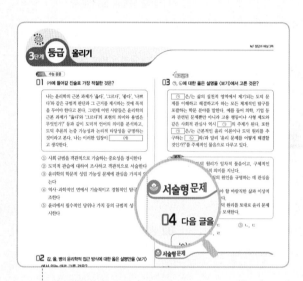

🔩 2단계 내신 다지기

교과서를 철저히 분석하여 학교 시험에 출제될 가
능성이 높은 문제로만 구성하였습니다. 핵심 자료
를 활용한 다양한 문제로 실전 감각을 키울 수 있
습니다.

🔩 3단계 등급 올리기

내신 1등급 달성에 도움을 주는 통합형 문제와 서
술형 문제를 구성하였습니다. 고난도 문제를 통해
사고력과 응용력을 향상시킬 수 있습니다.

내공 점검

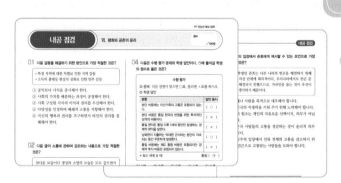

▶ 대단원별로 시험 대비 실전 문제를 구성하였
습니다. 중간·기말 고사 직전에 자신의 실력
을 최종 점검할 수 있습니다.

내공과 내 교과서
단원 비교하기

	단원명	내공	비상교육	금성출판사	미래엔	지학사	천재교과서
I 현대의 삶과 실천 윤리	01 현대 생활과 실천 윤리	8~11	10~19	10~19	12~19	12~21	12~21
	02 현대 윤리 문제에 대한 접근	12~17	20~31	20~29	20~31	22~33	22~33
	03 윤리 문제에 대한 탐구와 성찰	18~21	32~41	30~39	32~41	34~41	34~43
II 생명과 윤리	01 삶과 죽음의 윤리	22~25	46~55	42~53	46~55	46~55	46~57
	02 생명 윤리	26~29	56~66	54~65	56~65	56~65	58~69
	03 사랑과 성 윤리	30~33	67~75	66~75	66~75	66~75	70~79
III 사회와 윤리	01 직업과 청렴의 윤리	34~37	80~90	78~89	80~89	80~89	82~93
	02 사회 정의와 윤리	38~43	91~102	90~103	90~99	90~99	94~105
	03 국가와 시민의 윤리	44~47	103~113	104~113	100~109	100~109	106~115

단원명		내공	비상교육	금성출판사	미래엔	지학사	천재교과서
IV 과학과 윤리	**01** 과학 기술과 윤리	48~51	118~127	116~125	114~123	114~123	118~127
	02 정보 사회와 윤리	52~55	128~137	126~135	124~133	124~133	128~137
	03 자연과 윤리	56~61	138~149	136~147	134~145	134~143	138~149
V 문화와 윤리	**01** 예술과 대중문화 윤리	62~65	154~162	150~159	150~159	148~157	152~163
	02 의식주 윤리와 윤리적 소비	66~69	163~172	160~169	160~169	158~167	164~173
	03 다문화 사회의 윤리	70~73	173~181	170~181	170~179	168~177	174~183
VI 평화와 공존의 윤리	**01** 갈등 해결과 소통의 윤리	74~77	186~196	184~193	184~193	182~191	186~195
	02 민족 통합의 윤리	78~81	197~207	194~203	194~203	192~201	196~205
	03 지구촌 평화의 윤리	82~85	208~217	204~213	204~213	202~211	206~215

차례

CONTENTS

Ⅰ 현대의 삶과 실천 윤리

01 현대 생활과 실천 윤리　　　8
02 현대 윤리 문제에 대한 접근　　　12
03 윤리 문제에 대한 탐구와 성찰　　　18

Ⅱ 생명과 윤리

01 삶과 죽음의 윤리　　　22
02 생명 윤리　　　26
03 사랑과 성 윤리　　　30

Ⅲ 사회와 윤리

01 직업과 청렴의 윤리　　　34
02 사회 정의와 윤리　　　38
03 국가와 시민의 윤리　　　44

IV 과학과 윤리

01 과학 기술과 윤리   48

02 정보 사회와 윤리   52

03 자연과 윤리   56

V 문화와 윤리

01 예술과 대중문화 윤리   62

02 의식주 윤리와 윤리적 소비   66

03 다문화 사회의 윤리   70

VI 평화와 공존의 윤리

01 갈등 해결과 소통의 윤리   74

02 민족 통합의 윤리   78

03 지구촌 평화의 윤리   82

내공 점검

I 단원 ~ VI 단원   88

01 현대 생활과 실천 윤리

★ 표시는 시험 전에 확인해 주세요.

A 윤리학의 의미

└─ 동양에서 윤리란 사람이 마땅히 따라야 할 이치, 도리를 뜻하고, 서양에서 윤리란 사회의 풍습이나 관습, 개인의 품성을 뜻한다.

1. 윤리학의 의미

(1) 의미: 인간이 살아가면서 지켜야 할 도덕적 행동의 기준과 규범을 탐구하는 학문

(2) 특징

① 규범성: 어떤 행위가 옳고 좋은지, 그리고 나쁜지에 대한 근거를 제시함

② 실천 지향성: 어떤 윤리적 문제에 직면했을 때 올바른 실천을 하도록 안내함

★ 2. 윤리학의 학문적 성격

순수 이론 학문	• 주어진 세계와 현상의 원인, 사실을 설명하는 학문 • 자연 과학, 사회 과학 ┌─ 마땅히 그렇게 하거나 되어야 하는 것
윤리학	• 사실이 아니라 당위나 가치 등 규범을 다루는 학문인 규범 학문에 해당함 • 도덕적 규범과 가치를 통찰하고 숙고하는 학문 체계임 • '인간다운 삶을 살려면 어떻게 살아야 하는가?'와 같은 문제를 탐구함

B 실천 윤리학의 등장 배경과 필요성

1. 실천 윤리학의 등장 배경

└─ 파급 효과가 광범위하고, 책임 소재를 가리기 어려우며 전통적인 윤리 규범만으로는 해결하기 어렵다.

• 과학 기술의 급속한 발전으로 다양한 윤리 문제가 발생함

• 가치관의 변화가 새로운 윤리 문제를 가져옴

• 도덕 원리 적용만으로 해결하기 어려운 윤리 문제가 발생함

2. 실천 윤리학의 필요성

└─ 독일의 생태 철학자로 인간 중심적 자연관을 비판하고, 새로운 책임 윤리를 제창하였다.

(1) 요나스(Jonas, H.)의 '윤리적 공백'

① 과학 기술의 발전으로 이론 윤리만으로는 올바른 행동에 대한 구체적 지침을 얻을 수 없다는 문제의식이 제기됨

② 윤리적 공백: 과학 기술의 발전 속도와 과학 기술의 영향에 대한 도덕적 숙고가 충분히 반영되지 못해 생기는 간격

(2) 실천 윤리의 필요성: 과학 기술의 발달로 발생하는 새로운 윤리 문제에 대한 해결을 위해 필요함

└─ 실천 윤리학은 다양한 영역에서 제기되는 문제를 다룬다는 특징을 갖는다.

C 윤리학의 분류

1. 윤리학의 분류

규범 윤리학	• 이론 윤리학과 실천 윤리학으로 구분됨 • '사람이 어떻게 행동해야 할 것인가?'에 관한 보편적인 원리를 연구함
기술 윤리학	도덕 현상을 기술하고 설명하고자 함
메타 윤리학	도덕적 언어의 논리적 타당성과 의미를 분석함

★ 2. 윤리학의 종류와 특징

(1) 규범 윤리학의 종류

구분	이론 윤리학	실천 윤리학(응용 윤리학)
성격	• 도덕적 행위에 대한 이론적 분석과 정당화를 다룸 • 도덕 원리나 도덕적 정당화의 이론적 근거를 제시함 • 보편적인 도덕 법칙을 규명함 ┌─ 행위에 대한 도덕 판단은 의무와 원칙에 따라 이루어져야 한다고 보는 견해	• 이론 윤리학에서 도출한 도덕 원리를 구체적 삶의 문제에 적용함 • 삶의 구체적 상황에서 발생하는 문제에 대한 해결책을 모색함 └─ 둘 이상의 학문 분야가 복합적으로 관계된 것 • 학제적 성격: 여러 인접 학문과 연계하여 다양한 윤리적 쟁점을 다룸
예	의무론, 공리주의, 덕 윤리 등	생명 윤리, 정보 윤리, 평화 윤리 등
공통점	• 현실의 윤리 문제에 대한 해결책을 제시하고, 올바른 삶의 방향을 제시하는 데 관심을 둠 • 도덕적 실천을 지향하며, 바람직한 삶과 이상적인 사회의 모습을 안내함	
관계	• 실천 윤리학은 이론 윤리학에 토대를 둠 • 이론 윤리학과 실천 윤리학은 유기적 관계를 지님	

(2) 메타 윤리학과 기술 윤리학

└─ 분석이나 기술에 치중하는 메타 윤리학과 기술 윤리학은 윤리 문제를 해결하는 데 한계가 있다.

구분	메타 윤리학(분석 윤리학)	기술 윤리학
성격	• 도덕적 언어의 논리적 타당성, 의미 분석을 윤리학적 탐구의 본질로 삼음 • 윤리학의 학문적 성립 가능성을 탐구함	• 도덕적 관습이나 풍습에 대해 조사하고 객관적으로 기술함 • 사회의 도덕적 질서 내에서 사실적 의미를 탐구함
주요 물음	• '선하다', '악하다', '옳다', '그르다'의 의미는 무엇인가? • 도덕 판단을 어떻게 논리적으로 정당화할 수 있는가?	'인간 배아 세포를 이용한 실험이 인간 존엄성을 훼손하는가?'에 대한 설문 조사에서 '그렇다'고 답한 생명 공학 전문가는 전체의 몇 퍼센트인가?

└─ 도덕 현상과 문제를 명확하게 기술하고, 기술된 현상들 간의 인과 관계를 설명하는 데 주된 관심을 둔다.

┌─ 과학 기술의 발전과 사회·문화적 변화로 과거에 사유의 대상이 되지 않았던 영역에서 윤리적 판단이 필요해짐

D 현대 사회의 다양한 윤리적 쟁점

1. 실천 윤리의 영역과 윤리적 문제

(1) 생명 윤리: 삶과 죽음, 동물의 권리 문제 등

(2) 성과 가족 윤리: 사랑과 성의 관계, 가족 해체 문제 등

(3) 사회 윤리: 공정한 분배 기준, 사형 제도의 존폐 문제 등

(4) 과학 윤리: 과학자의 사회적 책임, 저작권 문제 등

(5) 환경 윤리: 기후 변화, 미래 세대에 대한 책임 문제 등

(6) 문화 윤리: 의식주와 윤리적 소비 문제 등

(7) 평화 윤리: 사회 갈등, 민족의 평화와 통일 문제 등

1단계 개념 짚어 보기

01 다음 설명이 맞으면 ○표, 틀리면 ×표를 하시오.

(1) 윤리학은 주어진 세계와 현상에 대한 사실을 설명하는 학문이다. ( )

(2) 윤리학은 어떤 윤리적 문제에 직면했을 때 올바른 실천을 하도록 안내한다. ( )

(3) 윤리학은 인간이 살아가면서 지켜야 할 도덕적 행동의 기준과 규범을 탐구하는 학문이다. ( )

02 요나스는 과학 기술의 발달과 그것을 따라가지 못하는 도덕적 숙고의 간격을 ( )(이)라고 표현하였다.

03 ( )은/는 삶에서 구체적으로 발생하는 윤리 문제에 대하여 도덕 원리를 근거로 실제적이고 구체적인 해결책을 모색하는 데 주된 관심을 둔다.

04 윤리학의 종류와 그 특징을 옳게 연결하시오.

(1) 이론 윤리학 •　• ㉠ 윤리학의 학문적 성립 가능성을 탐구한다.

(2) 메타 윤리학 •　• ㉡ 도덕적 풍습 또는 관습에 대한 묘사나 객관적 기술을 주된 목표로 한다.

(3) 기술 윤리학 •　• ㉢ 인간이 어떻게 행위를 해야 하는가에 관한 보편적인 원리의 탐구를 주된 목표로 한다.

05 다음 설명에 해당하는 실천 윤리의 구체적 분야를 〈보기〉에서 골라 기호를 쓰시오.

> **보기**
> ㄱ. 생명 윤리　　　　ㄴ. 환경 윤리
> ㄷ. 사회 윤리　　　　ㄹ. 문화 윤리
> ㅁ. 성과 가족 윤리　　ㅂ. 평화와 공존 윤리

(1) 기후 변화에 따른 문제, 미래 세대에 대한 책임 문제를 다룬다. ( )

(2) 성차별, 양성평등, 성 상품화, 성적 자기 결정권과 관련된 문제를 다룬다. ( )

(3) 예술과 대중문화 윤리, 의식주와 윤리적 소비 문제, 다문화 사회의 윤리 문제를 다룬다. ( )

2단계 내신 다지기

정답과 해설 2쪽

A 윤리학의 의미

출제가능성 90%

01 다음 대화에서 (가)에 들어갈 말로 옳지 않은 것은?

> 갑: 윤리학이 사회 과학과 다른 점은 무엇일까?
> 을: 윤리학은 사회 과학과 달리 '어떻게 사는 것이 선한 삶인가?', 혹은 '생태계 위기를 극복하기 위한 옳은 방안은 무엇인가?'와 같은 질문에 대한 해답을 제시해야 한다고 생각해. 즉 윤리학은 　(가)

① 당위나 가치 등 규범을 다루는 학문이야.

② 도덕적 규범과 가치를 통찰하고 숙고하는 학문 체계야.

③ 윤리적 문제의 옳고 그름에 대한 근거를 제시하는 학문이야.

④ 주어진 세계와 현상의 원인, 사실을 구체적으로 설명하는 학문이야.

⑤ 인간으로서 지켜야 할 도덕적 행동의 기준과 규범을 탐구하는 학문이야.

B 실천 윤리학의 등장 배경과 필요성

02 ㉠, ㉡에 대한 옳은 설명을 〈보기〉에서 고른 것은?

> 과학 기술의 급속한 발전으로 인류는 편리한 삶과 물질의 풍요로움을 누려 왔지만 여러 가지 윤리 문제가 발생하였다. 예를 들어 생명 과학 기술로 인간의 생명이 연장되었지만, 원칙 없이 사용할 경우 인간의 존엄성이 훼손되는 문제를 가져올 수 있다. 따라서 급격한 과학 기술의 발전과 사회 변화에 대응하여, 이론 윤리만으로는 올바른 행동에 대한 구체적인 지침을 얻을 수 없다는 문제의식이 제기되었다. 요나스는 이러한 상황을 　㉠　(으)로 부르며 　㉡　의 필요성을 역설하였다.

> **보기**
> ㄱ. ㉠은 윤리적 공백이다.
> ㄴ. ㉡은 이론 윤리학이다.
> ㄷ. ㉠은 과학 기술 자체에 대한 사실적 조사가 충분히 반영되지 못해 생기는 간격이다.
> ㄹ. ㉡은 구체적인 실천 방안을 모색하여 문제를 해결하는 데 주안점을 둔다.

① ㄱ, ㄴ　　② ㄱ, ㄹ　　③ ㄴ, ㄷ
④ ㄴ, ㄹ　　⑤ ㄷ, ㄹ

C 윤리학의 분류

03 (가), (나)의 입장에 대한 옳은 설명을 〈보기〉에서 고른 것은?

> (가) "좋음(good)'과 '옳음(right)'이라는 용어의 의미는 무엇인가?'를 주요 물음으로 삼는다.
> (나) '윤리 문제를 어떻게 해결할 것인가?'를 주요 물음으로 삼는다. 즉, 삶의 실천적 영역에서 제기되는 도덕 문제를 이해하고 해결하고자 하는 모든 체계적인 탐구를 포괄하는 학문 분야이다.

〈보기〉
ㄱ. (가)는 보편적인 도덕 법칙을 규명하여 문제 해결의 근거를 제공한다.
ㄴ. (나)는 실천적 측면에서 도덕 문제의 해결책을 구체적으로 모색한다.
ㄷ. (나)는 이론 윤리학과 유기적 관계 속에서 다양한 학문 영역의 지식을 활용한다.
ㄹ. (가), (나)는 도덕적 추론의 타당성 입증과 언어의 의미 분석을 중시한다.

① ㄱ, ㄴ   ② ㄱ, ㄷ   ③ ㄴ, ㄷ
④ ㄴ, ㄹ   ⑤ ㄷ, ㄹ

출제가능성 90%
04 갑, 을의 입장에 관한 설명으로 옳은 것은?

> 갑: 윤리학은 도덕적 언어의 의미를 분석하고 도덕적 추론의 타당성 입증을 주된 목표로 해야 해.
>
> 을: 도덕적 언어의 의미 분석과 타당성 입증만으로는 실천적 규범을 적용할 수 없어. 윤리학은 실생활에서 적용할 수 있는 해결책을 모색하는 데 주된 관심을 두어야 해.

① 갑은 이론 없는 실천은 맹목적이라고 본다.
② 갑은 도덕적 행위를 정당화하는 이론을 탐구 주제로 설정한다.
③ 갑은 '선', '옳음'과 같은 도덕적 언어의 의미를 명확히 분석한다.
④ 을은 윤리학의 학문적 성립 가능성을 논리적으로 탐구한다.
⑤ 을은 사회의 도덕적 질서 내에서 사실적 의미를 구체적으로 탐구한다.

05 실천 윤리학과 관련된 내용에만 모두 'ㆍ'를 표시한 학생은?

내용＼학생	갑	을	병	정	무
사회의 도덕적 질서 내에서 사실적 의미를 탐구한다.	∨			∨	∨
도덕적 추론의 형식적 타당성을 설명함으로써 혼란을 해결한다.		∨		∨	∨
생명 윤리, 정보 윤리, 환경 윤리 등 각 영역에서 제기되는 쟁점을 다룬다.		∨	∨	∨	
도덕 원리를 근거로 실제적이고 구체적인 해결책을 모색하는 데 주된 관심을 갖는다.	∨		∨		∨

① 갑   ② 을   ③ 병   ④ 정   ⑤ 무

D 현대 사회의 다양한 윤리적 쟁점

06 다음 글에 나타난 문제점을 극복하기 위해 등장한 윤리학의 영역과 질문을 옳게 연결한 것만을 〈보기〉에서 있는 대로 고른 것은?

> 추상적이고 보편적인 이론 윤리학은 구체적인 행위에 대한 지침을 제공해 주지 못하는 한계를 드러냈다. 예를 들어, "인간을 목적으로 대우하라."라는 칸트의 주장은 우리가 어떤 행위를 할 때 구체적인 지침을 제시해 주기 어렵다. 물론 추상적이고 보편적인 윤리도 중요하지만, 실제로 직면하게 된 새로운 문제들에 대해서 구체적이고 실천적인 도덕 판단도 중요하다.

〈보기〉
ㄱ. 환경 윤리: 자연은 개발의 대상인가, 보존의 대상인가?
ㄴ. 과학 윤리: '옳다', '그르다'의 표현의 의미와 용법은 무엇인가?
ㄷ. 문화 윤리: 문화 다양성의 존중과 보편 윤리는 양립 가능한가?
ㄹ. 생명 윤리: 공정한 사회로 발전하기 위해 우리에게 필요한 정의는 무엇인가?

① ㄱ, ㄷ   ② ㄴ, ㄹ   ③ ㄷ, ㄹ
④ ㄱ, ㄴ, ㄷ   ⑤ ㄴ, ㄷ, ㄹ

2018 수능 응용

01 (가)에 들어갈 진술로 가장 적절한 것은?

나는 윤리학의 근본 과제가 '옳다', '그르다', '좋다', '나쁘다'와 같은 규범적 판단과 그 근거를 제시하는 것에 목적을 두어야 한다고 본다. 그런데 어떤 사람들은 윤리학의 근본 과제가 "'옳다'와 '그르다'의 표현의 의미와 용법은 무엇인가?" 등과 같이 도덕적 언어의 의미를 분석하고, 도덕 추론의 논증 가능성과 논리적 타당성을 규명하는 것이라고 본다. 나는 이러한 입장이 ⎡ (가) ⎤고 생각한다.

① 사회 규범을 객관적으로 기술하는 중요성을 경시한다
② 도덕적 관습에 대하여 조사하고 객관적으로 서술한다
③ 윤리학의 학문적 성립 가능성 문제에 관심을 가지지 않는다
④ 역사·과학적인 면에서 기술적이고 경험적인 탐구를 강조한다
⑤ 윤리에서 필수적인 당위나 가치 등의 규범적 성찰을 무시한다

02 갑, 을, 병의 윤리학적 접근 방식에 대한 옳은 설명만을 〈보기〉에서 있는 대로 고른 것은?

갑: 인간 배아 세포를 이용한 실험과 관련하여 사용되는 '인간'의 의미는 무엇인가?
을: 인간 배아 세포를 이용한 실험은 인간 존엄성을 훼손하기 때문에 허용해서는 안 된다.
병: '인간 배아 세포를 이용한 실험이 인간 존엄성을 훼손하는가?'에 대한 설문 조사에서 생명 공학 전문가 집단의 70%는 '그렇다'고 답했다.

보기

ㄱ. 갑은 사고 과정에서 사용되는 용어의 정확한 의미를 분석한다.
ㄴ. 을은 윤리 문제에 대한 올바른 삶의 방향을 제시하는 것에 관심을 둔다.
ㄷ. 병은 도덕적 추론의 정당성을 검증하기 위하여 논리 분석에 관심을 둔다.
ㄹ. 갑은 기술 윤리학, 을은 규범 윤리학, 병은 메타 윤리학의 입장에 해당한다.

① ㄱ, ㄴ   ② ㄴ, ㄷ   ③ ㄱ, ㄴ, ㄷ
④ ㄱ, ㄷ, ㄹ   ⑤ ㄴ, ㄷ, ㄹ

03 ⊙, ⓒ에 대한 옳은 설명을 〈보기〉에서 고른 것은?

최고난도

⎡ ⊙ ⎤은/는 삶의 실천적 영역에서 제기되는 도덕 문제를 이해하고 해결하고자 하는 모든 체계적인 탐구를 포괄하는 학문 분야를 말한다. 예를 들어 의학, 기업 등과 관련된 문제뿐만 아니라 고용 평등이나 사형 제도와 같은 사회적 관심사 역시 ⎡ ⊙ ⎤의 주제가 된다. 또한 ⎡ ⊙ ⎤은/는 근본적인 윤리 이론이나 도덕 원리를 추구하는 ⎡ ⓒ ⎤와/과 달리 '윤리 문제를 어떻게 해결할 것인가?'를 주제적인 물음으로 다루고 있다.

보기

ㄱ. ⊙에서는 도덕 원리가 일차적 물음이고, 구체적인 윤리 문제는 이차적 의미를 지닌다.
ㄴ. ⊙, ⓒ은 과학적 사실의 원인을 규명하는 데 관심을 가진다.
ㄷ. ⊙, ⓒ은 우리가 추구해야 할 바람직한 삶과 이상적인 사회의 모습을 안내한다.
ㄹ. ⊙은 ⓒ에서 제공하는 도덕 원리를 토대로 윤리 문제의 바람직한 해결 방안을 모색한다.

① ㄱ, ㄴ   ② ㄱ, ㄷ   ③ ㄴ, ㄷ
④ ㄴ, ㄹ   ⑤ ㄷ, ㄹ

🌱 서술형 문제

04 다음 글을 읽고 물음에 답하시오.

'안락사를 허용해야 하는가?'와 같은 윤리 문제에 직면했을 때 '이 윤리학'은 생명의 존엄성 실현 또는 사회적 효용의 증대 등과 관련된 이론 윤리학의 연구 성과들을 적극적으로 활용한다. 즉, '이 윤리학'은 윤리 문제에 대한 해결책을 마련하기 위해 다양한 분야와 소통하고 협력한다.

(1) 밑줄 친 '이 윤리학'에 해당하는 윤리학의 종류를 쓰시오.

(2) 밑줄 친 '이 윤리학'과 이론 윤리학의 차이점을 서술하시오.

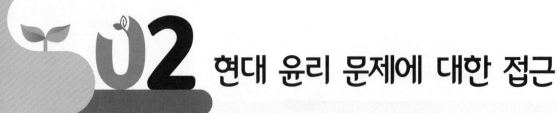

02 현대 윤리 문제에 대한 접근

★ 표시는 시험 전에 확인해 주세요.

A 동양 윤리의 접근

★ 1. 유교 윤리적 접근

> 인간관계에서 지켜야 할 다섯 가지 의무로 부자유친, 군신유의, 부부유별, 장유유서, 붕우유신을 말한다.

성격	• 성실, 배려를 도덕적 삶의 실천에서 중요한 가치로 여김 → 충(忠), 서(恕)를 통해 인(仁)을 실천함 • 사회 정의를 중요하게 여기고, 구성원 간의 관계에 따른 역할과 책임을 강조함 → 공자의 정명(正名) 사상, 오륜(五倫) • 자연과 인간의 조화 추구 → 천인합일(天人合一) 사상 • 모두가 더불어 잘 사는 사회인 대동 사회(大同社會)를 이상 사회로 제시함 ← 하늘과 사람이 하나라는 말
의의	• 현대 사회의 물질 만능주의, 인간 소외 문제 해결에 도움을 줌 • 공동체주의 윤리를 제시하고 생명의 소중함을 알게 함

★ 2. 불교 윤리적 접근

성격	• 모든 존재가 인연으로 연결되어 있다는 연기(緣起)의 깨달음을 강조함 → 자비(慈悲) ← 연기를 깨달으면 자기가 소중하듯 남도 소중하다는 자비(慈悲)의 마음이 생긴다. • 평등적 세계관: 모든 존재는 불성을 지니고 있고, 깨달음을 얻으면 누구나 부처가 될 수 있음 ← 누구나 가지고 있는 부처의 마음이자 부처가 될 가능성 • 지혜롭고 도덕적인 삶을 살기 위한 실천 방법으로 계율을 강조함 ← 불살생, 살생유택 • 괴로움에서 벗어나기 위한 방법으로 내면의 성찰을 강조함
의의	• 환경 파괴, 생명 경시 풍조 문제 해결에 시사점을 제공함 • 참선 수행을 통해 마음의 평화와 행복을 얻을 수 있음 • 화해와 조화를 강조하여 사회적 갈등 해결에 도움을 줌

★ 3. 도가 윤리적 접근

> 모든 차별이 소멸되어 정신적으로 자유로운 경지인 소요(逍遙)에 이르는 수양법

성격	• 도(道): 우주의 근원이자 만물의 변화 법칙 • 평등적 세계관: 도의 관점에서 만물을 평등하게 바라볼 것을 강조함 → 장자의 제물(齊物), 좌망(坐忘)과 심재(心齋) • 자연스럽고 소박한 삶 강조: 노자의 무위자연(無爲自然) • 인간을 자연의 일부로 보고 다른 존재와 구별하지 않음
의의	• 편협한 자기중심적 사고에서 벗어날 수 있게 함 • 부, 명예 등 세속적 가치에 대한 집착을 버리게 함 • 환경 문제의 근본적 해결을 위한 사고방식 전환의 계기를 마련해 줌

> 인위적으로 강제하지 않고 자연스러운 도(道)의 흐름에 맡겨야 한다는 뜻

B 서양 윤리의 접근

★ 1. 의무론적 접근

(1) 자연법 윤리

> 모든 인간에게 자연적으로 주어져 있는 보편적인 법으로 '선을 행하고 악을 피하라.'라는 핵심 명제를 강조한다.

특징	• 아퀴나스에 따르면 자연법은 인간에게 본성으로 담겨 있음 → 인간은 자기 보존, 종족 보존, 신과 사회에 대한 진리를 추구하려는 자연적 성향을 지님 • 생명의 불가침성, 존엄성, 양심의 자유, 만민 평등의 자연법적 권리를 도출함
의의	인간의 자연적 생명권과 신체의 완전성을 해치는 행위를 반대하는 입장에 이론적 근거를 제공함
한계	현대인의 자유로운 행위 선택을 제한할 수 있다는 비판을 받음

(2) 칸트 윤리

> 행위의 결과와 상관없이 행위 자체가 선(善)이기 때문에 무조건 수행해야 하는 도덕적 명령

특징	• 행위의 결과보다 동기를 중시하며, 오로지 의무 의식에서 나온 행위만이 도덕적 가치를 지님 • 이성적이고 자율적인 인간은 도덕 법칙을 알고, 그것을 정언 명령의 형식으로 제시함 • 준칙을 보편화 가능성, 인간 존엄성의 관점에서 검토해야 함
의의	• 인간의 존엄성을 중시하여 인권 보호에 기여함 ← 도덕 법칙과 구별되는 개인적 행위 규칙 • 보편적인 도덕의 중요성을 강조함
한계	• 형식에 치우쳐 구체적인 행위 지침을 제시하지 못함 • 도덕 법칙이 서로 충돌할 경우 해답을 제시하지 못함

> 행위의 동기보다는 이익과 행복이라는 결과를 강조한다.

★ 2. 공리주의적 접근

(1) 벤담과 밀의 공리주의

> 쾌락을 계산하는 기준: 강도, 지속성, 확실성, 근접성, 생산성, 순수성, 범위

벤담 (양적 공리주의)	• '최대 다수의 최대 행복'의 도덕 원리를 제시함 • 모든 쾌락은 질적으로 동일하며 양적으로 계산할 수 있음
밀 (질적 공리주의)	• 쾌락은 양뿐만 아니라 질적인 차이가 있음 • 낮은 쾌락과 높은 쾌락을 모두 경험한다면 고상하고 차원 높은 정신적 쾌락을 추구함
특징	쾌락, 행복을 증진하는 유용성에 따라 행위의 옳고 그름을 판단함
의의	• 현대 사회에서 윤리적 판단의 구체적 지침을 제공함 • 개인의 행복과 사회 전체 행복의 조화를 추구함
한계	내면적 동기를 무시하고, 개인의 권리를 소홀히 여김

(2) 행위 공리주의와 규칙 공리주의

구분	행위 공리주의	규칙 공리주의
판단 기준	행위 결과의 유용성	규칙 결과의 유용성
한계	행위 결과의 합을 일일이 계산해 적용하기 어려움	규칙들이 충돌할 경우 기준이 불분명함

C 현대 윤리학적 접근

1. 덕 윤리, 도덕 과학, 배려, 책임, 담론 윤리적 접근

> 의무론과 공리주의의 한계를 극복하고자 하였다.

덕 윤리적 접근	• 행위보다는 행위자에 초점을 맞춤 • 행위자의 성품, 바람직한 인간관계의 맥락에 관심을 둠 • 유덕한 성품을 갖추기 위해 선한 행위를 습관화함
도덕 과학적 접근	• 도덕적 현상을 과학적·분석적으로 접근하는 방법 • 신경 과학: 도덕적 판단 과정에서 이성과 정서의 역할을 보여 줌
배려 윤리적 접근	• 사람들 사이의 관계, 공동체적 관계에 주목함 • 상대방의 문제 상황과 구체적 요구를 살펴야 함
책임 윤리적 접근	요나스: 인류와 미래 세대, 자연·생태계, 행위의 모든 결과까지 책임져야 함
담론 윤리적 접근	도덕은 이성적 존재 사이의 상호 작용에 대한 규범 체계이므로 대화와 합의를 중시함

> 갈등 해결을 위한 의사소통 행위로 주로 논증과 토론으로 이루어진다.

01 다음 설명이 맞으면 ○표, 틀리면 ×표를 하시오.

(1) 유교에서는 도덕적 가치에 얽매이지 않고 자유롭게 살아갈 것을 강조하였다. ( )

(2) 불교에서는 모든 존재와 현상이 다양한 원인과 조건의 결합으로 생겨난다고 주장하였다. ( )

(3) 벤담은 정상적인 인간이라면 질적으로 높고 고상한 쾌락을 추구할 것이라고 강조하였다. ( )

02 다음 설명에 해당하는 동양 윤리 사상을 〈보기〉에서 골라 기호를 쓰시오.

> **보기**
> ㄱ. 유교 윤리   ㄴ. 불교 윤리   ㄷ. 도가 윤리

(1) 세상 만물의 연기성(緣起性)을 깨달아 자비로운 삶을 추구한다. ( )

(2) 작은 나라의 적은 백성[小國寡民]을 이상적인 공동체의 모습으로 본다. ( )

(3) 선악에 관한 분별적 지혜를 기르고 효제(孝悌)와 충서(忠恕)를 실천해야 한다. ( )

03 ㉠~㉣에 들어갈 내용을 각각 쓰시오.

구분	칸트의 의무론적 윤리	벤담의 공리주의
특징	행위의 결과보다 (㉠)을/를 중시함	'최대 다수의 (㉡)'의 도덕 원리를 제시함
의의	인간의 (㉢)을/를 중시하여 인권 보호에 기여함	개인의 행복과 사회 전체 행복의 (㉣)을/를 추구함

04 서양 윤리의 현대 윤리학적 접근 이론과 주요 내용을 옳게 연결하시오.

(1) 덕 윤리적 접근 •

(2) 의무론적 접근 •

(3) 공리주의적 접근 •

• ㉠ 옳은 행위를 결정하는 기준은 유용성의 원리이다.

• ㉡ 유덕한 성품을 갖추기 위해 선한 행위를 반복적으로 실천해야 한다.

• ㉢ 정언 명령으로서 도덕 법칙에 따라야 한다는 의무 의식이 도덕적 가치를 지닌다.

A 동양 윤리의 접근

출제가능성 90%

01 다음 글과 관련 있는 동양 윤리 사상으로 옳은 것은?

> • 하늘이 명한 것을 성(性)이라 하고, 성에 따르는 것을 도(道)라 하고, 도를 닦는 것을 교(敎)라고 한다.
> • 하늘이 사람을 내시니 사물이 있으면 법칙이 있도다. 사람이 떳떳한 성품을 간직하고 있으므로 이 아름다운 덕(德)을 좋아한다.

① 불교　　② 유교　　③ 도가

④ 의무론　　⑤ 공리주의

02 다음은 서술형 평가 문제와 학생 답안이다. ㈎에 들어갈 내용으로 옳은 것은?

> **서술형 평가**
>
> ◎ 문제: 유교의 도덕적 세계관과 수양 방법을 서술하시오.
>
> ◎ 학생 답안
> 유교에서는 천지 만물에 인의예지(仁義禮智)라는 도덕적 가치가 내재해 있으며, 이러한 속성을 온전히 이어받은 존재가 인간이라고 본다. 인간은 하늘로부터 도덕적 본성을 부여받은 존재이지만 지나친 욕구 때문에 잘못된 행동을 할 수 있다. 따라서 이러한 문제를 해결하기 위한 수양 방법으로, ⟨　㈎　⟩

① 충(忠)과 서(恕)를 강조하여 선한 본성을 확충할 것을 제시하였다.

② 만물을 평등하게 바라보는 제물(齊物)을 추구할 것을 강조하였다.

③ 위로는 진리를 구하고 아래로는 중생을 구제하는 방법을 제시하였다.

④ 삼독(三毒)에서 벗어나 진리를 깨닫기 위해 육바라밀을 실천할 것을 강조하였다.

⑤ 인위적인 삶에서 벗어나 마음을 가지런히 하는 심재(心齋)의 방법을 제시하였다.

03 (가), (나) 사상의 입장만을 〈보기〉에서 있는 대로 고른 것은?

> (가) 이것이 생(生)하면 저것이 생(生)하고, 이것이 멸(滅)하면 저것이 멸(滅)한다.
> (나) 자신의 마음을 다 발휘한 사람은 자신의 본성을 알게 되고, 본성을 알면 하늘을 알게 된다. 자신의 마음을 보존하고 본성을 배양하는 것이 곧 하늘을 섬기는 방법이다.

〈보기〉
ㄱ. (가): 고통에서 벗어나 행복한 삶을 누리기 위해 팔정도를 수행해야 한다.
ㄴ. (가): '나'라는 집착을 끊고 만물이 상호 의존한다는 연기를 깨달아야 한다.
ㄷ. (나): 자기 수양을 통해 도덕적으로 완성된 사람을 군자, 성인이라고 한다.
ㄹ. (나): 이상적 인간이 되기 위해 겸허와 부쟁의 덕을 실천하여 인위적인 규범에서 벗어나야 한다.

① ㄱ, ㄷ　　② ㄴ, ㄹ　　③ ㄷ, ㄹ
④ ㄱ, ㄴ, ㄷ　　⑤ ㄴ, ㄷ, ㄹ

04 다음 동양 윤리의 관점에만 모두 '∨'를 표시한 학생은?

> • 도의 관점에서 볼 때 무엇을 귀하게 여기고, 무엇을 천하게 여기겠는가?
> • 가장 선한 사람은 물과 같다. 물은 만물을 이롭게 하면서도 다투지 않고, 뭇사람들이 싫어하는 곳에 머문다. 그러므로 도에 가깝다. 거처로는 땅을 좋게 여기고, 마음가짐으로는 맑고 깊은 연못같이 고요함을 좋게 여기며, 말에는 신실한 것을 좋게 여긴다. … (중략) … 오직 다투지 않을 뿐이다. 그러므로 허물이 없다.

관점 ＼ 학생	갑	을	병	정	무
자연의 순리에 따르는 무위자연의 삶을 추구한다.	∨			∨	∨
대자연과 하나가 되는 '군자'를 이상적 인간으로 삼는다.		∨	∨	∨	∨
인간은 누구나 하늘로부터 도덕적 본성인 사단을 부여받는다.		∨		∨	
조용히 앉아 우리를 구속하는 일체의 것을 잊어버리는 '좌망'의 수양 방법을 제시한다.	∨		∨		∨

① 갑　② 을　③ 병　④ 정　⑤ 무

B **서양 윤리의 접근**

출제가능성 90%
05 다음 서양 윤리 사상가의 입장에 대한 옳은 설명을 〈보기〉에서 고른 것은?

> 이성적이고 자율적인 인간은 보편적인 도덕 법칙을 의식할 수 있고, 그러한 도덕 법칙은 무조건적 명령인 정언 명령의 형식으로 제시된다. 도덕 법칙은 보편화 가능성이 있다는 점에서 개인의 주관적인 행위 규칙인 준칙 또는 격률과 다르며, 선이란 이러한 도덕 법칙에 따라 사는 삶이다.

〈보기〉
ㄱ. 행위의 동기보다 결과를 중시하였다.
ㄴ. 오로지 의무 의식에서 나온 행위만이 도덕적 가치를 지닌다고 보았다.
ㄷ. 인간을 항상 동시에 목적으로 대할 것을 강조하며 인간 존엄성을 중시하였다.
ㄹ. 도덕 법칙은 '~하면 … 해야 한다.'와 같이 조건이 붙는 형식으로 제시되어야 한다고 보았다.

① ㄱ, ㄴ　　② ㄱ, ㄷ　　③ ㄴ, ㄷ
④ ㄴ, ㄹ　　⑤ ㄷ, ㄹ

06 (가), (나)에 해당하는 서양 윤리 사상을 옳게 연결한 것은?

> (가) 도덕 규칙을 강조하며, 특정 행위가 최선의 결과를 가져오는 것보다 최선의 결과를 가져오는 규칙에 따른 행위가 옳은 행위라고 본다.
> (나) 어떤 행위의 도덕성에 대한 평가는 그 행위가 산출하는 쾌락과 고통의 전체 값에 따른다. 즉, 개별 행위 자체가 공리의 원리를 충족하면 그 행위는 옳다고 본다.

	(가)	(나)
①	행위 공리주의	덕 윤리
②	규칙 공리주의	자연법 윤리
③	행위 공리주의	자연법 윤리
④	규칙 공리주의	행위 공리주의
⑤	행위 공리주의	규칙 공리주의

07 다음 토론 주제에 대해 공리주의 입장에서 주장할 내용으로 가장 적절한 것은?

> **토론 주제**
>
> 현대 사회에서 암묵적으로 행하는 '인공 임신 중절'을 어떻게 바라볼 것인가?

① 무위자연의 원리에 따라야 하기 때문에 자연을 위배하여 인공 임신 중절을 실시해서는 안 된다.

② '모든 인간의 생명은 해치지 말아야 한다.'는 도덕 법칙에 따라 인공 임신 중절을 허용해서는 안 된다.

③ 태아는 하나의 인격체이기 때문에 인간 존엄성의 원칙에 따라 태아의 인격을 목적 그 자체로 존중해야 한다.

④ 태아와 산모의 인연을 중요하게 생각하여, 태아를 포함한 모든 생명체를 소중히 여기므로 인공 임신 중절을 반대한다.

⑤ 인공 임신 중절을 허용할 경우가 이를 허용하지 않을 경우보다 더 큰 사회적 이익을 가져온다면 인공 임신 중절은 허용될 수 있다.

08 다음은 벤담의 양적 공리주의에 관한 노트 필기 내용이다. ㉠~㉤ 중 옳지 **않은** 것은?

> **벤담의 양적 공리주의**
>
> 1. 쾌락주의
> • 인간은 누구나 쾌락을 추구하고 고통을 피하는 존재임 ·················· ㉠
> • 쾌락은 선이고 고통은 악임 ·················· ㉡
> 2. 쾌락의 계산법
> • 모든 쾌락은 질적으로 같음 ·················· ㉢
> • 쾌락과 고통을 계산하는 기준에는 강도, 지속성, 확실성, 근접성, 생산성, 순수성, 범위가 있음 ········· ㉣
> • 감각적 쾌락과 다른 고차적 쾌락을 추구해야 함 ·················· ㉤

① ㉠   ② ㉡   ③ ㉢   ④ ㉣   ⑤ ㉤

C 현대 윤리학적 접근

✦출제가능성 90%

09 서양 사상가 갑, 을의 윤리학적 접근에 대한 옳은 입장만을 〈보기〉에서 있는 대로 고른 것은?

> 갑: 어떤 행위가 옳다거나 절제 있다는 것은 그것이 옳은 사람 혹은 절제적인 사람이 항상 행하는 바와 같은 행위인 경우이다. 옳고 절제 있는 행위를 하는 사람이 곧 옳고 절제적인 사람인 것은 아니다. 그러한 행위를 하되 옳고 절제적인 사람이 하듯 행하는 사람은 옳은 사람이요, 절제 있는 사람이다.
>
> 을: 쾌락과 고통만을 평가할 때 고려해야 할 것은 강력성, 지속성, 확실성, 원근성이다. 그러나 쾌락과 고통의 가치가 그것을 낳는 행위의 영향을 평가한다는 목적을 위하여 고찰되는 경우에는, 다산성과 순수성을 계산에 넣어야 한다. 그리고 범위, 즉 쾌락과 고통의 영향을 받는 사람들의 수도 고려해야 한다.

> **보기**
>
> ㄱ. 갑: 공동체보다 개인의 자유와 권리를 중시해야 한다.
> ㄴ. 갑: 유덕한 품성을 갖추려면 옳고 선한 행위를 습관화해야 한다.
> ㄷ. 을: 오로지 의무 의식에서 나온 행위만이 도덕적 가치를 가진다.
> ㄹ. 을: '최대 다수의 최대 행복'이라는 도덕 원리를 통해 문제를 해결한다.

① ㄱ, ㄷ   ② ㄴ, ㄹ   ③ ㄷ, ㄹ
④ ㄱ, ㄴ, ㄷ   ⑤ ㄴ, ㄷ, ㄹ

10 다음은 책임 윤리적 접근과 도덕 과학적 접근에 관한 학생의 논술문이다. ㉠~㉤ 중 옳지 **않은** 것은?

> **책임 윤리적 접근과 도덕 과학적 접근의 특징**
>
> 책임 윤리에서는 ㉠ 행위나 행위의 결과에 대한 책임은 물론, 부여된 과제나 역할에 대한 책임과 보편적인 책임까지 강조한다. 또한 ㉡ 책임의 범위를 개인을 넘어 집단, 미래 세대, 동물, 생태계까지 확장한다. 도덕 과학적 접근은 ㉢ 도덕성과 관련된 다양한 현상을 과학적 방법을 통해 설명한다. 도덕 과학적 접근에서는 ㉣ 정서, 신체적 반응을 배제하고 이성의 연구에만 주목한다. 예를 들어 신경 윤리학에서는, 자신에게 익숙한 공동체나 일상생활에서는 감정이 추론의 과정 없이 즉각적으로 나타나지만, ㉤ 딜레마 상황에서는 이성이 도덕 판단을 내리기 위해 추론의 과정을 수행하는 것으로 밝혀졌다.

① ㉠   ② ㉡   ③ ㉢   ④ ㉣   ⑤ ㉤

2018 수능 응용

01 갑, 을의 입장에 대한 옳은 설명만을 〈보기〉에서 있는 대로 고른 것은?

> 갑: 지인(至人)은 무위(無爲)하다. 도(道)에는 시작도 끝도 없지만 만물에는 죽음도 있고 삶도 있다.
> 을: 이것이 있기 때문에 저것이 있다. 이를 일컬어 인연법(因緣法)이라고 한다.

보기

> ㄱ. 갑은 만물을 평등하게 바라볼 것을 강조하였다.
> ㄴ. 갑은 인간이 만든 예의와 규범을 따르며 살아야 한다고 주장하였다.
> ㄷ. 을은 만물이 상호 의존 관계에 있다고 보았다.
> ㄹ. 을은 이상적 인간상으로 소인(小人)을 제시하였다.

① ㄱ, ㄴ   ② ㄱ, ㄷ   ③ ㄷ, ㄹ
④ ㄱ, ㄴ, ㄹ   ⑤ ㄴ, ㄷ, ㄹ

02 다음 사상의 입장에서 〈사례〉의 A 학생에게 해 줄 조언으로 가장 적절한 것은?

> 있음과 없음은 서로 상대적으로 일어나고, 어려움과 쉬움은 서로 상대적으로 이루어지고, 길고 짧음은 서로 상대적으로 비교된 것이고, 높고 낮음은 서로 상대적인 높이로 보이는 것이다. 그러므로 성인은 무위(無爲)로 일하면서도, 말 없는 가르침을 베푸는 것이다.
> 〈사례〉
> A 학생은 새로 전학 온 친구의 외모와 성격이 자신과 맞지 않다는 생각에 선생님께 짝꿍을 바꿔 줄 것을 요청할지 고민하고 있다.

① 자기가 소중하듯이 남도 소중하다는 자비의 마음으로 친구를 받아들이세요.
② 의로움을 추구하여 개인주의보다는 공동체주의 의식을 가지고 친구를 대하세요.
③ 만물이 평등하다는 도(道)의 관점에 따라 친구를 차별하는 자기중심적 편견에서 벗어나세요.
④ 내 마음을 미루어 다른 사람의 마음을 헤아리는 서(恕)의 덕목을 통해 친구의 마음을 헤아리세요.
⑤ 모든 만물은 인연으로 연결되어 있다는 연기의 깨달음을 통해 친구와 상호 의존의 관계를 유지하세요.

03 갑, 을의 입장에 대한 설명으로 옳은 것은?

> 갑: 너 자신에게 있어서나 다른 사람에게 있어서나 언제나 동시에 인격을 목적으로 대하고 결코 수단으로 대하지 말라.
> 을: 공리의 원리란 모든 행위에 관해 그것이 우리의 행복을 증진하느냐 혹은 감소하느냐에 따라 좋다거나 혹은 나쁘다고 평가하는 원리이다.

① 갑은 감각적인 쾌락보다 정신적 쾌락을 중시한다.
② 갑은 보편적인 이성의 법칙에 따를 것을 강조한다.
③ 을은 최소 이익을 산출하는 것을 도덕적이라고 본다.
④ 을은 의도하지 않은 결과에도 책임을 지는 삶을 살아야 한다고 주장한다.
⑤ 갑, 을은 결과의 유용성을 추구하는 삶을 살아야 한다고 본다.

04 다음 사상가의 입장에서 〈사례〉의 A 학생에게 해 줄 조언으로 가장 적절한 것은?

> 늘 새로우며, 더욱 감탄과 존경으로 내 마음을 가득 채우는 두 가지가 있다. 그것은 내 위에 있는 별이 빛나는 하늘과 내 마음 속에 있는 도덕 법칙이다.
> 〈사례〉
> A 학생은 B 학생이 평소 늦잠 때문에 지각한 것을 질병 지각이라고 거짓말을 하는 것을 알고 있다. 선생님은 어느 날 A 학생에게 B 학생이 정말 질병 지각이 맞는지를 확인하였다. A 학생은 B 학생을 위해 선의의 거짓말을 할지 고민하고 있다.

① 고상한 쾌락을 추구하려는 성향에 따라 선의의 거짓말을 해서는 안 된다.
② 거짓말하는 것은 보편 법칙이 될 수 없기 때문에, 어떠한 경우라도 거짓말을 해서는 안 된다.
③ "정직한 인간이 되어라."라는 공동체가 중시하는 가치에 어긋나므로 선의의 거짓말을 해서는 안 된다.
④ 선의의 거짓말이 최대 다수의 최대 행복을 가져오는 행위 결과를 낳는다면 선의의 거짓말이 허용된다.
⑤ 인간이 도덕적 품성을 갖추려면 옳고 선한 행위를 습관화해야 하기 때문에 선의의 거짓말을 할 수 있다.

05 갑의 입장에서 을의 입장에 대해 비판할 내용으로 가장 적절한 것은?

> 어떤 행위는 타당한 행위 규칙에 일치하면 옳고, 그 규칙을 위반하면 옳지 않아. 행위 규칙의 타당성을 결정하는 척도는 유용성이야. 윤리적 의사 결정은 더 큰 유용성을 산출하는 규칙을 근거로 해야 해.

> 우리가 할 수 있는 모든 대안적 행위들에 효용의 원리를 직접 적용하여, 그 가운데 최선의 결과를 가져오는 행위가 옳은 행위야.

갑   을

① 결과를 중시하여 내면적 동기에 소홀할 수 있다.
② 의무가 충돌할 때 명확한 해답을 내리기가 어렵다.
③ 유용성의 원리는 행위 규칙이 아니라 개별 행위에 적용된다는 점을 간과한다.
④ 도덕 원리만을 강조하므로 당면한 윤리 문제에 대한 적합한 해결 방안을 찾기 어렵다.
⑤ 행위의 옳고 그름을 판단하기 위해서 각각의 상황마다 행위의 결과를 계산하기가 어렵다.

06 ㉠, ㉡, ㉢에 들어갈 입장에 대한 옳은 설명만을 〈보기〉에서 있는 대로 고른 것은?

> • ㉠ 은/는 윤리적 실천 가능성을 높이기 위해 우정이나 사랑, 충성 등의 덕목과 공동체적 삶을 강조한다.
> • ㉡ 은/는 수용성, 관계성, 응답성에 근거한 사랑과 모성적 배려를 강조한다.
> • ㉢ 은/는 행위나 행위의 결과에 대한 책임은 물론, 부여된 과제나 역할에 따른 책임을 강조한다.

〈보기〉
ㄱ. ㉠은 각 행위 자체의 옳고 그름에 대한 판단을 강조한다.
ㄴ. ㉡은 맥락적 사고를 바탕으로 서로 간의 관계성을 중시한다.
ㄷ. ㉡은 구체적 상황보다 추상적 원리에 근거해 판단해야 한다고 주장한다.
ㄹ. ㉢은 책임질 수 있는 능력은 책임져야 하는 당위로 연결된다고 본다.

① ㄱ, ㄷ   ② ㄱ, ㄹ   ③ ㄴ, ㄹ
④ ㄱ, ㄴ, ㄷ   ⑤ ㄴ, ㄷ, ㄹ

07 다음 윤리학적 접근의 입장에 대한 옳은 설명만을 〈보기〉에서 있는 대로 고른 것은?

> 하버드 대학의 심리학자 그린(Greene, J.)은 신경 과학 기술을 활용하여 '트롤리 딜레마' 상황에 대한 인간의 도덕 판단을 연구하였다. 그가 실험에 참가한 사람들의 뇌를 스캔한 결과, 첫 번째 딜레마 상황인 변환기를 조종할지 결정을 내리는 경우에는 이성을 담당하는 전전두엽의 활성이 상승하였다. 반면, 두 번째 딜레마 상황인 직접적이고 적극적인 행동이 필요한 경우에는 감정과 관계된 편도체의 활성이 상승하였다.

〈보기〉
ㄱ. 도덕적 문제 상황에서 이성과 감정이 어떻게 작용하는지 알려 준다.
ㄴ. 도덕적 문제 상황에서 감정 중심주의 연구가 이성 중심의 연구로 변화하는 모습을 보여준다.
ㄷ. 뇌의 특정 부위를 마음의 작용으로 파악하는 것은 부분을 전체로 혼동하는 오류를 범한다는 비판을 받을 수 있다.
ㄹ. '도덕성과 관련된 뇌 영역이 심각하게 손상된 사람에게 도덕적 책임을 부과할 수 있을까?'라는 윤리적 물음에 대한 해답을 찾을 수 있다.

① ㄱ, ㄷ   ② ㄴ, ㄹ   ③ ㄷ, ㄹ
④ ㄱ, ㄷ, ㄹ   ⑤ ㄴ, ㄷ, ㄹ

🌸 **서술형 문제**

08 ㉠에 도달하기 위해 유교 윤리에서 강조하는 내용을 서술하시오.

> 맹자는 사단이라는 선한 마음이 누구에게나 주어져 있다고 주장하였다. 유교 윤리에서는 이러한 도덕성을 바탕으로 지속적으로 수양하면 누구나 ㉠ 도덕적으로 완성된 인간인 성인(聖人)이나 군자(君子)가 될 수 있다고 본다.

03 윤리 문제에 대한 탐구와 성찰

★ 표시는 시험 전에 확인해 주세요.

A 도덕적 탐구의 방법

1. 도덕적 탐구의 특징과 중요성

(1) 도덕적 탐구의 의미와 특징

의미	• 도덕적 사고를 통해 도덕적 의미를 새롭게 구성하는 지적인 활동 • 도덕 문제의 해결 방안을 찾기 위해 도덕 원리와 사실 판단을 조사, 분석, 비교, 평가하며 타당한 결론을 내리는 과정
특징	• 도덕적 가치와 규범에 주목하고, 도덕적 실천을 중시함 • 윤리적 딜레마를 활용한 도덕적 추론으로 이루어짐 • 이성적 측면과 정서적 측면을 함께 고려함

(2) 도덕적 탐구의 중요성: 도덕적 문제 상황을 극복하기 위한 방안을 도출하고, 어떻게 행동하는 것이 옳은가에 대한 기준을 제시함
    • 이성적 측면은 논리적·합리적·비판적 사고를, 정서적 측면은 공감, 배려, 도덕적 분노, 수치심과 같은 도덕적 정서를 말한다.

★ 2. 도덕적 탐구의 방법

(1) 도덕적 탐구 방법의 단계

윤리적 쟁점 또는 딜레마 확인	문제의 핵심, 관련된 사람들과 그들의 관계, 발생 원인 등을 파악함
자료 수집 및 분석	다양한 자료를 수집, 분석함
입장 채택 및 정당화 근거 제시	• 자신의 입장을 채택하고 대안을 설정하며, 이에 대한 정당화 근거를 제시함 • 도덕 원리 검사 방법 적용, 도덕적 정서도 고려해야 함
최선의 대안 도출	토론을 통해 최선의 해결책을 도출함
반성적 성찰 및 입장 정리	탐구 과정에서 달라진 생각과 참여 태도 등을 성찰함

(2) 도덕적 추론 과정과 도덕 판단의 근거

① 도덕적 추론 과정 ┌ 도덕 원리와 사실 판단을 근거로 하여 도덕 판단을 내리는 과정

도덕 원리 (원리 근거)	A는 B이고	예 누군가의 생명을 해치는 것은 옳지 않다.
사실 판단 (사실 근거)	C가 A이면	예 뇌사를 죽음으로 인정하는 것은 누군가의 생명을 고의로 해치는 것이다.
도덕 판단 (결론)	C는 B이다	예 따라서 뇌사를 죽음으로 인정하는 것은 옳지 않다.

② 도덕 판단의 근거 ┌ 도덕 판단은 주관적 사고나 감정이 아니라 보편성, 일반성, 타당성을 지녀야 한다.

도덕 원리	• 옳고 그름을 판단함 • 유교 윤리, 불교 윤리, 의무론, 공리주의 등 윤리 이론을 적용한 원리 근거 예 어려운 사람을 도와주어야 한다. • 비판적 검토 시 고려해야 할 사항: 행위의 결과, 규칙이나 관습, 권위·권위자, 도덕적 감정과 양심
사실 판단	• 참과 거짓을 구분함 • 각종 통계 자료, 신문 기사, 전문가의 연구 성과 등 자료를 활용하여 제시하는 사실 근거 예 지역에 따른 학업 성취도 격차가 해마다 늘어나고 있다.

③ 도덕 원리의 타당성 검토 방법

역할 교환 검사	도덕 원리를 자신에게 적용했을 때에도 받아들일 수 있는지 확인하는 방법 예 내가 난치병에 걸려 신약 개발이 필요할 때에도 '살생을 해서는 안 된다.'는 도덕 원리를 적용할 수 있을까?
반증 사례 검사	도덕 원리가 적용되지 않는 사례는 없는지 확인하는 방법 예 동물 실험에서 살생이 이루어지지 않는 경우는 없을까?
보편화 결과 검사	도덕 원리를 모든 사람에게 적용했을 때 나타나는 결과에 문제가 없는지 확인하는 방법 예 모든 사람에게 자유롭게 안락사를 허용한다면 어떤 결과를 낳을까?

(3) 도덕적 상상력과 배려적 사고 ┌ 도덕적 갈등을 원만하게 해결하고 윤리 문제에 대한 바람직한 해결 방안을 찾기 위해 필요하다.

① 도덕적 상상력: 각종 딜레마 상황에서 그것이 윤리 문제인지를 지각하고, 그 문제 상황이 어떻게 전개될 것인지 고려하는 능력

② 배려적 사고: 도덕적 민감성과 공감 능력에 근거하여 타인의 욕구나 필요에 관심을 두고 그의 처지에서 생각하며 그 필요를 충족하고자 하는 태도

B 윤리적 성찰과 실천

★ 1. 윤리적 성찰

(1) 의미: 과거에 있었던 자신의 행동, 생각, 감정, 도덕 판단 등의 경험이 오늘날 삶에 미치는 영향을 분석하여 앞으로 지향해야 할 행동과 인격 성향을 찾아보는 사고 과정

(2) 윤리적 성찰에 대한 강조

동양	• 증자의 일일삼성(一日三省): "날마다 세 가지 점을 살핀다. 남을 돕는 데 정성스럽게 하였는가? 친구와 교제하는 데 신의를 다하였는가? 스승에게 배운 것을 잘 익혔는가?" • 거경(居敬): 마음을 한곳으로 모아 흐트러짐이 없음 • 신독(愼獨): 홀로 있을 때도 도리에 어긋나지 않도록 몸과 마음을 바르게 함 • 불교의 참선: 인간의 참된 삶과 맑은 본성을 찾기 위한 수행
서양	소크라테스: "성찰하지 않는 삶은 살 가치가 없다."

    • 끊임없이 질문을 던지는 산파술을 통해 자신의 무지를 자각할 수 있게 하였다.

(3) 윤리적 성찰의 중요성: 도덕적 앎과 실천의 간격을 좁혀 실천 의지를 기르게 함, 도덕적 주체의 도덕성에 중점을 둠
    • 인간은 불완전한 존재이므로 인식과 판단에서 오류 가능성이 있고, 생각과 가치관의 차이로 갈등이 발생할 수 있으므로 개인적 성찰을 넘어 공동체적 성찰이 필요하다.

2. 도덕적 토론

(1) 토론의 중요성: 공동체적 성찰로 나아가게 하고, 판단의 오류 가능성을 줄이며, 갈등을 원만하게 해결하게 함

(2) 토론의 과정: 주장 → 반론 → 재반론 → 검토와 정리

(3) 밀의 자유론: 인간은 오류 가능성이 있는 불완전한 존재이므로, 토론을 막아서는 안 됨
    • "모든 인류가 같은 의견이고 한 사람만 반대 의견을 갖는다고 해도 인류가 그 한 사람에게 침묵을 강요할 권리는 없다."

01 다음 설명이 맞으면 ○표, 틀리면 ×표를 하시오.

(1) 도덕적 탐구에서는 공정한 탐구의 결과를 위해 정서적 측면을 제거해야 한다. ( )

(2) 윤리적 성찰을 통해 자신의 불완전함을 보완하면서 가치관과 인격을 함양할 수 있다. ( )

02 도덕 원리의 타당성 검토 방법과 내용을 옳게 연결하시오.

(1) 역할 교환 검사 •

(2) 반증 사례 검사 •

• ㉠ 도덕 원리가 적용되지 않는 사례는 없는지 확인하는 방법

• ㉡ 도덕 원리를 자신에게 적용했을 때에도 받아들일 수 있는지 확인하는 방법

03 빈칸에 들어갈 내용을 쓰시오.

( )을/를 통해 도덕적 문제 상황을 극복하기 위한 방안을 도출하고, 어떻게 행동하는 것이 옳은가에 대한 기준을 세울 수 있다.

04 도덕적 탐구 방법의 단계를 〈보기〉에서 골라 순서대로 쓰시오.

보기
ㄱ. 최선의 대안 도출
ㄴ. 자료 수집 및 분석
ㄷ. 윤리적 쟁점 또는 딜레마 확인
ㄹ. 입장 채택 및 정당화 근거 제시

05 다음 문장에 해당하는 내용을 골라 기호를 쓰시오.

보기
ㄱ. 도덕 판단   ㄴ. 도덕 원리   ㄷ. 사실 판단

(1) 사람들에게 이익을 가져다주는 제도는 옳다. ( )

(2) 따라서 뇌사를 죽음으로 인정하는 것은 옳다. ( )

(3) 뇌사를 죽음으로 인정하면 더 많은 사람들이 장기 이식 수술을 할 수 있다. ( )

A 도덕적 탐구의 방법

출제가능성 90%

01 ㉠, ㉡에 대한 옳은 설명만을 〈보기〉에서 있는 대로 고른 것은?

도덕적 탐구는 도덕 문제의 해결 방안을 찾기 위해 동서양의 윤리 이론을 적용한 ㉠ 와/과 각종 통계 자료, 신문 기사, 전문가의 연구 성과 등을 활용한 ㉡ 을/를 조사, 분석, 비교, 평가하며 타당한 결론을 내리는 과정이다.

보기
ㄱ. ㉠은 도덕 원리, ㉡은 사실 판단에 해당한다.
ㄴ. ㉠은 참과 거짓을 판단하고, ㉡은 옳고 그름을 판단한다.
ㄷ. ㉠의 예로는 '어려운 사람을 도와주어야 한다.', '모든 일은 공정하게 처리해야 한다.' 등이 있다.
ㄹ. ㉡은 '이 상황에서 옳은 것은 무엇인가?', '나는 어떻게 살아야 하는가?'와 같이 상황의 지침을 제공할 수 있다.

① ㄱ, ㄷ　　　② ㄴ, ㄹ　　　③ ㄷ, ㄹ
④ ㄱ, ㄴ, ㄷ　　　⑤ ㄴ, ㄷ, ㄹ

02 다음 도덕적 추론의 과정에서 각 단계에 대한 설명으로 옳지 않은 것은?

대전제: 무고한 인간을 죽이는 것은 도덕적으로 그르다.
소전제 : (가)
결론: 태아를 죽이는 인공 임신 중절은 도덕적으로 그르다.

① (가)에 들어갈 내용은 '태아는 무고한 인간이다.'이다.

② 대전제는 사실 판단, 결론은 도덕 원리에 해당한다.

③ 위의 추론 단계는 이유나 근거를 제시하며 도덕 판단을 내리기 위한 과정이다.

④ 대전제를 검증하기 위해 반증 사례 검사를 통해 '무고한 인간을 죽이는 것이 허용되는 사례는 없을까?'라는 질문을 던질 수 있다.

⑤ 대전제를 검증하기 위해 보편화 결과 검사를 통해 '모든 무고한 인간을 죽이는 것은 어떤 결과를 불러올까?'라는 질문을 던질 수 있다.

03 반증 사례 검사를 활용하여 갑의 도덕 원리의 타당성을 검토한 내용으로 가장 적절한 것은?

> 갑: 인간의 이익을 위한 동물 실험은 살아 있는 생명을 죽일 수 있기 때문에 옳지 않아.

① 동물과 인간의 권리는 동등하게 취급해야 할까?
② 동물 실험에서 살생이 이루어지지 않는 경우는 없을까?
③ 동물 실험이 살아 있는 생명을 죽일 수 있다는 조사 결과가 나와 있을까?
④ 모든 만물이 상호 의존적인 관계로 연결되어 있다는 구체적인 근거는 무엇일까?
⑤ 만약 자신이 실제 난치병에 걸려 신약 개발이 절실히 필요할 때에도 '살생을 해서는 안 된다.'는 도덕 원리를 적용할 수 있을까?

04 다음 글에서 강조하는 도덕적 탐구에 대한 내용으로 옳은 것은?

> 분별 있는 관찰자(자기 앞에 놓인 상황에 관해 객관성을 지니고 살펴보는 사람)는 가능한 한 자신을 상대방의 입장에 놓고, 상대방에게 고통을 주고 있는 모든 사소한 사정까지도 진지하게 느껴 보려고 노력해야 한다. 그는 자신의 친구가 처해 있는 모든 사정을 아주 사소한 일까지 모두 받아들여야 한다. 그리고 그는 공감의 기초가 되는 역지사지를 최대한 완전히 하려고 노력해야 한다.

① 각종 자료 수집을 바탕으로 도덕적 사건을 분석해야 한다.
② 윤리적 딜레마를 해결하는 데 합리적 사고와 비판적 사고가 중요하다.
③ 도덕적 탐구는 오류를 줄이기 위해 감정을 억제하고 이성적으로 사고해야 한다.
④ 도덕적 사건을 올바르게 인식하고 탐구하기 위해 공감이나 배려 등의 정서가 필요하다.
⑤ 도덕적 탐구 과정에서 도덕적 탐구의 질을 높이기 위해 동서양의 다양한 윤리 이론을 이해해야 한다.

B 윤리적 성찰과 실천

출제가능성 90%
05 다음 글과 관련 있는 내용을 옳게 연결한 것은?

> 버릇은 사람의 뜻을 견고하지 못하게 하고, 행실을 독실하지 못하게 하여, 오늘 한 것은 내일 고치기 어렵고 아침에 행한 것을 후회하고도 저녁이면 벌써 다시 그렇게 한다. 때때로 깊이 반성하는 공부를 더 해 이 마음으로 하여금 옛날 물든 더러움을 한 점이라도 없게 한 뒤라야 학문에 나아가는 공부를 말할 수 있다.

① 사실 판단 – 증자의 일일삼성, 유교의 거경 등이 있다.
② 윤리적 성찰 – 감정을 배제하고 참·거짓을 구분한다.
③ 윤리적 성찰 – 이 과정에서는 과거와 현재의 시간 구조만 고려한다.
④ 윤리적 성찰 – 자신의 불완전함을 보완하면서 가치관과 인격을 함양할 수 있다.
⑤ 사실 판단 – 도덕적 앎과 실천 사이의 간격을 좁혀 삶에서 자발적 실천을 하도록 이끈다.

06 다음 사상가의 입장에 대한 옳은 설명만을 〈보기〉에서 있는 대로 고른 것은?

> 일체의 토론을 차단하는 것은 인간의 절대 무오류성을 가정하는 것이다. 하지만 인간은 끊임없이 잘못 판단하고 잘못 행동하면서 살아간다. 우리 인류는 스스로의 과오로부터 벗어나지 못한다는 사실을 이론적으로는 항상 명심하고 있다. 하지만 불행하게도 실제로 자신이 판단을 내릴 때에는 이를 거의 문제 삼지 않는다.

보기
ㄱ. 인간을 무오류성을 가진 존재로 보았다.
ㄴ. 토론을 통해 한층 더 명확한 이해와 생생한 인상을 가지게 된다고 보았다.
ㄷ. 토론은 자신이 오류를 범할 가능성을 완전히 배제한 채 자기 주장을 펼치는 것이라고 보았다.
ㄹ. 비록 단 한 사람만이 반대 의견을 가지고 있더라도, 전 인류가 그 한 사람에게 침묵을 강요하는 것은 정당하지 못하다고 주장하였다.

① ㄱ, ㄴ   ② ㄴ, ㄹ   ③ ㄷ, ㄹ
④ ㄱ, ㄴ, ㄷ   ⑤ ㄴ, ㄷ, ㄹ

3단계 등급 올리기

최고난도

01 다음은 도덕적 탐구의 과정이다. ㉠~㉢에 대한 옳은 설명을 〈보기〉에서 고른 것은?

> ㉠ 주희가 다니는 학교의 점심 배식 순서는 3학년 학생이 우선이다. 아무래도 3학년은 시간을 아껴야 하니 당연하다고 여길 수 있지만, 이것에 문제를 제기하려 한다. 먼저 주희는 ㉡ 다른 학교와 외국 학교의 배식 시간과 순서, 자율 배식제의 여부를 조사하였다. 외국 학교의 배식 시간은 자율로 이루어지고 있으며, 이에 따른 학생들의 만족도가 높다는 사실을 알게 된 주희는 ㉢ '3학년이라고 배려하는 것은 자율권의 침해이다.'라는 결론을 내렸다.

보기

> ㄱ. ㉠은 윤리적 쟁점 또는 딜레마 확인 단계로 문제의 핵심을 파악한다.
> ㄴ. ㉡은 최선의 대안 도출 단계로 탐구 과정을 반성하고 대안의 장단점을 비교·검토한다.
> ㄷ. ㉡은 자료 수집 및 분석 단계로 다양한 관련 자료를 수집하고 분석한다.
> ㄹ. ㉢은 입장 채택 및 정당화 근거 제시 단계로 정당성 확보를 위해 도덕 원리 검사 적용이 필요하다.

① ㄱ, ㄴ　　② ㄱ, ㄹ　　③ ㄴ, ㄷ
④ ㄴ, ㄹ　　⑤ ㄷ, ㄹ

02 다음 사상가의 입장에서 〈사례〉의 A 학생에게 해 줄 조언으로 가장 적절한 것은?

> 다른 사람을 대하는 데 진심을 다하지 않았는가? 친구를 사귀는 데 믿음과 신뢰를 잃지는 않았는가? 스승에게 배운 것을 열심히 익히지 않았는가?
>
> 〈사례〉
> A 학생은 어떤 행동이 옳은지를 알면서도 그렇게 행동하지 못하고 있다. 같은 상황에 부딪혀도 똑같은 잘못을 되풀이하게 된다.

① 최대의 유용성을 가져오는 행위를 선택해 행동하렴.
② 윤리적 성찰을 통해 도덕적 지식을 실천으로 옮기렴.
③ 참선을 통해 너의 참된 삶의 모습을 깨닫고 맑은 본성을 찾아 바르게 살아가렴.
④ 행위의 결과와 상관없이 그 자체가 선이기 때문에 도덕 법칙을 따라야 한다는 사실을 기억하렴.
⑤ 모든 존재의 현상이 다양한 원인과 조건에 의해 생겨난다는 인연설을 바탕으로 원인을 분석하렴.

2015 평가원 응용

03 (가)를 주장한 사상가의 입장에서 (나)의 주장을 반박할 경우 그 논거로 적절한 내용만을 〈보기〉에서 있는 대로 고른 것은?

> (가) 의견 발표를 억압하는 것은 그 의견을 지지하거나 반대하는 사람 모두에게 손해를 끼친다. 한 사람 이외의 모든 인류가 동일한 의견이고, 한 사람만이 반대 의견을 갖는다 해도, 인류에게는 그 한 사람에게 침묵을 강요할 권리가 없다.
> (나) 소수의 의견은 진정한 진리를 추구하는 데 혼동을 야기하기 때문에, 다수의 의견만을 참고해야 한다.

보기

> ㄱ. 토론의 과정에서 진리의 가치를 재확인할 수 있다.
> ㄴ. 소수의 의견이 진리이고 다수의 의견이 오류일 수 있다.
> ㄷ. 소수의 의견이 오류라고 해도 부분적으로는 진리일 수 있다.
> ㄹ. 다수가 지지하는 의견이 최대 다수의 최대 행복의 원리에 따라 불변의 진리가 된다.

① ㄱ, ㄴ　　② ㄴ, ㄹ　　③ ㄷ, ㄹ
④ ㄱ, ㄴ, ㄷ　　⑤ ㄴ, ㄷ, ㄹ

🖊 서술형 문제

04 다음 글을 읽고 물음에 답하시오.

> 　㉠　(이)란 도덕 문제의 해결 방안을 찾기 위해 도덕 원리와　㉡　을/를 조사, 분석, 비교, 평가하며 타당한 결론을 내리는 과정이다. 우리는　㉠　을/를 통해 도덕적 문제 상황에서 어떻게 판단하고 행동하는 것이 옳은가에 대한 기준이나 원칙을 세울 수 있다.

(1) ㉠, ㉡에 들어갈 내용을 각각 쓰시오.

(2) 도덕 원리와 ㉡을 비교하여 서술하시오.

01 삶과 죽음의 윤리

★ 표시는 시험 전에 확인해 주세요.

A 출생·죽음의 의미와 삶의 가치

1. 출생의 윤리적 의미 ┌● 새로운 생명이 세상에 태어나는 것으로, 태아가 모체로부터 분리되어 독립된 생명체가 되는 단계

인간의 자연적 성향을 실현하는 과정	자연법 윤리의 관점: 생명 보전, 종족 보존의 자연적 성향을 실현함
도덕적 주체로 사는 삶의 출발점	자신의 행위를 스스로 결정하고 책임지는 도덕적 주체로 성장함
가족과 사회 구성원으로 사는 삶의 시작	가족과 공동체의 구성원으로서 다양한 인간관계를 형성함 → 사회적 존재로서의 삶

★ 2. 죽음의 윤리적 의미
┌● 죽은 사람을 다시
되살릴 수 없음

(1) 죽음의 특성: 보편성·평등성, 불가피성, 일회성, 비가역성
└● 인간은 누구나 죽음을 맞게 됨

(2) 죽음의 윤리적 의미: 삶과 인간관계의 소중함을 깨닫는 계기

(3) 동서양의 죽음에 대한 관점
● 어느 누구도 죽음을 피할 수 없음

동양	공자	• 죽음을 자연의 과정으로 보고 애도하는 것을 마땅히 여김 ┌중생이 죽은 뒤 그 업(業)에 따라 또 다른 세계에 태어난다는 불교의 가르침 • 죽음보다 현실의 도덕적 삶과 실천을 강조함
	석가모니	죽음은 또 다른 세계로 윤회하는 것이며, 자신의 본모습을 깨달음으로써 윤회의 고통에서 벗어날 수 있음
	장자	삶과 죽음은 기(氣)가 모이고 흩어지는 것으로 자연적이고 필연적인 과정 → 죽음을 슬퍼하거나 삶에 집착하지 말 것 └사물의 완전하고 이상적인 원형 또는 본질
서양	플라톤	죽음은 육체에 갇혀 있던 영혼이 이데아의 세계로 되돌아가는 것
	에피쿠로스	인간은 죽음을 경험할 수 없으므로 죽음을 두려워할 필요가 없음
	하이데거	죽음에 대한 자각을 통해 진정한 삶을 살 수 있음

B 출생·죽음과 관련된 윤리적 쟁점

★ 1. 인공 임신 중절의 윤리적 쟁점

●여성의 선택권을 우선으로 보호하자는 입장(pro-choice) **찬성** (선택 옹호주의)	• 소유권 논거: 여성은 자기 몸에 대한 소유권을 지니며, 태아는 여성 몸의 일부임 • 생산 논거: 여성은 태아를 생산하므로 태아에 대한 권리를 지님 • 자율권 논거: 여성은 자신의 삶을 자율적으로 선택할 권리가 있음 • 평등권 논거: 여성이 인공 임신 중절에 대해 자유롭게 선택할 수 있을 때 남성과 동등한 권리를 지님 • 정당방위 논거: 모든 인간은 자기방어와 정당방위의 권리를 지니므로 여성은 낙태를 할 권리가 있음
●태아의 생명권을 우선으로 보호하자는 입장(pro-life) **반대** (생명 옹호주의)	• 존엄성 논거: 모든 인간의 생명은 존엄하며, 태아 역시 생명을 가진 인간임 • 잠재성 논거: 태아는 임신 순간부터 한 인간으로 성장할 잠재성을 지님 • 무고한 인간의 신성불가침 논거: 잘못이 없는 인간을 해치는 행위는 옳지 않고, 태아는 무고한 인간임

2. 자살의 윤리적 문제

(1) 자살의 문제점: 인격과 생명 훼손, 자아실현의 가능성 차단, 사회에 부정적 영향을 끼침 ┌● 자살은 주변 사람에게 큰 슬픔을 주고, 사회 문제로 발전할 수 있다.

(2) 자살에 관한 동서양의 관점

유교	부모로부터 받은 신체를 훼손하지 않는 것이 효의 시작
불교	'불살생'의 계율에 따라 자기 생명을 해치는 것을 금함
그리스도교	신으로부터 받은 생명을 스스로 끊어서는 안 됨
아퀴나스	자살은 자기 보존을 거스르는 부당한 행위
칸트	자살은 자신의 인격을 한낱 수단으로 이용하는 것
쇼펜하우어	자살은 문제를 해결하는 것이 아니라 회피하는 것

★ 3. 안락사의 윤리적 쟁점
┌● 불치병으로 극심한 고통을 겪고 있는 환자의 요구에 따라 의료진이 인위적으로 개입하여 생명을 단축하는 행위

(1) 안락사의 구분 ┌인간으로서 최소한의 품위를 유지하면서 죽을 수 있게 한다는 점에서 존엄사와 연결 짓기도 한다.

① 시행 방법에 따른 구분: 적극적 안락사, 소극적 안락사

② 환자의 동의 여부에 따른 구분: 자발적 안락사, 비자발적 안락사
└ 환자가 판단 능력을 상실했거나 의식이 없을 때 가족이나 국가의 요구에 의해 시행되는 안락사

(2) 안락사에 대한 찬반 입장
● 인간답게 죽을 권리를 강조하는 입장

찬성	• 불치병으로 고통받는 환자의 자율성과 삶의 질 중시 • 공리주의 관점: 연명 치료는 환자 본인과 가족에게 심리적·경제적 부담을 주며, 제한된 의료 자원을 효율적으로 사용해야 하는 사회 전체의 이익에도 부합하지 않음
반대	• 인간의 생명은 존엄하며 인간은 죽음을 선택할 권리가 없음 • 자연법 윤리의 관점: 죽음을 인위적으로 앞당기는 행위는 자연의 질서에 어긋남 • 의무론의 관점: 삶이 고통스럽다는 이유로 생명을 버리는 것은 생명을 수단시하는 행위이므로 옳지 않음

4. 뇌사의 윤리적 쟁점

(1) 뇌사의 의미: 뇌간을 포함한 뇌의 활동이 회복할 수 없을 정도로 정지된 상태 ┌● 현재 대부분의 나라에서는 뇌사를 죽음으로 인정하고 있으며, 우리나라는 장기 기증을 전제로 한 경우에만 뇌사를 죽음으로 인정한다.

(2) 뇌사에 대한 찬반 입장

찬성	• 뇌사자가 존엄하게 죽을 수 있는 권리를 존중해야 함 • 뇌 기능이 정지하면 인간으로서 고유한 활동을 할 수 없고, 이미 죽음의 단계에 들어선 것임 • 인공호흡기 등 의료 자원을 효율적으로 이용하는 데 도움을 줌 • 뇌사자의 장기로 다른 환자의 생명을 구하거나 질병을 치료할 수 있음
반대	• 뇌사를 죽음으로 인정하는 것은 인간의 생명을 수단으로 여기는 것임 • 뇌사를 인정한다면 사망 시점을 명시할 수 없으며, 여러 가지 법적인 문제를 일으킬 수 있음 • 뇌사 판정의 오류 가능성이 있으며, 뇌사 판정을 받은 환자가 다시 회복된 사례가 있음 • 실용주의 관점은 인간의 가치를 위협할 수 있으며, 사회적으로 악용될 수 있음

└● 뇌사를 죽음으로 인정하지 않는 입장에서는 의료 자원의 효율적 이용과 장기 이식을 위해 뇌사 문제에 접근하는 것은 생명의 존엄성을 경시하는 것이라고 주장한다.

1단계 개념 짚어 보기

01 다음 설명이 맞으면 ○표, 틀리면 ×표를 하시오.

(1) 생명은 일회적이고 유한하며, 대체 불가능한 본래적인 가치를 지닌다는 특성이 있다. ( )

(2) 인간이라면 누구나 죽음을 맞게 된다는 점에서 죽음은 가역성을 지닌다는 특성이 있다. ( )

(3) 에피쿠로스는 인간은 죽음을 경험할 수 없으므로 죽음을 두려워할 필요가 없다고 보았다. ( )

02 ㉠, ㉡에 들어갈 내용을 각각 쓰시오.

> 인공 임신 중절의 윤리적 쟁점은 태아의 (㉠　　　)와/과 여성의 (㉡　　　) 중 어느 것을 우선으로 보호할 것인가이다.

03 다음 설명에 해당하는 안락사의 유형을 〈보기〉에서 골라 기호를 쓰시오.

> **보기**
> ㄱ. 적극적 안락사　　　ㄴ. 소극적 안락사
> ㄷ. 자발적 안락사　　　ㄹ. 비자발적 안락사

(1) 연명 치료를 중단하여 자연스럽게 죽음에 이르게 함 ( )

(2) 환자의 직접적인 동의가 있을 경우 죽음에 이르게 함 ( )

04 빈칸에 들어갈 말을 각각 쓰시오.

(1) (　　　　)은/는 삶과 죽음을 기(氣)가 모이고 흩어지는 것으로 보았다.

(2) 칸트에 따르면, 자살은 자신의 인격을 (　　　　)(으)로 이용하는 것이다.

05 ㉠~㉢에 들어갈 내용을 각각 쓰시오.

(㉠　　　) 논거	모든 인간의 생명은 존엄하며, (㉡　　　) 역시 생명을 가진 인간임
잠재성 논거	태아는 임신 순간부터 한 (㉢　　　)(으)로 성장할 잠재성을 지님
(㉣　　　)한 인간의 신성불가침 논거	잘못이 없는 인간을 해치는 행위는 도덕적으로 옳지 않고, 태아는 무고한 인간이므로 해쳐서는 안 됨

2단계 내신 다지기

A 출생·죽음의 의미와 삶의 가치

01 다음은 서술형 평가와 학생 답안이다. 학생 답안의 ㉠~㉤ 중 옳은 것은?

> **서술형 평가**
> ◎ 문제: 죽음을 바라보는 동서양의 다양한 관점을 정리하시오.
> ◎ 학생 답안
>
> | 유교 | 죽음을 자연의 과정으로 보고 애도하는 것을 마땅히 여긴다. …………㉠ |
> |---|---|
> | 불교 | 삶과 죽음은 사계절의 변화처럼 자연스러운 것이다. …………㉡ |
> | 도가 | 전생에 뿌려진 씨앗은 이번 생에 받는 것이고, 다음 생에 거둘 열매는 이번 생에서 행하는 바로 그것이다. …………㉢ |
> | 하이데거 | 인간은 살아 있든 죽어 있든 죽음을 경험할 수 없으므로 두려워할 필요가 없다. …………㉣ |
> | 에피쿠로스 | 인간은 언제나 죽음과 함께하고 있다. 죽음을 외면하지 말고 죽음은 항상 자신의 것이라는 사실을 인지하면서 살아가야 한다. …………㉤ |

① ㉠　　② ㉡　　③ ㉢　　④ ㉣　　⑤ ㉤

02 갑, 을, 병 사상가들의 입장에 대한 설명으로 옳지 <u>않은</u> 것은?

> 갑: 삶은 육체 안에 갇힌 영혼의 감금 생활이요, 죽음은 육체로부터 영혼의 해방이자 분리이다.
> 을: 자신이 죽는다는 사실을 자각하는 것은 단순한 삶의 종말이 아니라 삶이 시작되는 사건이다.
> 병: 전생에 뿌려진 씨앗은 이번 생에 받는 것이고, 다음 생에 거둘 열매는 이번 생에 행하는 바로 그것이다.

① 갑은 죽음을 영혼과 육체가 분리되는 것으로 본다.

② 을은 죽음에 대한 자각을 통해 진정한 삶을 살 수 있다고 본다.

③ 병은 이전 세상에서 행한 업보에 따라 다음 세상이 결정된다고 본다.

④ 병은 갑, 을과 달리 죽음 이후의 삶을 위해 선한 행위를 습관화해야 한다고 본다.

⑤ 갑, 을, 병은 자신의 본모습을 깨달아야 윤회의 고통에서 벗어날 수 있다고 본다.

출제가능성 90%
03 다음 사상가의 죽음에 대한 입장을 〈보기〉에서 고른 것은?

> 망막하고 혼돈한 대도(大道) 속에 섞여 있던 것이 변해서 기(氣)가 되고, 기가 변해서 형체가 되고, 형체가 변해서 생명이 되었다. 그리고 그것이 변해서 죽음이 된 것이다.

보기
> ㄱ. 삶과 죽음은 서로 연결된 순환 과정이다.
> ㄴ. 죽음은 육체의 감옥으로부터 해방되는 것이다.
> ㄷ. 죽음을 너무 슬퍼하거나 삶에 지나치게 집착할 필요는 없다.
> ㄹ. 윤회 과정에서 인간의 선행과 악행은 죽음 이후의 삶을 결정한다.

① ㄱ, ㄴ ② ㄱ, ㄷ ③ ㄴ, ㄷ
④ ㄴ, ㄹ ⑤ ㄷ, ㄹ

05 다음 중 안락사를 찬성하는 입장의 논거로 적절하지 <u>않은</u> 것은?

① 불치병 환자에 대한 연명 치료는 사회의 이익 증진을 해친다.
② 공리주의 관점에서 환자의 고통과 가족의 부담을 고려해야 한다.
③ 고통받는 환자는 자율적 주체로서 자신의 죽음을 선택할 권리를 지닌다.
④ 제한된 의료 자원을 효율적으로 사용할 수 있으므로 사회 전체의 이익에 부합한다.
⑤ 자연법과 의무론의 관점에서 볼 때 자연의 질서에 어긋나며, 생명을 수단시하는 행위이다.

B 출생·죽음과 관련된 윤리적 쟁점

출제가능성 90%
04 ㉠을 우선으로 보호하자는 입장을 지지하는 논거로 적절한 것은?

> 인공 임신 중절이란 태아가 모체 밖에서는 생명을 유지할 수 없는 시기에 태아를 인공적으로 모체에서 분리하여 임신을 종결하는 행위로 '낙태'라고도 합니다. 인공 임신 중절과 관련된 윤리적 쟁점은 ㉠ 태아의 생명권과 여성의 선택권 중 어느 것을 우선으로 보호할 것인가입니다.

① 여성은 자기방어와 정당방위의 권리를 지닌다.
② 여성은 태아를 생산하기 때문에 태아에 대한 권리를 지닌다.
③ 여성은 자신의 삶에 대하여 자율적으로 선택할 권리가 있다.
④ 태아는 여성 몸의 일부이므로 임신한 여성이 태아에 대한 권리를 지닌다.
⑤ 태아는 임신 순간부터 한 인간으로 성장할 잠재성을 갖고 있으므로 인간의 지위를 지닌다.

06 ㉠에 해당하는 논거를 〈보기〉에서 고른 것은?

> 과거에는 심장이 멈추고 호흡이 정지된 상태를 사망으로 보는 심폐사만을 죽음의 기준으로 생각하였다. 그런데 현대에 와서 인공호흡기와 같은 생명 연장 장치의 도움으로 심장과 폐의 기능을 인위적으로 연장할 수 있게 되었다. 이에 따라, 뇌는 죽었지만 심장과 폐는 살아 있는 환자가 등장하게 되면서 ㉠ 뇌사도 죽음의 기준으로 인정해야 한다는 주장이 제기되었다.

보기
> ㄱ. 뇌사 판정 과정에서 오류의 가능성이 있다.
> ㄴ. 뇌사자가 존엄하게 죽을 수 있는 권리를 존중해야 한다.
> ㄷ. 뇌사를 죽음으로 인정하는 것은 인간 생명을 수단으로 여기는 것이다.
> ㄹ. 뇌사자의 장기로 다른 환자의 생명을 구하거나 질병을 치료할 수 있다.

① ㄱ, ㄴ ② ㄱ, ㄷ ③ ㄴ, ㄷ
④ ㄴ, ㄹ ⑤ ㄷ, ㄹ

2018 수능 응용 ★최고난도

01 갑, 을 사상가들의 죽음에 대한 입장을 〈보기〉에서 고른 것은?

> 갑: 지인(至人)은 무위(無爲)하다. 도(道)에는 시작도 끝도 없지만 만물에는 죽음도 있고 삶도 있다. 근본에서 보자면 삶이란 기(氣)가 모인 것이다.
>
> 을: 죽음은 우리에게 아무것도 아니다. 모든 좋고 나쁨은 감각에 달려 있는데, 죽으면 감각을 잃게 되기 때문이다. 이 사실을 제대로 알게 되면 가사성(可死性)도 즐겁게 된다.

보기
> ㄱ. 갑: 죽음은 기가 모이고 흩어지는 과정의 일부이다.
> ㄴ. 갑: 죽음에 대한 성찰을 통해 철저히 슬퍼해야 한다.
> ㄷ. 을: 죽음은 우리가 경험할 수 없으므로 두려워할 필요가 없다.
> ㄹ. 갑, 을: 삶과 죽음을 엄격히 분별하여 불멸과 영생에 대해 갈망해야 한다.

① ㄱ, ㄴ   ② ㄱ, ㄷ   ③ ㄴ, ㄷ
④ ㄴ, ㄹ   ⑤ ㄷ, ㄹ

02 갑, 을의 입장에서 긍정의 대답을 할 질문으로 옳은 것은?

> 갑: 우리가 무엇인가를 순수하게 인식하려면, 육체에서 벗어나야 하며 오로지 영혼만을 사용하여 사물 그 자체를 보아야 한다. 죽었을 때 비로소 우리는 간절히 바라는 지혜를 얻을 수 있다.
>
> 을: 본래 아무것도 없었는데 순식간에 변화하여 기(氣)가 생기고, 기가 변화하여 형체가 생기고, 형체가 변화하여 생명이 생기고, 생명이 변화하여 죽음이 된다. 이는 봄, 여름, 가을, 겨울의 운행과 같다.

① 갑: 죽음을 통해 영혼과 육체가 완전히 합쳐지는가?
② 갑: 삶과 죽음은 서로 연결된 필연적인 순환의 과정인가?
③ 을: 죽음은 끝이 아니라 또 다른 세계로 윤회하는 것인가?
④ 을: 죽음은 생(生), 로(老), 병(病)과 함께 고통 중의 하나인가?
⑤ 갑, 을: 죽음에 대해 두려움을 가질 필요가 없는가?

2017 수능 응용

03 을의 입장에서 갑의 주장에 대해 제기할 반론으로 가장 적절한 것은?

> 갑: 몇 해 전 우리나라 법원은 환자가 원한다면 자기 생명을 종식시킬 수 있다는 것을 최초로 인정한 판결을 내렸어. 이것은 환자와 가족의 고통을 덜어 주고, 생명에 대한 자기 결정권을 공식적으로 허용한 올바른 판결로 보아야 해.
>
> 을: 인간의 생명을 인간 스스로 결정할 수 있다는 판결은 잘못된 결정이야. 아무리 환자 본인의 요청이 있었다고 해도, 생명은 하늘이 부여한 것이므로 자기 생명은 자신도 함부로 할 수 없는 존엄한 것이야.

① 모든 인간은 인간답게 죽을 권리가 있어.
② 생명의 종식 여부는 개인의 자율적 선택의 문제야.
③ 인간 생명을 목적이 아닌 수단으로 여겨서는 안 돼.
④ 안락사는 인간의 존엄성을 보호하는 도덕적 행위야.
⑤ 사회의 이익 증진을 위해 의료 자원을 효율적으로 배분해야 해.

🌸 **서술형 문제**

04 다음 기사 제목을 볼 때, 죽음의 판정 기준으로 뇌사를 인정해야 하는 이유를 서술하시오.

> • 뇌사 판정 50대 여성, 환자 세 명에게 새 생명 주다
>   － ○○일보
> • 교통사고로 뇌사 판정을 받은 새내기 의사, 환자 살리고 떠나
>   － △△신문
> • 뇌사 생후 5개월 남자아이, 네 사람에게 새 삶 주고 떠나
>   － □□뉴스

02 생명 윤리

★ 표시는 시험 전에 확인해 주세요.

A 생명 복제와 유전자 치료 문제

1. 생명 윤리와 생명의 존엄성

(1) 생명 윤리의 의미: 생명을 책임 있게 다루기 위한 윤리학적 숙고

(2) 생명의 존엄성에 관한 윤리적 관점

동양	• 유교: 부모로부터 물려받은 생명을 소중히 여김 • 불교: 연기설을 통해 생명의 상호 의존 관계를 강조하고, 불살생을 통해 생명의 보존을 주장함 ●살아 있는 것을 죽이지 않음 • 도교: 자연스럽게 태어나고 자라는 것을 인위적으로 조장하는 일은 바람직하지 못하다고 주장함
서양	그리스도교: 신의 피조물인 생명은 존엄하면서도 일정한 위계를 가짐 → 아퀴나스와 슈바이처의 생명 사상으로 계승됨

● "생명을 보존하고 촉진하는 것은 좋은 일이며, 그것을 파괴하고 억제하는 것은 나쁜 일이다."

★ 2. 생명 복제의 윤리적 쟁점

(1) 생명 복제의 의미: 동일한 유전 형질을 가진 생명체를 만들어 내는 기술로, 크게 동물 복제와 인간 복제로 나뉨

(2) 동물 복제에 대한 찬반 입장
● 동물 복제를 통해 얻을 수 있는 유용한 결과나 행복 증진에 관심을 둔다.

찬성	• 동물 복제를 통해 우수한 품종을 개발·유지할 수 있음 • 희귀 동물을 보존하고, 멸종 동물을 복원할 수 있음
반대	• 동물 복제는 자연의 질서에 어긋나고, 종의 다양성을 해침 • 동물의 생명이 인간의 유용성을 위한 도구가 될 수 있음

(3) 인간 복제: 배아 복제와 개체 복제로 나뉨
● 복제를 통해 새로운 인간 개체를 탄생시키는 것으로, 일반적으로 인간 복제는 이를 가리킴

배아 복제	찬성	• 배아는 아직 완전한 인간이 아님 • 배아로부터 획득한 줄기세포를 활용해 난치병의 치료 방법을 찾을 수 있음
	반대	• 배아 역시 인간의 도덕적 지위를 지닌 생명이므로 보호해야 함 • 복제 과정에서 많은 수의 난자를 사용하여 여성의 건강권과 인권을 훼손함
개체 복제	찬성	불임 부부의 고통을 해소할 수 있음
	반대	• 인간의 존엄성을 훼손함 ●인간을 제작, 대체 가능한 존재로 여긴다. • 자연스러운 출산 과정에 어긋남 • 인간의 고유성을 위협하고, 가족 관계에 혼란을 줌

3. 유전자 치료의 윤리적 쟁점
● 인간의 고유성, 개체성, 정체성을 상실할 수 있다.

(1) 유전자 치료의 의미: 질병을 치료하기 위해 체세포 또는 생식 세포 안에 정상 유전자를 넣어 유전자의 기능을 바로잡거나 이상 유전자 자체를 바꾸는 치료법으로, 체세포 유전자 치료와 생식 세포 유전자 치료로 나뉨

(2) 유전 형질 개량에 대한 찬반 입장
● 적극적 우생학

찬성	개인의 선호와 자율적 선택에 따른 유전자 개량을 존중함
반대	• 미래 세대의 자율적인 삶을 제약할 수 있음 • 경제적 차이에 따른 계층 간 유전적 격차와 이로 인한 차별이 생길 수 있음

● 체세포 유전자 치료는 환자의 질병 치료를 위해 제한적으로 허용되는 반면, 생식 세포 유전자 치료는 논란의 여지가 있다.

(3) 생식 세포 유전자 치료에 대한 찬반 입장
● 수정란이나 발생 초기의 배아에 유전 물질을 삽입하여 질병을 치료하는 방법

찬성	• 병의 유전을 막아 다음 세대의 병을 예방함 • 유전병을 퇴치하는 등 의학적으로 유용함 • 유전 질환을 물려주지 않으려는 부모의 자율적 선택을 존중함 • 새로운 치료법 개발을 통해 경제적 효용 가치를 산출함
반대	• 미래 세대의 동의 여부가 불확실함 • 의학적으로 불확실하고 임상적으로 위험함 • 인간의 유전자를 조작하려는 우생학을 부추길 수 있음 • 고가의 치료비로 그 혜택이 일부 사람에게 편중되어 분배 정의에 어긋날 수 있음

● 미래 세대의 인종적 자질을 개선하거나 손상할 수 있는 요인들을 연구하는 학문

B 동물 실험과 동물 권리의 문제

1. 동물 실험의 윤리적 쟁점
● 그리스도교에서는 인간을 위해 다른 동물을 이용할 수 있다고 본다.

찬성	• 인간은 동물과 근본적으로 다른 존재 지위를 갖고 있음 • 인간과 동물은 생물학적으로 유사함 → 동물 실험의 결과를 인간에게 적용할 수 있음 • 확실하고 믿을 만한 동물 실험의 대안이 없음
반대	• 인간과 동물은 존재 지위에 별 차이가 없음 • 인간과 동물은 생물학적으로 유사하지 않음 ●예 탈리도마이드 부작용 사례 • 인간 세포와 조직을 이용한 실험, 컴퓨터 모의실험 연구 등으로 대체 가능함

★ 2. 동물 권리 논쟁

(1) 동물 권리 논쟁의 핵심: '동물은 도덕적으로 고려받을 권리를 가지는가'

(2) '동물이 도덕적으로 고려받을 권리'에 대한 입장

찬성	• 벤담: 동물도 고통을 느끼므로 도덕적으로 고려받을 권리를 가짐 • 싱어: 동물도 쾌고 감수 능력을 갖고 있으므로 동물의 이익도 평등하게 고려되어야 함 ●동물 실험이 동물에게 고통을 주기 때문에 반대하였다. • 레건: 한 살 정도의 포유류는 자신의 삶을 영위할 수 있는 능력, 즉 믿음, 욕구, 지각, 기억, 감정 등을 가진 삶의 주체가 될 수 있으므로 인간처럼 내재적 가치를 지님 → 동물 실험은 동물의 내재적 가치를 존중하지 않고, 단지 동물을 인간의 목적을 위한 수단으로 이용하기 때문에 부당함
반대	• 데카르트: 동물은 '자동인형' 또는 '움직이는 기계'에 불과함 • 아퀴나스와 칸트: 동물은 도덕적으로 고려받을 권리를 갖지는 않지만, 동물을 함부로 다루어서도 안 되는데, 그것이 인간의 품성에 부정적인 영향을 끼치기 때문임 • 코헨: 동물은 윤리 규범의 고안 능력이나 자율성 등이 없으므로 도덕적 권리를 갖지 않음

(3) 동물 실험의 3R 원칙
● 동물의 희생과 고통을 최소화하기 위해 만든 동물 실험의 세 가지 원칙

대체(replacement)	하등 동물이나 컴퓨터 모의실험과 같은 다른 실험으로 대체함
감소(reduction)	실험에 활용되는 동물의 수를 줄임
개선(refinement)	동물이 받는 고통과 피해를 최소화하기 위해 실험 절차를 개선함

01 다음 설명이 맞으면 ○표, 틀리면 ×표를 하시오.

(1) 인간 복제는 배아 복제와 개체 복제로 나뉜다.
( )

(2) 데카르트는 동물을 '움직이는 기계'에 불과하다고 주장하였다.
( )

(3) 그리스도교에서는 인간을 위해 다른 동물을 이용해서는 안 된다고 본다.
( )

(4) 환자의 질병 치료를 위해 제한적으로 허용되는 것은 생식 세포 유전자 치료이다.
( )

02 빈칸에 들어갈 내용을 각각 쓰시오.

(1) ( ) 복제는 배아 줄기세포를 얻기 위해 복제 후 배아 단계까지만 발생을 진행시키는 것이다.

(2) ( ) 복제는 복제를 통해 새로운 인간 개체를 탄생시키는 것으로, 일반적으로 인간 복제는 이를 가리킨다.

03 ㉠, ㉡에 들어갈 내용을 각각 쓰시오.

찬성	(㉠) 부부의 고통을 해소할 수 있음
반대	• 인간의 생명이 수단화되어 인간의 (㉡)을/를 훼손함 • 자연스러운 출산 과정에 어긋남 • 인간의 고유성을 위협함 • 가족 관계에 혼란을 줌

04 동물 권리 논쟁의 핵심은 '동물이 ( )적으로 고려받을 권리를 가지는가'이다.

05 다음과 같이 주장한 사상가를 〈보기〉에서 골라 기호를 쓰시오.

보기
ㄱ. 싱어 ㄴ. 칸트
ㄷ. 코헨 ㄹ. 데카르트

(1) 인간의 품성에 부정적인 영향을 끼치므로 동물을 함부로 다루어서는 안 된다.
( )

(2) 동물은 쾌고 감수 능력을 갖고 있으므로 동물의 이익도 평등하게 고려되어야 한다.
( )

A 생명 복제와 유전자 치료 문제

출제가능성 90%

01 (가)에 들어갈 적절한 내용을 〈보기〉에서 고른 것은?

생명 복제란 유전자 정보가 동일한 새로운 생명체를 만드는 것이다. 1997년 체세포 핵 이식으로 복제 양 돌리를 만들면서 인간 배아 복제나 개체 복제와 같은 생명 과학 기술이 실제로 가능해졌다. 생명 복제가 기술적으로 가능해지면서 이것이 윤리적으로 정당화될 수 있는지에 대한 논의도 활발해졌다. 생명 복제에 반대하는 사람들은 생명 복제가 (가) 고 본다.

보기

ㄱ. 인간을 제작, 대체가 가능한 존재로 여기게 만든다
ㄴ. 인체 조직과 장기를 복구하고 질병을 치유할 수 있다
ㄷ. 전통 가정을 토대로 하는 사회의 기본 구조를 파괴한다
ㄹ. 불임 부부들에게 자식을 가질 수 있다는 희망을 안겨 준다

① ㄱ, ㄴ ② ㄱ, ㄷ ③ ㄴ, ㄷ
④ ㄴ, ㄹ ⑤ ㄷ, ㄹ

02 다음 치료법에 대한 반대 논거를 〈보기〉에서 고른 것은?

유전자 치료는 질병을 치료하기 위해 체세포 또는 생식 세포 안에 정상 유전자를 넣어 유전자의 기능을 바로잡거나 이상 유전자 자체를 바꾸는 치료법이다.

보기

ㄱ. 유전 질환을 물려주지 않으려는 부모의 자율적 선택을 무시할 위험성이 있다.
ㄴ. 생식 세포를 변화시켜 인간 성향을 개선하려는 우생학이 발생할 우려가 있다.
ㄷ. 유전적 결함이 있는 배아를 바로잡아 출생시킬 가능성을 원천 차단할 위험성이 있다.
ㄹ. 임상 실험의 위험성과 과학적 불확실성으로 예측할 수 없는 부작용이 나타날 수 있다.

① ㄱ, ㄴ ② ㄱ, ㄷ ③ ㄴ, ㄷ
④ ㄴ, ㄹ ⑤ ㄷ, ㄹ

출제가능성 90%

03 갑은 부정, 을은 긍정의 대답을 할 질문으로 가장 적절한 것은?

> 갑: 인간 배아는 인간 개체가 될 가능성이 확정되지 않은 세포 덩어리이므로 인간으로 볼 수 없다. 따라서 의학 실험의 대상이 될 수 있다.
> 을: 인간 배아는 인간과 동일한 유전자를 가지고 있고, 태아로 자라 아이로 태어나는 연속적인 과정 중에 있으므로 인간으로 보아야 한다. 따라서 의학 실험의 대상이 될 수 없다.

① 인간 배아는 인간으로서 도덕적 지위를 지니는가?
② 인간 배아는 인간을 위한 수단으로 활용될 수 있는가?
③ 인간 배아의 파괴는 인간의 죽음과 동일시될 수 없는가?
④ 인간 배아의 가치는 효용성의 차원에서 찾을 수 있는가?
⑤ 연구를 위한 인간 배아 파괴는 제한 없이 허용될 수 있는가?

B 동물 실험과 동물 권리의 문제

04 다음은 서술형 평가와 학생 답안이다. 학생 답안의 ⑦~⑩ 중 옳지 않은 것은?

> **서술형 평가**
>
> ◎ 문제: 동물 실험에 관한 찬반 입장의 논거를 서술하시오.
>
> ◎ 학생 답안
> 동물 실험에 찬성하는 입장의 논거는 다음과 같다. 첫째, ⑦ 인간이 동물과 근본적으로 다른 존재 지위를 갖고 있다는 것이다. 예를 들면, ⑥ 그리스도교에서는 인간과 동물의 지위를 구별하고, 인간을 위해 다른 동물을 이용할 수 있다고 본다. 둘째, ⓒ 인간과 동물은 생물학적으로 유사하므로 동물 실험의 결과를 인간에게 적용할 수 있다고 본다. 반면에 동물 실험에 반대하는 입장의 논거는 다음과 같다. ⓔ 인간과 동물은 존재 지위에 별 차이가 없다는 것이다. 예를 들면, ⑩ 고통을 느낄 수 있는 존재를 도덕적 고려 대상에 넣는 관점에서는 인간의 이익을 위해 동물 종에게 고통을 가하는 것이 윤리적으로 정당화된다고 본다.

① ⑦ ② ⑥ ③ ⓒ ④ ⓔ ⑤ ⑩

05 갑, 을 사상가들의 공통적인 입장을 〈보기〉에서 고른 것은?

> 갑: 식물은 동물을 위해 존재하고, 동물은 모두 인간을 위해 존재한다. 인간이 동물에게 동정 어린 감정을 나타낸다면, 그는 그만큼 더 동료 인간들에게 관심을 가질 것이다.
> 을: 동물에 대한 우리의 의무는 인간에 대한 간접적 의무에 불과하다. 우리가 동물에 대해 의무를 갖는 이유는 그렇게 함으로써 사람에 대한 의무를 계발할 수 있기 때문이다.

> **보기**
>
> ㄱ. 동물에게 친절한 사람은 사람에게도 친절할 것이다.
> ㄴ. 동물은 도덕적으로 고려받을 권리를 갖고 있지 않다.
> ㄷ. 동물은 모두 인간을 위해 존재하므로 함부로 다루어도 된다.
> ㄹ. 동물은 고통을 느낄 수 없기 때문에 '움직이는 기계'에 불과하다.

① ㄱ, ㄴ ② ㄱ, ㄷ ③ ㄴ, ㄷ
④ ㄴ, ㄹ ⑤ ㄷ, ㄹ

출제가능성 90%

06 다음 쟁점에 대한 각 사상가들의 입장으로 옳지 않은 것은?

> 동물 실험에 관한 윤리적 쟁점 중 하나는 '동물에게도 도덕적 지위가 있는가'이다. 어떤 존재가 도덕적 지위를 갖는다는 것은 우리가 그 존재를 도덕적으로 고려하고 그 존재에게 어떤 도덕적 의무를 갖는다는 것을 의미한다.

① 레건: 삶의 주체로서 동물도 인간처럼 내재적 가치를 지닌다.
② 칸트: 인간은 동물과 관련해서 직접적인 의무를 지지 않는다.
③ 벤담: 동물도 고통을 느끼므로 도덕적으로 고려받을 권리를 가진다.
④ 아퀴나스: 동물에 대한 잔혹한 처우는 인간에 대한 잔혹성에 영향을 주지 않는다.
⑤ 싱어: 동물도 쾌고 감수 능력을 갖고 있으므로 동물의 이익도 평등하게 고려되어야 한다.

01 (가) 사상가의 관점에서 (나)의 주장에 대해 내릴 판단으로 가장 적절한 것은?

(가)	한 살 정도의 포유류는 자신의 삶을 영위할 수 있는 능력, 즉 믿음, 욕구, 지각, 기억, 감정 등을 가진 삶의 주체가 될 수 있으므로, 이들을 그 자체로 목적으로 대우해야 한다.
(나)	신약 개발을 위한 연구, 화장품과 세제 등 공산품의 안전성 검사, 실험 방법 교육 등에서 광범위하게 동물 실험이 이루어지고 있으며, 동물 실험은 우리에게 유용한 결과를 제공해 주고 있다. 따라서 동물 실험은 계속되어야 한다.

① 내재적 가치를 지닌 동물을 수단화하는 동물 실험은 허용해서는 안 된다.
② 고통을 잠시 잊게 할 마취제를 사용할 경우 동물 실험은 허용될 수 있다.
③ 동물은 고통을 느낄 수 없는 기계에 불과하므로 동물 실험은 허용될 수 있다.
④ 인간의 품성에 부정적 결과를 초래하므로 동물 실험을 허용해서는 안 된다.
⑤ 인간의 이익을 위해 다른 동물에게 고통을 가하는 동물 실험은 허용될 수 있다.

2017 수능 응용 **최고난도**
02 (가)의 주장을 (나) 그림으로 나타낼 때, ㉠에 대한 반론의 근거를 〈보기〉에서 고른 것은?

(가)	인위적으로 동일한 유전 형질을 가진 동물을 만들어 내는 동물 복제는 종의 다양성을 훼손한다. 따라서 동물 복제는 허용되어서는 안 된다.
(나)	

〈보기〉
ㄱ. 동물 복제는 희귀 동물을 보존하는 방법을 제공한다.
ㄴ. 동물 복제는 사라져 가는 멸종 위기의 동물을 복원하는 데 기여한다.
ㄷ. 동물 복제는 자연의 질서에 어긋나며, 동물의 생명을 수단으로 여기게 한다.
ㄹ. 동물 복제는 복제를 원하는 사람의 의도에 따라 특정 종만으로 생태계를 재편한다.

① ㄱ, ㄴ   ② ㄱ, ㄷ   ③ ㄴ, ㄷ
④ ㄴ, ㄹ   ⑤ ㄷ, ㄹ

2018 수능 응용
03 다음 토론의 핵심 쟁점으로 가장 적절한 것은?

갑: 인간의 생명과 건강을 위해 동물 실험은 꼭 필요합니다. 인간과 동물은 생물학적으로 유사하며, 동물 실험의 확실한 대안은 없습니다. 따라서 동물 실험은 정당합니다.
을: 저는 당신이 제시한 논증의 모든 전제에 대해 찬성하지만 결론에는 반대합니다. 논증에 등장하는 '동물'을 모두 '인간'으로 바꿔 보세요. 당신이 제시한 논증을 이용하면 인간 실험마저 정당화할 수 있습니다.
갑: 인간 실험은 부당합니다. 하지만 인간과 달리 동물은 기본적 권리를 갖지 않습니다. 당신의 비판은 동물도 기본적 권리를 갖는다는 선결 문제를 해결해야 합니다.
을: 인간은 물론 동물도 삶의 주체이므로 기본적 권리를 갖습니다. 인간 실험과 마찬가지로 동물 실험도 부당합니다. 당신이야말로 동물의 기본적 권리를 단적으로 부정하고 있습니다.

① 동물 실험의 확실한 대안은 존재하는가?
② 인간 실험과 달리 동물 실험은 정당한가?
③ 실험동물의 고통 감소를 위해 노력해야 하는가?
④ 인간과 동물은 생물학적으로 유사성을 지니는가?
⑤ 삶의 주체인 동물의 기본 권리를 인정해야 하는가?

서술형 문제

04 ㉠의 질문에 대한 답을 **두 가지** 이상 서술하시오.

개체 복제는 복제한 배아를 자궁에 착상시켜 완전한 인간 개체를 태어나게 하는 것으로, 일반적으로 인간 복제는 이를 가리킨다. 불임 부부의 고통을 해소하기 위해 개체 복제를 허용해야 한다는 의견도 있지만 다수의 의견은 개체 복제를 금지해야 한다고 주장한다. 그렇다면 ㉠ 개체 복제를 금지하는 이유는 무엇일까?

03 사랑과 성 윤리

★ 표시는 시험 전에 확인해 주세요.

A 사랑과 성의 관계

★ 1. 사랑과 성의 의미와 가치

(1) 사랑과 성의 의미

사랑	• 어떤 사람이나 존재를 아끼고 소중히 여기는 마음 • 프롬: 사랑은 보호, 책임, 존경, 이해의 요소를 포함함
성	• 생물학적 성(sex): 남자와 여자를 생물학적으로 구분함 • 사회·문화적 성(gender): 사회·문화적으로 구성되는 남성다움과 여성다움 • 욕망으로서의 성(sexuality): 성적 욕망과 관련된 심리나 행위

(2) 인간의 성이 갖는 가치 ┌ 자연법 윤리에서 말하는 종족 보존의 자연적 성향과 관련이 있다.

생식적 가치	새로운 생명을 탄생시키는 원천이 됨
쾌락적 가치	인간의 감각적 욕구를 충족시켜 줌
인격적 가치	남녀 상호 간의 존중과 배려를 실현하게 해 줌

(3) 사랑과 성의 관계 ┌ 혼전 또는 혼외 성관계는 부도덕하다고 본다.

보수주의 입장	• 결혼과 출산 중심의 성 윤리를 제시함 • 성은 부부간의 신뢰와 사랑을 전제로 할 때 도덕적임 → 결혼을 통해 이루어지는 성적 관계만 정당함
중도주의 입장	• 사랑 중심의 성 윤리를 제시함 • 성을 결혼과 결부시키지 않으며, 사랑을 동반한 성적 관계는 허용될 수 있음
자유주의 입장	• 자발적인 동의 중심의 성 윤리를 제시함 • 성숙한 성인의 자발적 동의에 따라 이루어지는 성적 관계를 옹호하며, 개인의 자유로운 선택을 중시함

★ 2. 성과 관련된 윤리 문제

(1) 성차별

의미	남녀 간의 차이를 잘못 이해하여 발생하는 차별 ⑩ 흔히 남성은 모험적이고 활동적인 반면, 여성은 안정적이고 수동적이라는 생각
보부아르	『제2의 성』: "여성은 태어나는 것이 아니라 여성으로서 만들어진다." → 남자다움과 여자다움을 사회적·문화적으로 규정해 따르게 할 경우 다양한 성차별이 발생할 수 있음
문제점	• 여성과 남성 모두의 자아실현을 방해함 • 인간의 평등성과 존엄성을 훼손함 → 인권 침해 • 남녀 각 개인의 잠재력을 충분히 발휘할 수 없게 하여 국가 차원의 인적 자원의 낭비를 초래함
극복 방안	양성평등의 관점에서 남녀의 차이를 인정하고 다양성과 개성을 존중하는 사회를 만들어야 함

(2) 성의 자기 결정권

① 의미: 인간이 자신의 성적 행동을 스스로 결정할 수 있는 권리
┌ 외부의 부당한 압력이나 타인의 강요 없이 스스로 의지와 판단에 따라 자신의 성적 행동을 결정하는 것이다.

② 남용 시 문제점: 타인이 갖는 성의 자기 결정권을 침해하고, 생명을 훼손할 수 있음
┌ 성의 자기 결정권을 올바르게 행사하려면 상대방을 존중하고 배려해야 하며, 이를 바탕으로 자신의 의지에 따라 성적 행동을 결정하고 선택할 때 성적 주체성을 확립할 수 있다.

③ 남용 문제의 해결 방안: 서로의 인격과 성의 자기 결정권을 존중하고, 자신의 결정에 책임을 지는 자세를 지녀야 함

(3) 성 상품화 ┌ 성의 인격적 가치를 훼손하기 때문에 도덕적으로 옳지 않으며, 법으로도 금지되어 있다.

의미	성 자체를 상품처럼 사고팔거나, 다른 상품을 팔기 위한 수단으로 성을 이용하는 행위 → 성매매뿐만 아니라 성적 이미지를 제품과 연결하여 성을 도구화하는 것도 포함함
찬성 입장	• 성의 자기 결정권과 표현의 자유를 강조함 • 이윤 극대화를 추구하는 자본주의 경제 논리에 부합함
반대 입장	• 인격적 가치를 지니는 성을 상품으로 대상화하여 성의 가치와 의미를 훼손함 ┐ 상품 판매를 위해 성적 매력을 이용하는 것이 소비자의 • 인간을 도구화하고 외모 지상주의를 조장함 └ 선호를 반영하는 것이라면 허용할 수 있다고 본다.

┌ 인간을 수단으로만 보지 말고 항상 목적으로 대우하라는 칸트 윤리의 관점에서 볼 때, 성 상품화는 인간을 도구화하는 것이다.

B 결혼과 가족의 윤리

1. 결혼의 윤리적 의미와 부부간의 윤리

(1) 결혼의 윤리적 의미 ┌ 결혼을 '백년가약(百年佳約)'이라고 한다.

의미	• 사랑의 결실이며 인류 존속을 위한 첫걸음 • 다양한 인간관계의 출발점인 가정을 구성하는 의식 • 부부가 서로에 대한 사랑을 지키겠다는 약속 → 서로 평생 기쁨과 슬픔을 함께하며 봉사하고 헌신하겠다고 약속함 • 남녀가 서로의 차이를 존중하겠다는 의지의 표현 → 부부 상호 간의 존중과 배려, 관용을 요구함
『예기』	"천지가 화합하지 않으면 만물이 나오지 않는다. 혼인은 만세의 이어짐이다."
헤겔의 결혼	"개인은 결혼을 통해 윤리적 삶으로 들어가며 가족 안에서 공동체의 구성원임을 알게 된다."

(2) 부부간의 윤리 ┌ 부부는 자연의 음과 양의 관계처럼 상호 보완적이고 대등한 관계로 서로 공경해야 한다.

동등성 인식	부부는 서로 동등한 존재임을 인식해야 함
존중과 협력	부부는 서로 존중하고 협력해야 함 ⑩ 전통 사회에서 강조한 부부간의 윤리: 음양론에 바탕을 둔 부부상경(夫婦相敬)
신의	부부는 서로 간에 신의를 지켜야 함 ⑩ 전통 사회에서 신뢰를 바탕으로 한 정조(貞操), 현대의 중혼(重婚) 금지 법률 ┌ 이성 관계에서 순 ┌ 아내나 남편이 있는 결을 지키는 일 사람이 다른 사람과 다시 혼인하는 것

2. 가족의 가치와 가족 윤리

가족의 의미	혼인, 혈연, 입양 등으로 이루어지는 공동체
가족의 가치	• 정서적 안정을 줌 • 사회생활에서 필요한 규칙과 예절을 습득함 → 바람직한 인격 형성을 도와줌 • 건강한 사회의 토대가 됨 ┐ 가족의 화목과 안정은 사회 전체의 화목과 안정으로 이어진다.
가족 간에 지켜야 할 윤리	• 부모와 자녀 간: 서로 배려하면서 자애와 효도를 실천해야 함 ⑩ 전통 윤리에서는 자애와 효도를 부자유친(父子有親)과 부자자효(父子慈孝)의 덕목으로 강조함 • 형제자매 간: 서로 우애 있게 지내야 함 ⑩ 전통 윤리의 형우제공(兄友弟恭)

01 다음 설명이 맞으면 ○표, 틀리면 ×표를 하시오.

(1) 프롬은 사랑이 보호, 책임, 존경, 이해의 요소를 포함한다고 보았다. ( )

(2) 성은 새로운 생명을 탄생시키는 원천으로서 쾌락적 가치를 지닌다. ( )

(3) 성매매는 성의 인격적 가치를 훼손하기 때문에 도덕적으로 옳지 않다. ( )

(4) 전통 사회에서 강조한 부부간의 윤리로 부부상경(夫婦相敬)을 들 수 있다. ( )

02 사랑과 성의 관계에 대한 각 입장을 〈보기〉에서 골라 기호를 쓰시오.

> **보기**
> ㄱ. 보수주의   ㄴ. 중도주의   ㄷ. 자유주의

(1) 결혼과 출산 중심의 성 윤리를 제시한다. ( )
(2) 자발적인 동의 중심의 성 윤리를 제시한다. ( )

03 ( )(이)란 인간이 자신의 성적 행동을 스스로 결정할 수 있는 권리를 말한다.

04 빈칸에 들어갈 내용을 각각 쓰시오.

(1) ( )은/는 남녀 간의 차이를 잘못 이해하여 발생하는 차별이다.

(2) ( )은/는 성 자체를 상품처럼 사고팔거나, 다른 상품을 팔기 위한 수단으로 성을 이용하는 행위를 뜻한다.

05 ㉠, ㉡에 들어갈 내용을 각각 쓰시오.

> • 부모와 자녀 간: 서로 배려하면서 자애와 (㉠)을/를 실천해야 함 ⓔ 전통 윤리의 부자유친(父子有親)과 부자자효(父慈子孝)
> • 형제자매 간: 서로 (㉡) 있게 지내야 함 ⓔ 전통 윤리의 형우제공(兄友弟恭)

A 사랑과 성의 관계

☆출제가능성 90%

01 밑줄 친 '어떤 사상가'의 사랑에 대한 입장을 〈보기〉에서 고른 것은?

> 사랑을 표현하는 방식은 다양하지만 사랑은 공통적으로 사랑하는 사람과 인격적인 관계를 맺으려는 노력을 포함한다. 이와 관련하여 '어떤 사상가'는 사랑에는 무엇보다 책임, 존경, 이해, 보호 등과 같은 인격적 가치가 내포되어야 한다고 주장하였다.

> **보기**
> ㄱ. 상대방을 소유의 대상으로 여기는 것이다.
> ㄴ. 상대방의 요구에 책임 있게 반응하는 것이다.
> ㄷ. 상대방을 내가 바라는 대로 변화시키는 것이다.
> ㄹ. 상대방의 생명과 성장에 적극적 관심을 갖는 것이다.

① ㄱ, ㄴ   ② ㄱ, ㄷ   ③ ㄴ, ㄷ
④ ㄴ, ㄹ   ⑤ ㄷ, ㄹ

☆출제가능성 90%

02 갑, 을, 병의 입장으로 가장 적절한 것은?

> 갑: 난 자발적 동의에 따라 다른 사람에게 피해를 주지 않는 한 성적 관계가 허용될 수 있다고 생각해.
> 을: 그렇구나. 난 결혼, 출산과 관련해서 이루어지는 성적 관계만 허용될 수 있다고 생각해.
> 병: 난 너희들의 생각과는 달라. 성과 결혼은 별개의 문제라고 생각해. 결혼하지 않더라도 서로가 사랑하는 사이라면 성적 관계가 허용될 수 있다고 생각해.

① 갑: 혼전·혼외 성관계는 부도덕하다.
② 갑: 성은 혼인 관계 내에서만 도덕적으로 허용될 수 있다.
③ 을: 성에 관한 개인의 자유로운 선택과 동의가 중요하다.
④ 병: 결혼 없이도 사랑을 동반한 성적 관계는 허용될 수 있다.
⑤ 병: 성은 부부간의 신뢰와 사랑을 전제로 할 때만 도덕적이다.

03 다음 글에서 공통으로 설명하는 권리에 관한 내용으로 옳지 <u>않은</u> 것은?

> • 성에 관한 행동을 자율적으로 책임 있게 결정하고 선택할 권리
> • 성에 관한 행위의 결정 과정에서 상대방으로부터 일방적으로 강요받지 않을 권리

① 타인의 권리를 침해하지 않는 범위 내에서 행사해야 한다.
② 자신의 인격을 손상시키지 않는 범위 내에서 행사해야 한다.
③ 상대방에 대한 존중과 배려의 윤리적 가치를 실천해야 한다.
④ 남용하지 않으려면 자신의 결정에 책임지는 자세를 가져야 한다.
⑤ 성매매나 성적 방종을 인정함으로써 성적 주체성을 확립해야 한다.

04 (가)에 들어갈 진술로 가장 적절한 것은?

> 성 상품화란 성 자체를 상품처럼 사고팔거나, 다른 상품을 팔기 위한 수단으로 성을 이용하는 행위를 뜻한다. 여기에는 성매매뿐만 아니라 성적 이미지를 제품과 연결하여 성을 도구화하는 것도 포함한다. 이러한 성 상품화를 찬성하는 입장은 [(가)]

① 성의 자기 결정권과 표현의 자유를 강조한다.
② 성의 인격적 가치를 우선적으로 보호하고자 한다.
③ 이윤 극대화를 추구하는 자본주의 경제 논리에 위배된다.
④ 인간을 항상 목적으로 대우하라는 칸트의 윤리에 부합한다.
⑤ 성을 도구화하여 성의 가치와 의미를 훼손하는 것을 크게 우려한다.

B 결혼과 가족의 윤리

05 다음 기사에 나타난 문제점을 해결하기 위한 적절한 자세를 〈보기〉에서 고른 것은?

> 서울에 사는 맞벌이 가구의 가사 노동 분담 형태는 '아내가 전적으로 책임지는 경우'가 18.3%, '아내가 주로 책임지고 남편이 약간 돕는 경우'가 62.1%인 반면에 '아내와 남편이 동등하게 가사 노동을 하는 경우'는 18.9%에 불과했다.
> – 매일경제, 2016. 5. 7.

〈보기〉
ㄱ. 부부는 서로 동등한 존재임을 인식한다.
ㄴ. 고정된 성 역할을 인식하여 부부유별을 실현한다.
ㄷ. 음양의 원리에 따라 부부간의 위계질서를 바로 세운다.
ㄹ. 부부간에 서로 존중하고 협력하는 부부상경(夫婦相敬)을 실천한다.

① ㄱ, ㄴ   ② ㄱ, ㄹ   ③ ㄴ, ㄷ
④ ㄴ, ㄹ   ⑤ ㄷ, ㄹ

출제가능성 90%
06 (가)에 들어갈 적절한 내용을 〈보기〉에서 고른 것은?

> 오늘날 가족 간 대화 단절, 가정 내 아동 학대, 이혼 등의 가족 해체 현상으로 가족의 가치를 올바로 실현하지 못하고 있다. 가족 해체란 가족 구성원 각자의 역할이나 가족 전체의 기능이 제대로 수행되지 못하는 상태를 뜻한다. 가족 해체 현상이 심화되면 가족 공동체가 와해되고, 이는 결과적으로 사회 전체에 부정적인 영향을 끼치게 된다. 이러한 가족 해체 현상을 극복하기 위해 먼저 부모와 자녀는 [(가)]

〈보기〉
ㄱ. 서로 배려하며 자애와 효도를 실천해야 한다.
ㄴ. 부자유친(父子有親)의 덕목을 현대적으로 계승해야 한다.
ㄷ. 음양론에 바탕을 둔 부부상경(夫婦相敬)을 지켜야 한다.
ㄹ. 형우제공(兄友弟恭)을 통해 서로 우애 있게 지내야 한다.

① ㄱ, ㄴ   ② ㄱ, ㄷ   ③ ㄴ, ㄷ
④ ㄴ, ㄹ   ⑤ ㄷ, ㄹ

3단계 등급 올리기

01 그림의 강연자가 지지할 입장으로 가장 적절한 것은?

사랑은 상대방의 생명과 성장에 적극적으로 관여하는 것입니다. 사랑의 기본적 요소들인 보호, 책임, 존경, 이해는 서로 의존하고 있지요. 그러한 요소들은 성숙한 인간, 즉 내적 힘에 바탕을 둔 겸손한 사람에게서만 찾아볼 수 있습니다.

① 진정한 사랑은 상대방을 소유함으로써 완성된다.
② 사랑은 상대방을 있는 그대로 받아들이는 것이다.
③ 사랑에는 상대방을 위한 일방적인 나의 희생이 필요하다.
④ 사랑은 상대방의 욕구, 성향과 무관하게 배려하는 것이다.
⑤ 사랑은 나의 입장에서 상대방을 파악하고 이해하는 것이다.

2018 수능 응용 ★최고난도

02 갑, 을의 입장에 대한 설명으로 적절하지 않은 것은?

갑: '결혼 없는 성'은 비도덕적이다. 부부만이 성적 관계에서 서로의 인격을 존중해야 할 의무를 다할 수 있으며, 출산을 통한 사회 안정과 책임 있는 성 문화 유지에 기여할 수 있다. 부부 사이의 성적 관계만이 도덕적으로 정당하다.
을: '사랑 없는 성'은 비도덕적이다. 결혼이 아니라 사랑이 도덕적 성의 조건이며, 사랑하는 사람들만이 성적 관계에서 서로의 인격을 존중해야 할 의무를 다할 수 있다. 사랑하는 사람들 사이의 성적 관계만이 도덕적으로 정당하다.

① 갑은 결혼한 부부의 성만이 도덕적으로 정당하다고 본다.
② 갑은 성이 사회의 안정과 질서 유지와도 관련이 있다고 본다.
③ 을은 자발적인 동의에 근거한 성적 관계는 항상 정당하다고 본다.
④ 을은 사랑 없는 성이 성의 인격적 가치를 떨어뜨릴 수 있다고 본다.
⑤ 갑, 을은 성적 관계에서 서로의 인격적 가치를 존중해야 한다고 본다.

2018 수능 응용

03 다음 가상 편지의 ㉠에 대한 옳은 설명을 〈보기〉에서 고른 것은?

○○에게
얼마 전 자네가 가정을 이루었다는 말을 듣고 몹시 기뻤다네. 공자는 "경(敬)으로써 자신을 수양하고, 자신을 수양하여 다른 사람을 편안하게 해 주어라."라고 말했다네. 이러한 가르침은 ㉠ 간의 도리에 대해서도 마찬가지라고 생각하네. ㉠ 은/는 서로 다른 환경에서 오랫동안 성장하여 만난 두 사람이지만, 자네가 상대를 아끼는 마음으로 손님을 대하듯 존중한다면 어찌 백년해로(百年偕老)할 수 없겠는가? … (후략) …

보기
ㄱ. 항렬(行列)에 따라 도리를 지키는 관계이다.
ㄴ. 혼인(婚姻)을 통해 맺어진 친밀한 관계이다.
ㄷ. 동기간(同氣間)으로서 상호 대등한 관계이다.
ㄹ. 예(禮)로써 서로 공경하고 존중해야 하는 관계이다.

① ㄱ, ㄴ　　② ㄱ, ㄷ　　③ ㄴ, ㄷ
④ ㄴ, ㄹ　　⑤ ㄷ, ㄹ

서술형 문제

04 다음은 전통적인 효의 실천 방법과 그 의미를 설명한 것이다. (가), (나)에 들어갈 내용을 각각 서술하시오.

- 불감훼상: 효의 시작으로, 부모로부터 물려받은 몸을 깨끗하고 온전하게 하는 것
- 봉양: 부모를 실질적으로 잘 모시는 것
- 양지: (가)
- 공대: (나)
- 불욕: 부모를 욕되지 않게 해 드리는 것
- 혼정신성: 아침저녁으로 부모에게 문안을 드리는 것
- 입신양명: 효의 마침으로, 후세에 이름을 떨쳐 부모를 영광되게 해 드리는 것

01 직업과 청렴의 윤리

★ 표시는 시험 전에 확인해 주세요.

A 직업 생활과 행복한 삶

1. 직업의 의미와 기능
(1) 직업의 의미: '직(職)'은 사회적 지위와 역할, '업(業)'은 생계 유지를 위한 일 → 자신의 적성과 능력에 따라 일정 기간 지속적으로 종사하는 일
┗ 직업을 통해 사회적 역할을 분담하고, 사회 발전에 기여한다.
(2) 직업의 기능: 생계유지, 자아실현, 사회 참여

★ 2. 동서양의 직업관
(1) 동양의 직업관

공자	정명(正名): 지위와 신분에 맞는 책임과 역할을 수행함
맹자	항산(恒産)과 항심(恒心): 도덕적인 마음(항심)을 위해 경제적 안정을 위한 일정한 생업(항산) 보장이 필요함
순자	예(禮): 사회 규범인 예를 통해 적성과 능력에 따라 사회적 신분과 직분을 분담하여 역할을 수행하도록 함
정약용	직업에 대해 신분적 질서에서 벗어나 사회 분업에 따라 직능적으로 파악함
장인 정신	긍지, 보람, 소임: 자신의 일에 긍지를 갖고 기술을 탁월하게 연마하여 평생 자신에게 주어진 소임에 헌신함

(2) 서양의 직업관
┗ 맹자는 통치자가 백성의 안정적인 생계 보장을 위해 힘써야 한다고 강조하였다.

플라톤	정의로운 국가: 통치자, 방위자, 생산자 계층이 자신의 직분을 충실하게 발휘할 고유한 덕(德)을 갖추어 조화를 이룰 때 정의로운 국가가 형성됨
중세 그리스도교	노동은 속죄의 의미를 지니며, 신이 부과한 것임 ┗ 물건을 주거나 공을 세우는 것 등으로 지은 죄를 비겨 없앰
칼뱅	• 직업 소명설: 직업은 신의 거룩한 부르심, 즉 소명이며, 근면, 성실, 검소한 직업 생활이 필요함 • 직업적 성공을 통해 부를 축적하는 것은 신의 축복임
마르크스	자본주의 체제에서의 분업 방식으로 노동자는 강제된 노동을 하게 되며 노동의 소외를 경험하게 됨 → 노동을 통해 자기 본질을 실현하는 인간 존재의 특성을 되찾아야 함
베버	프로테스탄티즘 윤리와 자본주의 정신: 근대 서구 사회에서 프로테스탄티즘의 근면과 절약, 금욕 등의 윤리가 자본주의 경제 발전의 원동력으로 작용함

┗ 16세기 루터와 칼뱅을 중심으로 한 종교 개혁자들이 가톨릭교에 반항하여 이루어진 기독교 사상

3. 직업 생활과 행복
(1) 직업 선택의 중요성: 직업은 행복한 삶의 통로 → 경제적 보상과 사회적 지위만을 생각할 것이 아니라, 자신의 적성과 능력에 맞는 직업 선택을 통해 자아실현을 이룰 필요가 있음
(2) 행복한 직업 생활
① 자신이 좋아하는 일에 몰입하고 충실한 직업 생활
② 자신의 재능과 능력을 발휘하여 보람을 느끼는 직업 생활
③ 타인을 배려하고 서로에 대한 존경과 사랑을 실천하는 직업 생활

B 직업 윤리와 청렴

1. 직업 윤리의 의미와 필요성
• 일반 직업 윤리: 직업 생활인 모두에게 요구되는 윤리 규범
• 특수 직업 윤리: 각각의 직업에서 요구되는 윤리 규범

의미	직업 생활에서 지켜야 할 윤리 규범
내용	정직, 성실, 신의, 책임, 의무 등
필요성	부정부패 방지, 자아실현과 공동체 발전에 기여함

★ 2. 다양한 직업 윤리
(1) 기업가와 근로자 윤리
• 프리드먼: 기업의 이윤 추구를 강조하는 입장
• 보겔: 기업의 사회적 책임을 강조하는 입장

기업가 윤리	• 법을 지키면서 정당한 이윤을 추구함 • 근로자의 노동 3권의 권리를 존중하고 보장함 • 소비자에 대한 책임을 이행함 • 윤리 경영 실천, 공익 추구와 사회적 책임을 수행함
근로자 윤리	• 근로 계약을 준수함 • 자신이 맡은 업무를 성실히 수행함 • 기업 발전에 협력함
기업가와 근로자의 관계	• 서로 협력하여 성장해 나가는 동반자 관계, 상보적 관계 • 건전한 기업가와 근로자의 관계를 정립해야 함 → 상호 신뢰 협조, 공동의 이익 추구, 노사협의회와 같은 제도를 통해 노사 간의 상생 방안을 모색해야 함

┗ 기업 윤리를 중요하게 생각하고, 공정하며 합리적인 업무 수행을 추구하는 경영 정신

(2) 전문직과 공직자 윤리
┗ 전문직이나 공직자는 다른 직종보다 더 높은 수준의 윤리 의식, 청렴 의식이 요구된다는 공통점이 있다.

전문직 윤리	• 전문직은 고도의 교육과 훈련을 통해 사회적으로 승인된 자격을 취득한 사람들임 ┗ 특징: 전문성, 독점성, 자율성 • 전문직은 전문 지식과 기술을 독점적·자율적으로 수행할 수 있음 → 높은 보수나 존경의 대상이 되기도 하며 더 높은 윤리 의식이 요구됨 • 직업적 양심과 책임 의식, 노블레스 오블리주 실천
공직자 윤리	• 법적 구속력을 갖는 의사 결정이 가능함 → 사회와 국가에 대한 영향력이 크기 때문에 청렴 의식이 필요함 • 공공의 이익을 위해 노력하는 봉공의 자세가 필요함 • 내부 고발 제도 확립, 시민 단체의 감시 활동, 공직 사회의 자정 노력과 공직 기강 확립이 필요함

3. 직업 생활과 청렴
(1) 부패 방지의 필요성
① 부패의 의미: 사회의 지위와 권한을 남용하여 부당한 이익을 취하는 행위
② 공정하고 건전한 사회 질서 유지를 위해 부정부패 방지가 필요함
• 청렴과 관련된 내용으로 청빈한 생활 태도를 유지하면서 국가 일에 충심을 다하는 청백리 정신, 개인을 넘어 공동체나 국가의 일을 우선하는 봉공 정신을 들 수 있다.
(2) 청렴의 의미와 필요성
① 의미: 성품이 맑고 깨끗하며 탐욕을 부리지 않는 것
② 필요성: 올바른 인격을 형성해 자아실현에 도움을 주고, 공동체의 발전을 도모할 수 있게 해 줌
③ 청렴을 위한 노력: 부당한 이익을 취하지 않고 양심과 사회 정의에 부합되게 행동함, 제도적 노력도 필요함
┗ 예 부정 청탁 및 금품 등 수수의 금지에 관한 법률

1단계 개념 짚어 보기

01 다음 설명이 맞으면 ○표, 틀리면 ×표를 하시오.

(1) 직업은 생계유지가 아닌 삶의 재미와 즐거움을 추구하는 인간의 활동이다. ( )

(2) 바람직한 직업 생활을 위해서는 자신의 적성과 능력에 맞는 직업 선택이 필요하다. ( )

(3) 전문직은 직업의 특성상 독점성과 자율성을 지니기 때문에 일반 직업보다 더 높은 수준의 윤리 의식이 필요하다. ( )

02 맹자는 "일반 백성들은 (㉠   )이/가 없으면 그로 인하여 (㉡   )도 없어지게 된다."라는 말을 통해 통치자가 백성들의 일정한 생업 보장에 힘쓸 것을 강조하였다.

03 다음 내용을 강조한 사상가를 〈보기〉에서 골라 기호를 쓰시오.

> **보기**
>
> ㄱ. 순자   ㄴ. 칼뱅   ㄷ. 공자
> ㄹ. 플라톤   ㅁ. 마르크스

(1) 직업을 신의 부름인 소명으로 이해함 ( )
(2) 예(禮)를 통한 직분 분담과 역할 수행 ( )
(3) 신분에 맞는 역할을 수행하는 정명 정신 ( )
(4) 자본주의 사회의 강제된 노동으로 인한 노동 소외 심화를 비판함 ( )
(5) 통치자, 방위자, 생산자 계층이 각각의 덕에 충실할 때 정의로운 국가가 실현됨 ( )

04 ㉠~㉽에 들어갈 내용을 각각 쓰시오.

기업가 윤리	• 법을 지키는 범위 내에서 정당하게 (㉠)에 힘써야 함 • 단결권, 단체 교섭권, 단체 행동권을 뜻하는 근로자의 (㉡)의 권리를 보장함
근로자 윤리	• 근로 계약 준수, 기업 발전에 협력함 • 자신이 맡은 (㉢)을/를 성실히 수행함
전문직 윤리	• 직업적 양심과 책임 의식이 요구됨 • '귀족의 책무'라는 뜻을 가진 말인 (㉣)을/를 실천하고자 노력해야 함
(㉤)	• 국민의 권한을 위임 받은 (㉥)(으)로서 역할을 충실히 수행함 • 부당한 이익을 탐하는 부정부패에서 벗어나 청렴과 공적인 것을 받들고 우선시하는 (㉦) 정신이 필요함

2단계 내신 다지기

정답과 해설 12쪽

A 직업 생활과 행복한 삶

출제가능성 90%

01 다음 글에서 강조하는 내용으로 가장 적절한 것은?

> 직업은 자기 자신이나 가족을 위한 개인적 차원의 의미만 성립하는 것이 아니다. 직업은 사회적 차원에서 생각해 볼 문제이다. 고대 서양 철학자 플라톤도 각 계층의 사람들이 자신에게 맞는 탁월한 덕을 발휘하여 조화를 이룰 때 정의가 실현되며, 이러한 국가가 정의로운 국가, 이상 국가가 될 수 있다고 강조하였다.

① 직업은 가족의 필요를 채우는 수단일 뿐이다.
② 직업 생활의 궁극적 목표는 개인의 자아실현에 있다.
③ 직업 생활을 통한 경제적 안정보다 개인의 도덕성 함양을 중시해야 한다.
④ 직업 생활에서 높은 경제적 보수가 보장된다면 자신의 적성과 능력은 고려하지 않아도 된다.
⑤ 직업 생활을 통해 자신이 맡은 역할을 수행할 때 개인뿐만 아니라 사회 전체가 조화롭게 발전할 수 있다.

02 다음 사상가의 입장으로 가장 적절한 것은?

> 대인이 할 일이 있고 소인이 할 일이 있다. 한 사람의 몸에도 여러 장인들이 만든 것을 필요로 하는데, 만약 반드시 자신이 스스로 만든 것으로만 사용한다면 그것은 천하의 모든 사람들을 지치게 하는 것이다. 그러므로 어떤 사람은 마음을 수고롭게 하고, 어떤 사람을 몸을 수고롭게 하는 것이다.

① 정신노동과 육체노동의 구분이 필요하다.
② 직업 선택은 개인의 선호에 따라 이루어져야 한다.
③ 통치자는 백성들의 부를 평등하게 분배하는 데 힘써야 한다.
④ 사회적 분업이 아닌 자급자족의 사회 체제를 구축해야 한다.
⑤ 인간의 본성은 악하기 때문에 편안한 직업만을 추구하므로 예(禮)로써 이를 규제해야 한다.

03 다음을 통해 추론할 수 있는 내용으로 가장 적절한 것은?

> 덴마크는 왜 행복 지수가 높은 나라일까? 공항에 내리자마자 만난 택시 기사의 얼굴에서 답을 찾을 수 있었다. 택시 기사는 22년째 택시 운전을 하고 있다. 영어를 유창하게 구사하는 그는 손님들로부터 "그 실력을 갖추고 왜 택시 운전을 하느냐?"라는 질문을 자주 받는다고 한다. 그때마다 그는 이렇게 대답한다고 한다. "돈을 많이 버는 직업은 아니지만 재미있는 직업이지 않습니까? 택시 운전을 하다 보면 전 세계 사람들과 이야기를 나눌 수 있지요. 그래서 나는 이 일을 즐기고 있습니다." 그 말을 듣고 나는 "혹시 의사나 변호사가 된 친구를 보면 부럽지 않나요?"라고 물어보았다. 그러자 그는 "그렇지 않습니다. 사장이 없이는 노동자가 없고, 노동자가 없이는 사장도 없듯이 택시 기사도 사회의 중요한 구성원이라고 생각합니다. 저는 제 일에 자부심이 있습니다."라고 대답하였다.

① 직업의 가장 기본적인 목적은 생계유지이다.
② 직업을 통해 얻어야 할 최고의 가치는 경제적 안정이다.
③ 직업 생활을 통해 성취감과 보람을 느끼면서 자아를 실현할 수 있다.
④ 주변 사람들의 시선과 평가를 직업 선택의 중요한 기준으로 삼아야 한다.
⑤ 직업 생활은 자신의 불편함을 감수하고서라도 사회에 기여하는 삶이 되어야 한다.

출제가능성 90%
04 갑, 을 사상가들의 공통된 입장으로 가장 적절한 것은?

> 갑: 임금은 임금답고 신하는 신하답고, 아비는 아비답고 자식은 자식다워야 한다.
> 을: 우리 각자는 서로가 그다지 닮지를 않았고, 각기 다른 성향을 갖고 태어나서 저마다 다른 일에 매달리게 될 것이다.

① 올바른 직업 선택을 위해 다양한 직업을 경험해야 한다.
② 모든 직업은 유일신이 주신 소명이며 성스러운 것이다.
③ 자신이 맡은 역할을 충실히 수행할 때 바람직한 사회가 확립된다.
④ 가장 훌륭한 덕을 갖춘 사람은 다양한 직업을 풍부하게 경험한 사람이다.
⑤ 다른 사람의 도움 없이 모든 일을 스스로의 힘으로 하는 사람이 덕 있는 사람이다.

B 직업 윤리와 청렴

출제가능성 90%
05 다음 사상가의 입장으로 가장 적절한 것은?

> 청렴(淸廉)이라는 것은 목민관의 근본이 되는 의무이고, 모든 선의 근원이요 모든 덕의 근본이니, 청렴하지 않고서 목민관이 될 수 있는 사람은 아직 없었다. 목민관은 자애(慈愛)로워야 하고 자애로우려면 청렴해야 하고, 청렴해지려면 절용(節用)해야 한다.

① 장기적 이익을 위해 단기간의 손해를 감수해야 한다.
② 자신과 친한 사람의 이익을 가장 먼저 고려해야 한다.
③ 청렴을 위해 관직에서 물러나 학문 탐구에만 몰두해야 한다.
④ 목민관으로서 모든 공적인 업무를 백성들의 제안대로만 시행해야 한다.
⑤ 목민관으로서 사사로운 정에 이끌리지 않도록 불필요한 만남은 거절해야 한다.

06 공직자가 지녀야 할 직업 윤리로 옳지 않은 것은?

① 국민 위에 군림하려는 자세를 버려야 한다.
② 국민을 위해 봉사하는 자세를 지녀야 한다.
③ 직무상 자신과 관련된 공직자의 부패 문제에 대해서는 문제 삼지 말아야 한다.
④ 부당한 뇌물 수수나 부정 청탁 방지를 위해 적절한 감사 제도를 마련해야 한다.
⑤ 공직을 악용할 경우 국민이나 사회에 막대한 영향을 끼칠 수 있음을 인지해야 한다.

07 ㉠에 대한 설명으로 옳은 것은?

> ㉠ 은/는 불법적이거나 부당한 방법으로 재물, 사회적 지위, 기회 등과 같은 금전적·사회적 이득을 얻거나 다른 사람이 그것을 얻도록 돕는 일탈 행위이다. 이는 뇌물을 주고받으면서 자신의 이익을 챙기는 행위나 연고에 따른 유리한 기회를 얻는 행위 등이 포함된다.

① 공정하고 투명한 사회를 위해 필요하다.
② 시간을 절약하여 효율적인 일 처리를 가능하게 한다.
③ 국민들 간에 위화감을 조성하고 사회 통합을 방해한다.
④ 연고주의와 정실주의를 추구함으로써 해결할 수 있다.
⑤ 우수 제품 생산과 기술력 향상을 가져와 국가 경쟁력을 강화시킨다.

3단계 등급 올리기

★최고난도

01 다음 사상가의 입장을 〈보기〉에서 고른 것은?

> • 덕을 헤아려 지위를 정하고 능력을 헤아려 직분을 맡겨야 한다. 각 분야에 능한 사람을 가려 그 분야를 이끌어 가도록 해야 국부가 넉넉해진다.
> • 세력과 지위가 같으면서 바라는 것과 싫어하는 것도 같으면, 물건이 충분할 수가 없을 것이므로 반드시 다투게 된다. 그래서 옛 성왕들이 그러한 혼란을 싫어했기 때문에 예(禮)로써 이들을 구별하게 하였다.

> **보기**
> ㄱ. 예(禮)에 따른 직업과 신분의 분별이 필요하다.
> ㄴ. 타고난 본성과 성향에 따라 직업이 배분되어야 한다.
> ㄷ. 능력이 뛰어나도 신분을 넘어서 직업을 바꿀 수 없다.
> ㄹ. 재능과 기술을 따져 능력 있는 자들에게 적절한 직업을 배분해야 한다.

① ㄱ, ㄴ ② ㄱ, ㄹ ③ ㄴ, ㄷ
④ ㄴ, ㄹ ⑤ ㄷ, ㄹ

2015 평가원 응용

02 갑, 을 사상가들의 입장으로 옳은 것은?

> 갑: 인간은 구원을 예정해 놓은 신의 부르심[召命]에 노동을 통해 응답해야 한다. 왜냐하면 신은 여러 가지 삶의 양식들을 구분해 놓음으로써 각 개인이 해야 할 일을 정해 두었기 때문이다.
> 을: 인간은 노동을 통해 자기의 본질을 실현하고자 한다. 그러나 자본주의하에서는 노동의 본질이 왜곡된다. 노동자는 생계유지를 위해 자신의 노동을 자본가에게 팔아야 하기 때문에 생산을 위한 도구로 전락한다.

① 갑: 직업은 이웃 사랑을 실현하는 수단이 될 수 없다.
② 갑: 직업 생활에서 경제적 성공은 구원의 전제 조건이다.
③ 을: 자본가와 노동자의 협력으로 강제된 노동을 실현해야 한다.
④ 을: 자본주의 사회에서는 자본가의 착취로 노동 소외가 심화된다.
⑤ 갑, 을: 직업은 신이 각 사람을 불러 맡기신 소명이므로 한번 정해진 직업은 바꿀 수 없다.

03 다음 사상가가 강조할 내용으로 가장 적절한 것은?

> 자유 경제 체제에서 기업이 지는 사회적 책임은 오직 하나이다. 그것은 게임의 규칙을 준수하는 한에서 기업의 이익 극대화를 위하여 자원을 활용하고 이를 위한 활동에 매진하는 것, 즉 속임수나 기만행위 없이 공개적이고 자유로운 경쟁에 전념하는 것이다.

① 기업은 이윤 추구보다 이윤의 사회적 환원에 힘써야 한다.
② 기업은 이윤 극대화 이외의 사회적 책임을 지니지 않는다.
③ 기업도 시대의 흐름에 맞게 이윤 극대화 전략을 축소해 나가야 한다.
④ 기업은 기업 이미지 제고를 위해 해외 원조 사업에 적극 동참해야 한다.
⑤ 기업은 주주들을 위한 책임과 소비자를 위한 책임을 균형 있게 실천해야 한다.

서술형문제

04 다음 글을 읽고 물음에 답하시오.

> ⊙ 은/는 고도의 교육과 훈련을 거쳐 일정한 자격을 취득함으로써 전문 지식과 기술을 독점으로 사용하는 직업을 말한다. 한편 ⓛ 은/는 국가 기관이나 공공 단체의 일을 맡아보는 직책 또는 직무에 종사하는 사람을 말한다. 이러한 직업에 종사하는 사람들은 다른 일반 직종보다 한층 더 높은 수준의 직업 윤리가 요구된다고 할 수 있다.

(1) ⊙, ⓛ에 들어갈 내용을 각각 쓰시오.

(2) ⊙, ⓛ에게 더 높은 수준의 직업 윤리가 요구되는 이유를 서술하시오.

02 사회 정의와 윤리

A 사회 정의의 의미

1. 개인 윤리와 사회 윤리

(1) 개인 윤리와 사회 윤리 비교

구분	개인 윤리	사회 윤리
주안점	개인의 선의지, 양심, 윤리 의식에 중점을 둠	사회 구조, 제도, 정책 등에 중점을 둠
문제 원인	개인의 의사 결정 능력, 실천 의지, 습관의 결여 등에서 원인을 찾음	개인보다는 사회 구조나 제도에서 원인을 찾음
문제 해결	개인의 양심을 함양하고 덕목을 실천하여 현대 사회에서 발생하는 윤리 문제를 해결하고자 함	개인의 도덕성 함양과 함께 사회 구조와 제도를 개선해 사회 윤리 문제를 해결하고자 함

★ (2) 니부어의 사회 윤리 ● 니부어는 선의지의 통제를 받는 강제력의 사용이 필요하다고 보았다.

① 사회의 도덕성이 개인의 도덕성에 비해 현저하게 떨어짐

② 개인적으로 도덕적인 사람도 집단이나 사회 속에서 자신이 속한 집단의 이익을 위해 비도덕적으로 행동하기 쉬움

③ 개인의 도덕성 함양뿐만 아니라 사회 구조와 제도, 정책의 변화를 추구할 필요가 있음

2. 사회 정의의 필요성과 정의로운 사회
● 사회 구성원에게 합당한 몫을 부여하고 그 몫에 대한 권리와 책임을 정당하게 규정하는 것

(1) 필요성: 사회 구성원의 기본권 침해와 개인 간, 집단 간 갈등의 원인이 되는 부정의한 사회 구조와 제도의 개선 지침을 제공함

(2) 정의로운 사회: 사회 구성원의 권리, 의무를 공정하게 분배하는 사회 구조와 제도를 확립하여 정의가 실현된 사회

(3) 사회 정의의 분류

분배적 정의	사회적 재화의 이익과 부담에 대한 공정한 분배
교정적 정의	위법과 불공정에 대한 공정한 처벌과 배상
절차적 정의	합당한 몫을 결정하는 공정한 절차

(4) 분배적 정의의 기준 ● 각각 장단점을 가지고 있어 사회 구성원의 합의 도출이 어렵다. 그래서 롤스, 노직 같은 학자들은 '분배의 절차'에 관심을 갖게 되었다.

구분	장점	단점
절대적 평등	기회와 혜택을 균등하게 제공함	생산 의욕과 책임 의식이 저하됨
능력	탁월성, 능력에 대한 합당한 보상이 가능함	평가 기준이 모호함, 선천적인 영향력을 배제하기 어려움
업적	생산성이 높아지고, 객관적 평가가 용이함	사회적 약자 배려에 소홀하고, 과열 경쟁이 우려됨
노력	책임 의식이 향상됨	객관적 기준 마련이 어려움
필요	사회적 약자 보호에 유리하고, 사회 안정성을 확보함	모든 사람의 필요 충족이 어렵고, 효율성이 저하됨

● 마르크스는 능력에 따라 일하고 필요에 따라 분배할 것을 주장하였다.

B 분배적 정의와 윤리적 쟁점

★ 1. 다양한 정의관

(1) 아리스토텔레스의 정의관 ● 각자가 자기의 것을 취하며, 법이 정하는 대로 따르는 것을 정의라고 보았다.

일반적 정의	• 공동선과 덕을 장려하는 사회 규범을 지키는 것 • 타인과의 관계에서 완전한 탁월성을 구현하는 것
특수적 정의	• 분배적 정의: 사회에서 발생하는 이익을 개인의 가치에 비례하여 분배하는 것 • 교정적 정의: 구성원들 사이의 이익과 손해의 불균형을 교정하여 균등하게 하는 것

(2) 롤스의 정의관

공정으로서의 정의	• 원초적 입장: 무지의 베일을 쓴 상태에서 합의를 통해 정의의 원칙을 도출하는 가상적 상황으로, 원초적 입장의 당사자는 타인에 대한 시기심이 없고 서로에 관해 무관심하며, 자신의 이익을 합리적으로 추구함 • 원초적 입장의 계약 당사자들은 자신이 가장 불리한 상황에 놓일 가능성을 염두에 두고 최소 수혜자에게 이익을 주는 정의의 두 원칙에 합의하게 됨
정의의 원칙 차등의 원칙	• 제1원칙: 모든 사람은 기본적 자유에 대하여 동등한 권리를 가져야 한다. → 평등한 기본적 자유의 원칙 • 제2원칙: 사회적·경제적 불평등은 다음 두 조건을 만족하도록 조정되어야 한다. 첫째 최소 수혜자에게 최대 이익이 되고, 둘째 공정한 기회균등의 원칙 아래 모든 사람에게 개방된 직책과 직위에 결부되어야 한다.

(3) 노직의 정의관 ● 자유 지상주의 입장에서 개인의 권리를 보호하고 존중하는 것을 정의라고 보았으며, 국가에 의한 재분배는 개인의 소유권을 침해하는 것으로 부당하다고 주장하였다.

소유 권리로서의 정의	• 개인의 소유권: 개인의 정당한 소유물에 대한 배타적·절대적 권리 • 최소 국가: 개인의 안전 보호와 계약 집행의 감독만을 수행하는 최소 국가를 정당화함
정의의 원칙	• 취득의 원칙: 정의의 원리에 따라 소유물을 취득한 자는 그 소유물에 대한 소유 권리가 있음 • 이전의 원칙: 소유물의 소유 권리를 가진 사람에게 정의의 원리에 따라 그 소유물을 취득한 자는 그 소유물에 대한 소유 권리가 있음 • 교정의 원칙: 취득의 원칙, 이전의 원칙을 따르지 않는 부당한 취득은 교정되어야 함

(4) 왈처의 정의관 ● 사회적 가치의 다원성을 기초로 하여 다양한 삶의 영역에서 각기 다른 공정한 기준에 따라 사회적 가치가 분배될 때 사회 정의가 실현된다고 주장하였다.

다원적 평등으로서의 정의	• 정의의 영역을 세분화하고, 서로 다른 사회적 가치는 서로 다른 분배 기준과 절차, 그리고 다른 주체에 의해 분배되어야 한다고 봄 • 어떤 영역에서 지배적인 영향력을 가진 사람이 다른 영역의 재화나 가치도 쉽게 소유하게 되는 '지배(전제)'에 반대함 → 왈처는 복합 평등을 강조하였다.

2. 우대 정책의 윤리적 쟁점

(1) 의미: 특정 집단에 대한 역사적, 사회 구조적인 부당한 차별과 불평등을 바로잡기 위해 분배적 혜택을 주는 정책

★ 표시는 시험 전에 확인해 주세요.

(2) 우대 정책의 찬반 논거 — 예 여성 할당제, 대학의 농어촌 특별 전형, 지역 균형 선발, 정부의 지역 인재 채용 목표제 등

찬성 논거	• 보상의 논리: 과거의 차별 때문에 받아온 고통에 대해 보상받을 권리가 있음 • 재분배의 논리: 자연적·사회적 운으로 발생한 불평등을 시정하고, 사회적 약자가 경제적 부나 사회적 지위를 얻을 수 있는 유리한 기회를 부여할 필요가 있음 • 공리주의 논리: 사회적 긴장 완화, 사회 전체의 행복을 증진함
반대 논거	• 역차별의 논리: 다른 사람이나 집단에 대한 또 다른 차별을 가져옴 • 보상 책임 부당성의 논리: 잘못이 없는 후손에게 보상의 책임을 지우는 것은 부당함 • 업적주의 원칙 위배 논리: 우대 정책에 따라 노력이나 성취를 무시하는 것은 공정하지 못함

• 부당한 차별을 시정하기 위해 도입한 우대 정책이 또 다른 특정 개인이나 집단에 대한 부당한 차별로 작용하는 현상

C 교정적 정의와 윤리적 쟁점

1. 교정적 정의의 의미와 관점

(1) 의미: 부당한 피해 행위에 대한 불균형과 부정의를 법 집행에 의한 처벌을 통해 바로잡는 것

(2) 처벌에 대한 교정적 정의의 관점

응보주의 관점	• 처벌의 고통은 범죄 행위에 대한 응당한 보복과 정당한 대가임 —• 범죄의 해악 정도에 비례하여 처벌의 경중을 결정한다. • 칸트: 범죄 행위에 상응하는 응분의 처벌을 받아야 함 • 한계: 범죄 예방과 범죄자의 교화에 무관심함
공리주의 관점	• 처벌은 필요악이지만 사회 전체의 행복 증진을 위한 수단임 • 벤담: 처벌은 범죄를 예방하여 사회 전체의 행복을 증진할 때 가치가 있음 (처벌을 '최대 다수의 최대 행복'을 위해 사회가 도입한 '필요악'으로 이해한다.) • 처벌로 인한 손실이 위법 행위의 이득보다 커야 함 • 한계: 처벌의 예방적 효과를 증명하기 어렵고, 사회적 이익 증진을 위해 인간의 존엄성이 훼손될 수 있음

★ 2. 사형 제도의 윤리적 쟁점

(1) 의미: 범죄자의 생명을 인위적으로 박탈하는 법정 최고형

(2) 다양한 사상가들의 입장 — • 동등성의 원칙에 따라 누군가가 타인의 생명을 해쳤다면 그의 생명을 박탈하는 것이 정당하다고 주장하였다.

칸트	• 응보주의 관점: 살인자에 대해 사형 이외의 형벌은 정의에 부합하지 않음 • 사형은 범죄자의 고통받는 인격을 해방하여 인간 존엄성을 실현하게 해 줌
루소	• 사회 계약론의 관점: 계약자는 자신의 생명 보전을 위해 살인자의 사형에 동의함 • 살인자는 자신이 죽임을 당해도 좋다고 동의한 것이라고 판단할 수 있음
베카리아	• 사형보다 종신 노역형이 범죄 억제 효과가 크기 때문에 사형 제도를 폐지해야 함 • 생명은 양도할 수 없는 것이며, 어느 누구도 자기 생명 박탈의 권리를 양도하지 않음

1단계 개념 짚어 보기

정답과 해설 14쪽

01 다음 설명이 맞으면 ○표, 틀리면 ×표를 하시오.

(1) 개인 윤리만으로는 현대 사회의 각종 윤리 문제를 해결하기 어렵다. ( )

(2) 아리스토텔레스는 일반적 정의로 법을 잘 준수하는 것을 제시하였다. ( )

(3) 칸트는 인간의 존엄성을 중시하였기 때문에 사형 제도를 폐지해야 한다고 주장하였다. ( )

02 롤스는 아무도 자신의 자연적·사회적 우연성으로 인한 이득을 얻을 수 없는 상태에서 공정한 합의를 이끌어 내기 위해 계약 당사자들은 (㉠)에 놓여야 한다고 보았다. 이는 자신의 지위, 경제적 여건 등을 모르는 (㉡)을/를 쓴 상태를 말한다.

03 다음 내용을 강조한 사상가를 〈보기〉에서 골라 기호를 쓰시오.

보기
ㄱ. 롤스 ㄴ. 노직 ㄷ. 왈처
ㄹ. 칸트 ㅁ. 베카리아

(1) 공정으로서의 정의 ( )

(2) 다원적 평등으로서의 정의 ( )

(3) 소유 권리로서의 정의와 취득·이전·교정의 원칙 ( )

(4) 동등성의 원리를 바탕으로 응보주의 관점에서 처벌해야 함 ( )

(5) 사형보다 종신 노역형이 범죄 억제 효과가 크므로 사형제를 폐지해야 함 ( )

04 ㉠~㉥에 들어갈 내용을 각각 쓰시오.

칸트	• (㉠) 관점에서 살인자에 대한 처벌은 사형 이외의 어떤 것도 인정될 수 없음 • 사형은 범죄자의 고통받는 (㉡)을/를 해방하여 인간의 존엄성을 실현하는 것임
루소	(㉢)의 관점에서 시민은 자신들의 생명 보전을 위해 살인자의 사형에 동의한 것이며, 살인자는 자신이 죽임을 당해도 좋다고 동의한 것임
(㉣)	• 어느 누구도 자신의 생명을 박탈할 권리를 타인에게 (㉤)하지 않음 • 사형보다 (㉥)이/가 범죄 예방과 사회 전체의 이익 증진에 부합하므로 사형 제도를 폐지해야 함

A 사회 정의의 의미

01 ㉠, ㉡에 대한 설명으로 옳은 것은?

> ┌─㉠─┐은/는 개인의 도덕성, 선한 양심, 선의지 등을 함양하고 온전하게 할 때 사회의 많은 문제들을 해결할 수 있다는 입장이다. 한편 ┌─㉡─┐은/는 개인의 도덕성을 함양하는 것뿐만 아니라 사회 구조와 제도의 개선을 통해서 정의로운 사회를 건설할 수 있다는 입장이다.

① ㉠은 인간이 가진 이타적 가능성을 신뢰하지 않는다.
② ㉡은 종교적 사랑의 실천만으로 집단 간 갈등을 해결할 수 있다고 본다.
③ ㉡은 ㉠보다 개인의 도덕성 함양과 바람직한 습관 형성을 강조한다.
④ ㉡은 ㉠만으로는 해결할 수 없는 현대 사회의 윤리적 문제 해결에 도움을 줄 수 있다.
⑤ ㉡은 ㉠을 배제할 때에만 성립할 수 있다.

출제가능성 90%
02 다음 사상가의 입장으로 옳지 않은 것은?

> 사회를 중심으로 놓고 보면 최고의 도덕적 이상은 정의이고, 개인을 중심으로 놓고 보면 최고의 도덕적 이상은 이타성이다. 사회는 여러 면에서 어쩔 수 없이 이기심, 반항, 강제력, 원한과 같이 도덕성이 높은 사람들로부터 전혀 도덕적 승인을 얻어 낼 수 없는 방법을 사용하게 될지라도 궁극적으로 정의를 추구해야 한다.

① 집단 간의 관계는 윤리적이라기보다는 정치적이다.
② 집단의 도덕성은 개인의 도덕성에 비해 현저히 떨어진다.
③ 사회 구조의 도덕성은 개인 행위의 도덕성에 영향을 준다.
④ 개인의 선한 양심이나 선의지만으로는 사회 문제를 해결하기 어렵다.
⑤ 집단 간의 갈등이 심화될 때에는 정의를 달성해야 하는 목표를 버려야 한다.

03 분배 정의의 다양한 기준 중에서 ㉠, ㉡에 대한 설명으로 옳지 않은 것은?

> • ┌─㉠─┐: 사회적 재화는 모든 사람에게 아무런 차별 없이 동등하게 분배되어야 한다. 각 사람의 상황이나 여건과 무관하게 절대 평등의 원칙이 중요하다.
> • ┌─㉡─┐: 사회적 재화는 각자가 실질적으로 이루어 낸 성과에 따라 분배되어야 한다. 그것이야말로 가장 객관적이며 가장 정의로운 분배라고 할 수 있다.

① ㉠은 기회와 혜택을 균등하게 보장해 준다.
② ㉠은 생산성과 효율성이 떨어진다는 비판을 받는다.
③ ㉡은 선의의 경쟁을 유발하여 생산성을 높일 수 있다.
④ ㉡은 사회적 약자를 보호할 수 있다는 장점을 갖고 있다.
⑤ ㉠은 절대적 평등, ㉡은 업적이다.

B 분배적 정의와 윤리적 쟁점

출제가능성 90%
04 다음 사상가의 입장으로 옳지 않은 것은?

> 최대 수혜자 갑은 최소 수혜자 을과 도덕적 비대칭성의 관계에 있다. 즉 갑을 위한 을의 희생과 을을 위한 갑의 희생은 동등한 것이 아니다. 재능, 지위와 같은 도덕적으로 임의적인 요소들의 작용으로 최대 수혜자가 된 갑은 최소 수혜자의 을의 삶을 개선하기 위한 일정한 희생을 감내해야 한다.

① 공리의 원리를 바탕으로 개인의 자유를 보장해야 한다.
② 절차의 공정성이 보장되면 결과의 공정성도 보장될 수 있다.
③ 사회적·경제적 불평등이 있어도 정의로운 사회가 될 수 있다.
④ 정의의 원칙을 도출하기 위해서는 최초의 가상적 상황 설정이 필요하다.
⑤ 최소 수혜자에게 최대의 혜택이 돌아갈 때 사회적·경제적 불평등은 인정될 수 있다.

05 노직의 입장으로 적절하지 <u>않은</u> 것은?

① 재화의 취득과 양도 절차가 공정하면 그 결과도 공정하다.
② 개인의 소유 권리 보장에 힘쓰는 최소 국가만이 정당하다.
③ 재화에 대한 분배는 최대한 개인의 자유에 위임해야 한다.
④ 빈곤 계층에 있는 사람들을 돕는 것은 개인의 자발적 선택이다.
⑤ 사회적 불평등이 심화되면 국가는 소득 재분배 정책을 적극 시행해야 한다.

06 갑, 을, 병 사상가들에 대한 설명으로 옳은 것은?

> 갑: 자본주의 사회에서는 노동자들에 대한 자본가의 착취로 인해 올바른 재화의 분배가 불가능하다. 따라서 프롤레타리아 혁명을 통한 새로운 이상 사회 건설이 필요하다.
> 을: 정의의 원칙들은 그 형식에서 그 자체가 다원적이다. 다양한 삶의 영역에서 각기 다른 공정한 기준에 따라 사회적 가치가 분배될 때 사회 정의가 실현될 수 있다.
> 병: 최초 사회 구성을 위한 계약에 참여한 개인들이 원초적 입장에서 합의하게 될 정의의 원칙은 구성원 개인의 권리와 의무, 이득과 부담 등을 공정하게 분배하는 원칙이 될 것이다.

① 갑은 능력에 따라 일하고 필요에 따라 분배받는 사회가 실현되어야 한다고 주장하였다.
② 을은 개인의 다양성과 소유 권리를 보장하기 위해 국가 차원의 복지 정책은 불필요하다고 보았다.
③ 병은 원초적 입장에 놓인 개개인들은 최소 수혜자를 배려하는 이타적 존재들이라고 보았다.
④ 갑, 을은 궁극적으로 사유 재산이 소멸되고 경제적 불평등이 해소된 사회를 지향하였다.
⑤ 을, 병은 최대 다수의 최대 이익을 추구하는 사회가 정의롭다고 보았다.

C 교정적 정의와 윤리적 쟁점

출제가능성 90%

07 다음 사상가의 입장으로 가장 적절한 것은?

> 공적인 정의가 원칙과 표준으로 삼는 것은 어떤 종류의 형벌이고 어느 정도의 형벌인가? 그것은 다름 아니라 다른 한쪽보다 한쪽으로 더 기울지 않는 동등성의 원칙이다. 그가 살인을 했다면 그는 죽어야만 한다. 이 경우에 정의의 충족을 위한 대체물은 없다.

① 처벌의 경중은 범죄의 해악 정도에 비례하여 정해져야 한다.
② 처벌의 목적은 범죄를 줄여 사회 전체의 이익을 증진하는 것이다.
③ 처벌은 사회의 구성원들이 합의한 계약의 결과에 따라 집행되어야 한다.
④ 범죄자의 교화 가능성을 고려하여 최고의 형벌은 종신 노역형에 그쳐야 한다.
⑤ 범죄자의 생명권도 보장해야 하며, 사형은 예방 효과가 없는 처벌이라는 점에서 폐지되어야 한다.

08 갑, 을 사상가들의 입장으로 적절하지 <u>않은</u> 것은?

> 갑: 우리가 사람을 죽였을 경우 기꺼이 사형을 받겠다고 동의하는 것은 우리 자신이 살인자에게 희생되고 싶지 않기 때문이다. 이 계약에서 사람들은 자기 생명을 마음대로 처분하기는커녕 그것을 보호해야 한다는 생각만 할 따름이다.
> 을: 사형은 한순간에 강렬한 인상만을 줄 뿐이다. 반면에 종신 노역형은 더 큰 공포를 안겨 준다. 구경꾼은 수형자가 당하는 고통의 합산을 고려하므로 인간 정신에 미치는 효과가 사형에 비해 크다. 처벌이 지속적 효과를 가질 때 범죄를 더 잘 예방할 수 있다.

① 갑: 국가는 살인자의 생명을 박탈할 권리가 없다.
② 갑: 살인자를 사형에 처하는 것은 사회 계약에 어긋나는 것이 아니다.
③ 을: 형벌의 목적은 응분의 보복이 아닌 범죄 예방에 있다.
④ 을: 사형은 종신 노역형에 비해 사회적 효용성이 떨어지는 형벌이다.
⑤ 갑, 을: 다른 사람의 권리를 침해한 사람은 처벌받는 것이 마땅하다.

최고난도

01 다음 사상가의 입장만을 <보기>에서 있는 대로 고른 것은?

도덕의 문제가 개인적 차원에서 집단들의 관계로 옮겨 가면 갈수록 이기적 충동은 사회적 충동을 누르고 득세하게 된다. 따라서 아무리 강한 내면적 억제도 이기적 충동을 완전히 제어할 수 없다. 따라서 이를 위해서는 사회적 억제가 이루어져야 한다. 그런데 이러한 사회적 억제는 사회적 투쟁을 통해서만 가능하다.

보기
ㄱ. 개인의 도덕성 함양은 사회 정의 실현을 위해서 불필요하다.
ㄴ. 사랑을 포함하는 종교적 덕목의 실천은 정의 실현의 필요충분조건이다.
ㄷ. 집단이 갖는 이기적 충동은 개인이 지닌 이기적 충동보다 훨씬 더 제어하기 어렵다.
ㄹ. 집단 간의 갈등을 해결하기 위해서는 선의지의 통제를 받는 강제적 수단의 동원이 필요하다.

① ㄱ, ㄴ   ② ㄱ, ㄷ   ③ ㄷ, ㄹ
④ ㄱ, ㄴ, ㄹ   ⑤ ㄴ, ㄷ, ㄹ

2019 평가원 응용

03 (가)의 갑, 을 사상가들의 입장을 (나) 그림으로 표현할 때, A~C에 들어갈 옳은 진술만을 <보기>에서 있는 대로 고른 것은?

(가)	갑: 원초적 입장에서 도출하게 되는 평등한 기본적 자유의 원칙, 차등의 원칙과 공정한 기회균등의 원칙에 따라 사회적 재화가 분배되어야 한다.
	을: 어느 누구도 취득과 이전에서의 정의의 원리에 의하지 않고서는 소유물에 대한 소유 권리를 가질 수 없다. 국가는 강압·절도·사기로부터의 보호, 계약 집행 등과 같은 제한적 역할만을 수행해야 한다.

(나)
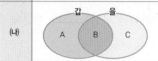

갑   을
A B C

<범례>
A: 갑만의 입장
B: 갑, 을의 공통 입장
C: 을만의 입장

보기
ㄱ. A: 정의로운 사회에도 경제적 불평등이 존재할 수 있다.
ㄴ. B: 정당한 절차와 원칙을 통해 이루어진 분배는 그 결과도 정의롭다.
ㄷ. B: 분배의 궁극적 목적을 경제적 불평등의 해소에 두어서는 안 된다.
ㄹ. C: 사회적 약자를 배려하기 위한 국가에 의한 소득 재분배 정책은 개인의 소유권을 침해한다.

① ㄱ, ㄴ   ② ㄱ, ㄷ   ③ ㄷ, ㄹ
④ ㄱ, ㄴ, ㄹ   ⑤ ㄴ, ㄷ, ㄹ

02 갑, 을 사상가들의 입장으로 가장 적절한 것은?

갑: 근로 소득에 대한 과세는 강제 노동과 같은 종류의 것이다. n시간 분의 소득을 세금으로 취하는 것은 그 노동자에게 n시간을 빼앗는 것과 같다.
을: 어떠한 사회적 가치 x도 x의 의미와는 상관없이 단지 누군가가 다른 가치 y를 가지고 있다는 이유만으로 y를 소유한 사람들에게 분배되어서는 안 된다.

① 갑: 최소 국가를 넘어 무정부 상태에서 재화의 자유로운 분배가 가장 잘 보장된다.
② 갑: 재화의 분배를 각 개인에게 의존하게 되면 개인의 소유 권리 보장이 어려워진다.
③ 을: 원초적 입장에서 도출된 정의의 원칙에 따라 재화가 분배될 때 정의로운 사회가 될 수 있다.
④ 을: 특정 영역에서 지배적인 역할을 하는 사회적 재화와 가치가 다른 영역의 그것을 획득하게 하는 '지배'를 경계해야 한다.
⑤ 갑, 을: 국가는 복지를 위한다는 명목으로 사회적 재화를 재분배해서는 안 된다.

04 갑, 을의 입장으로 가장 적절한 것은?

갑: 소수자 우대 정책은 공리주의 측면에서 많은 이익을 가져온다는 점에서나 의무론의 측면에서 마땅히 행해져야 한다는 점을 고려할 때 모두 바람직하다.
을: 소수자 우대 정책이 사회에 미칠 악영향을 우선 고려해야 한다. 소수자 우대 정책으로 얻는 혜택보다는 잃게 될 손실이 더 크므로 우대 정책을 실시해서는 안 된다.

① 갑: 과거의 차별에 잘못이 없는 후손에게 보상의 책임을 지우는 것은 부당하다.
② 갑: 소수자 우대 정책은 열심히 노력한 사람들에게 정당한 보상을 주는 업적주의에 위배된다.
③ 을: 소수자 우대 정책은 사회적 약자의 처지 개선에 큰 도움을 준다.
④ 을: 소수자 우대 정책은 또 다른 차별을 불러와 사회 통합을 저해할 수 있다.
⑤ 갑, 을: 소수자 우대 정책으로 사회 전체의 행복이 증진될 수 있다.

05 다음 사상가의 입장으로 가장 적절한 것은?

> 형벌은 결코 범죄자 자신이나 시민 사회를 위해서 어떤 다른 선을 촉진하기 위한 한낱 수단으로써 가해질 수 없다. 오직 그가 범죄를 저질렀기 때문에 그에게 가해지지 않으면 안 된다.

① 보복법만이 형벌의 양과 질을 명확하게 제시할 수 있다.
② 사형은 인격을 지닌 인간의 존엄성을 훼손하는 제도이다.
③ 모든 처벌은 범죄 예방의 효과를 고려하여 시행해야 한다.
④ 공리의 원리에 따라 처벌은 더 큰 악을 제거하는 것을 보장하는 한에서만 인정될 수 있다.
⑤ 정확한 응보를 실현하기 위해 처벌은 범죄 예방을 할 수 있는 한 강도가 높으면 높을수록 좋다.

06 다음 사상가의 입장만을 〈보기〉에서 있는 대로 고른 것은?

> 형벌의 남용은 결코 인간을 개선하지 못했다. 제대로 조직된 국가에서 사형은 정말로 유용하고 정당한 것인가? 인간은 무슨 권리로 그의 이웃을 죽일 수 있단 말인가? 사형은 주권과 법의 원천이 되는 권능으로부터 나온 것은 확실히 아니다. 법은 각 개인의 자유 중에서 최소한의 몫을 모은 것 이외의 어떤 것도 아니다. 법은 개개인의 의사를 대변하는 일반 의사를 대표한다. 그런데 자신의 생명을 빼앗을 권능을 기꺼이 양도할 사람이 이 세상에 누가 있겠는가?

〈 보기 〉

ㄱ. 사형은 국가가 국민에 대해 벌이는 전쟁이다.
ㄴ. 사형은 정당하지도 않고 적절한 유용성을 발휘하지도 못한다.
ㄷ. 사형은 살인죄에 대한 동등성의 원리에 부합하는 정당한 처벌이다.
ㄹ. 사형보다 지속적으로 고통을 가하는 종신 노역형이 범죄 억제 효과가 높다.

① ㄱ, ㄴ   ② ㄱ, ㄷ   ③ ㄷ, ㄹ
④ ㄱ, ㄴ, ㄹ   ⑤ ㄴ, ㄷ, ㄹ

2017 수능 응용

07 갑, 을, 병 사상가들의 입장에 대한 설명으로 옳은 것은?

> 갑: 모든 인간은 목적으로 대우받아야 한다. 사형은 살인범의 인간성을 훼손할 수 있는 모든 가혹 행위로부터 살인범의 인격을 존중하는 것이다.
> 을: 사회 계약은 계약자의 생명을 보존하기 위한 것이다. 살인자는 자신도 죽임을 당해도 좋다고 동의한 것이다.
> 병: 모든 사람들에게 살인범의 끝없는 비참한 상태를 보여주는 것이 사형보다 범죄 예방에 더욱 효과적이다. 형벌의 강도보다 지속성이 사람들에게 더 큰 영향을 준다.

① 갑은 살인범에 대한 사형은 인간 존엄성의 이념에 어긋난다고 본다.
② 을은 모든 인간은 생명 박탈의 권리를 양도할 수 없다고 본다.
③ 병은 사형 제도가 사회 공익 증진에 기여하고 있다고 본다.
④ 갑은 을과 달리 형벌이 범죄의 정도에 비례해야 한다고 본다.
⑤ 갑, 을과 달리 병은 사형이 비인간적이며 효율성이 떨어지므로 폐지되어야 한다고 본다.

🌀 서술형문제

08 다음 글을 읽고 물음에 답하시오.

> ⊙ 은/는 특정 집단에 대한 역사적·사회 구조적인 부당한 차별과 불평등을 바로잡기 위해 분배적 혜택을 주는 보상과 우대하는 정책을 말한다. 이를 찬성하는 입장에서는 과거의 부당한 차별 때문에 받아 온 고통에 대해 보상받을 권리가 있다는 보상의 논리를 논거로 든다. 하지만 이에 대해 반대하는 입장에서는 ⟦⟨가⟩⟧고 주장하면서 보상 책임 부당성의 논리를 논거로 든다.

(1) ⊙에 들어갈 내용을 쓰시오.

(2) 밑줄 친 부분을 참고하여 (가)에 들어갈 적절한 내용을 서술하시오.

03 국가와 시민의 윤리

★ 표시는 시험 전에 확인해 주세요.

A 국가의 권위와 시민에 대한 의무

1. 국가 권위의 정당화 관점

(1) 인간의 본성: 국가는 인간의 사회적·정치적 본성에 의해 형성된 산물임 → 아리스토텔레스: "국가는 자연적으로 존재하는 것들에 속하며, 인간은 본질적으로 국가에서 살게 되어 있는 동물이다."

(2) 국민의 동의: 국가는 시민의 동의와 계약으로 구성됨

(3) 공공재와 관행의 혜택: 국가는 시민에게 공공재를 제공하고 각종 제도나 규칙 등 관행의 혜택을 줌 → 예 국방과 치안, 교통 법규

(4) 천명의 관점: 동양에서는 국가의 권위를 민의에 기초한 천명(天命)의 관점에서 정당화함 → 백성의 뜻

★ 2. 동양 사상에 나타난 국가의 역할: 사회의 질서를 유지하고 모든 사람이 함께 잘 살게 하는 것

→ 군주가 먼저 자신을 수양하고 덕을 갖출 때 백성을 편안하게 다스릴 수 있다는 수기안인(修己安人) 사상

공자, 맹자	군주가 스스로 인격을 닦아 덕(德)을 쌓아야 백성들이 자연스럽게 교화되어 사회 질서가 유지됨
묵자	군주는 남의 나라를 내 나라 돌보는 것과 같이 하고, 남을 자신을 돌보는 것 같이 해야 천하에 어떠한 혼란도 일어나지 않을 것임 → 무조건적이고 무차별적인 사랑을 뜻하는 겸애(兼愛) 사상
한비자	백성은 이기적이므로 군주가 포상과 처벌을 적절하게 제공하면서 백성들을 통치할 때 사회 질서가 유지됨
정약용	지방 관리들은 애민(愛民)을 실현해야 함. 특히 노인, 어린이를 돌보고 빈민을 구제하는 데 힘써야 함
유길준	정부는 국민들의 자유와 권리를 보호하기 위해 법치주의, 질서 유지와 복지 실현에 힘써야 함 → 근대적 의미의 국가관을 제시하였다.

→ 홉스, 로크, 루소는 모두 사회 계약론자이며, 특히 로크는 계약을 위반한 정부에 저항하고 새로운 정부를 구성할 수 있다는 저항권을 주장하였다.

★ 3. 서양 사상에 나타난 국가의 역할: 국민의 자유, 평등, 생명, 재산 등 기본권을 보장하는 것

→ 인간의 본성이 이기적이라고 보았다.

홉스	• 자연 상태: 만인의 만인에 대한 투쟁 상태 • 인간은 생명 보존과 안전을 보장받기 위해 계약을 맺어 통치 권력에게 권리를 양도하고 국가를 수립하게 됨
로크	• 자연 상태: 비교적 평화로운 삶을 누리나 생명, 자유, 재산을 보존할 수 있는 권리가 확실히 보장되지 못함 • 국가는 사람들 간의 분쟁을 해결하고 개인의 생명, 자유, 재산을 사회의 침략자로부터 보호하여 시민이 평화롭고 안전하며 행복한 삶을 살게 해야 할 의무를 지님
루소	• 자연 상태: 자유롭고 평화로운 삶을 누리나 사회 상태로 옮겨 가면서 불평등이 발생함 • 국가는 시민의 생명을 보전하고 번영하게 하는 의무를 지님
밀	• 국가가 시민의 자유를 제한할 수 있는 경우는 오직 그 사람의 행동이 다른 사람에게 해악을 끼칠 때에만 가능함 • 국가는 시민이 타인에게 해악을 끼칠 경우를 제외하고는 시민의 자유 등 기본권을 보장해야 할 의무를 지님
롤스	• 질서 정연한 사회: 국가 구성원의 선을 증진해 주는 이상적인 사회의 모습 • 국가는 개인의 평등한 기본적 자유를 보장하고, 최소 수혜자에게 최대 이익이 돌아가게 하며, 불평등의 계기가 되는 지위는 모든 사람에게 균등하게 개방되어야 함

B 민주 시민의 참여와 시민 불복종

4. 민주 시민의 권리와 의무

(1) 민주 시민의 권리: 시민의 생명·재산·인권의 보호, 사회 보장과 복지의 증진, 공공재의 효율적인 관리와 제공 등을 요구할 수 있는 권리 → 민주 국가에서 주권을 발휘하는 주체

(2) 민주 시민의 의무: 국가가 시민을 위한 역할을 잘 수행하고 있는지 지속적으로 확인하고 지원하며 참여할 의무

(3) 민본주의에 나타난 백성의 모습 → 동양에서는 백성을 나라의 근본으로 여기는 민본주의 정신이 강조되었다.

① 백성은 군주의 덕과 민본 정치에 감화되어 국가에 충성해야 함

② 백성은 군주가 백성을 위하지 않으면 역성혁명을 일으킬 수 있음 → 민본주의적 역성혁명을 강조한 사상가는 유교 사상가인 맹자이다.

5. 민주 시민의 참여

필요성	• 대의 민주주의의 한계를 보완할 수 있음 • '국민에 의한 통치'라는 민주주의의 이념을 실현할 수 있음
분야	정책의 입안, 결정, 집행, 평가 등 정부와 사회의 모든 활동
방법	공청회, 자문회, 주민 투표제, 주민 소환제, 주민 감사 청구제, 국민 참여 재판 등 다양한 제도와 활동에 참여하기

→ 선출된 대표가 제 역할을 다하지 못할 때 임기 중 주민 투표를 통해 해직시킬 수 있는 제도

→ 주민들이 지방 자치 단체의 위법, 또는 공익에 반하는 행정에 대해 상급 기관에 감사를 청구할 수 있는 제도

★ 6. 시민 불복종에 대한 입장과 정당화 조건

→ 부정의한 법과 정책에 대한 시민들의 의도적인 위법 행위

(1) 다양한 사상가들의 입장

소로	• 법에 대한 존경심보다 정의에 대한 존경심을 길러야 함 • 개인의 양심에 따라 불의한 법에 대해 불복종함
롤스	거의 정의로운 사회에서 사회적 다수가 공유하는 정의관에 위배되는 법과 정책의 변화를 위해 전개하는 위법 행위임
킹	인간의 존엄성, 인격을 무시하는 부정의한 법에 대해 불복종해야 함

→ 미국의 목사로, 비폭력주의 원칙을 지키면서 흑인 차별 철폐 운동에 앞장섰다.

(2) 정당화 조건

법에 대한 충실성	기존 사회의 질서와 법질서를 존중함
최후의 수단	합법적 시도를 한 후 더 이상 효과가 없을 때 실시함
행위 목적의 정당성	개인이나 특정 집단의 이익을 추구하는 것이 아니라 사회 정의 실현을 목표로 해야 함
공개성	은밀히 행하는 것이 아니라 공개적으로 시행해야 함
비폭력성	폭력적인 방법을 동원해서는 안 됨
처벌 감수	위법 행위에 대한 처벌을 감수함으로써 법체계를 존중함

(3) 시민 불복종의 의의와 한계

① 의의: 부정의의 시정과 사회 정의 실현을 위해 필요함

② 한계: 법에 대한 안정성을 훼손하고, 국가나 사회의 존립을 위협할 수 있음

01 다음 설명이 맞으면 ○표, 틀리면 ×표를 하시오.

(1) 국가의 권위와 정당성은 국가가 의무를 다하여 시민들의 지지와 존중을 받을 때 인정된다. ( )

(2) 묵자는 자기 가족, 자기 나라를 다른 가족, 다른 나라와 차별 없이 사랑해야 한다고 보았다. ( )

(3) 소로는 다수의 정의관에, 롤스는 개인의 양심에 따라 시민 불복종을 전개해야 한다고 보았다. ( )

02 유교 사상가 (㉠   ), (㉡   )은/는 군주가 먼저 덕을 갖추고 백성들을 교화하면 백성들이 저절로 순종하게 되고, 서로 신뢰하고 함께 살아가는 바람직한 사회가 실현된다고 주장하였다.

03 다음 내용을 강조한 사상가를 〈보기〉에서 골라 기호를 쓰시오.

> **보기**
> ㄱ. 묵자 ㄴ. 로크 ㄷ. 홉스
> ㄹ. 정약용 ㅁ. 한비자

(1) 만인의 만인에 대한 투쟁 상태에서 벗어나기 위해 계약을 맺음 ( )

(2) 모든 사람을 차별하지 않고 똑같이 사랑하는 겸애(兼愛)를 실천해야 함 ( )

(3) 목민관은 애민(愛民), 위민(爲民) 정신으로 빈민을 구제하고 노약자를 보살펴야 함 ( )

(4) 군주는 이기적 본성을 지닌 백성을 적절한 상벌로 통제하여 질서 유지에 힘써야 함 ( )

(5) 비교적 평화로운 자연 상태에 있지만 온전한 생명, 자유, 재산권을 보장받기 위해 계약을 맺어 정부를 수립함 ( )

04 ㉠~㉫에 들어갈 내용을 각각 쓰시오.

소로	• 법에 대한 존경심보다 (㉠)에 대한 존경심을 기르는 것이 중요함 • 개인의 (㉡)에 따라 불의한 법에 불복종할 필요가 있음
(㉢)	거의 정의로운 사회에서 (㉣)이/가 공유하는 정의관에 위배되는 법과 정책의 변화를 위한 공개적이면서도 (㉤)인 위법 행위임
킹	인간의 (㉥)이나 인격을 무시하는 부정의한 법에 대해 불복종해야 함

A 국가의 권위와 시민에 대한 의무

01 갑, 을 사상가들의 입장으로 옳은 것은?

> 갑: 국가는 자연적으로 존재하는 것들에 속하며, 인간은 본질적으로 국가에서 살게 되어 있는 동물이다.
> 을: 인간은 본성이 이기적이므로 자연 상태에서 자신의 생명과 안전을 보장받기 어렵다. 따라서 자신의 권리를 절대적인 권력에 양도함으로써 평화를 보장받고자 한다.

① 갑: 개인은 국가 공동체로부터 벗어날 때 참된 자유를 누리게 된다.

② 갑: 국가는 본질적으로 인간의 사회적·정치적 본성에 의해 형성된다.

③ 을: 인간은 자연적 산물인 국가 안에서 본성을 실현할 수 있다.

④ 을: 인간은 자유와 평화를 누리는 자연 상태에 있었지만 사유 재산이 발생하면서 불평등으로 인한 불편을 겪게 되었다.

⑤ 갑, 을: 국민은 국가로부터 오는 혜택과 이익이 있을 때에만 복종의 의무를 지닌다.

출제가능성90%
02 다음 사상가가 강조할 내용으로 가장 적절한 것은?

> • 정치란 이름을 바로잡는 것이다[正名].
> • 먼저 자기 자신을 닦은 연후에라야 백성을 편안하고 올바르게 다스릴 수 있다.

① 군주는 아무런 차별이 없는 겸애를 실천해야 한다.

② 군주는 스스로 인격을 연마해 덕을 갖추고 백성을 교화해야 한다.

③ 목민관은 청렴을 근본으로 해야 하며, 애민 정신을 실천해야 한다.

④ 군주는 이기적인 백성을 통제하기 위해 상벌을 적절히 활용해야 한다.

⑤ 국민들의 계약의 산물인 국가가 올바른 역할을 하지 못할 때는 언제든지 해체되어야 한다.

03 다음 사상가의 입장을 〈보기〉에서 고른 것은?

> 사람들은 사회에 들어갈 때 그들이 자연 상태에서 가졌던 평등, 자유, 집행권을 사회가 요구하는 바에 따라 입법부가 처리할 수 있도록 사회의 수중에 양도한다. 그러나 그것은 오직 모든 사람이 그 자신, 그의 자유와 그의 재산을 더욱 잘 보존하려는 의도에서 행하는 것이다.

보기

> ㄱ. 국가는 시민의 생명과 자유, 재산을 보호해야 한다.
> ㄴ. 계약 이전의 자연 상태는 만인의 만인에 대한 투쟁 상태이다.
> ㄷ. 모든 시민은 주권자로서 동등한 자유와 평등한 권리를 가지는 존재이다.
> ㄹ. 명시적으로 국가에 복종하기로 동의한 사람만이 정치적 의무를 지닌다.

① ㄱ, ㄴ   ② ㄱ, ㄷ   ③ ㄴ, ㄷ
④ ㄴ, ㄹ   ⑤ ㄷ, ㄹ

04 ㉠, ㉡에 대한 설명으로 옳은 것은?

> • 동양의 [㉠] 사상은 국가를 가족 공동체 의식이 전제된 정치적 공동체로 보았다. 즉 왕과 백성은 부자 관계이고, 가부장과 같은 지위를 가진 왕은 백성을 나라의 근본으로 삼고 덕으로써 백성을 다스려야 한다고 본 것이다.
> • 서양의 [㉡]에 따르면 국가는 각 개인들이 자신의 기본권을 보장받기 위해 자발적인 계약과 동의로 만든 인위적 산물이다. 따라서 시민은 자신의 권리 일부 혹은 전부를 국가에 양도하고, 그 권위에 복종해야 한다.

① ㉠ 사상에서는 국가에 대한 충성을 효의 확장으로 인식한다.
② ㉠은 국민들의 직접적인 선거에 의해 통치자가 선출되어야 한다고 본다.
③ ㉡은 국가의 권위가 시민으로부터 온 것이 아니라 신으로부터 부여받은 것이라고 본다.
④ ㉡은 국가가 자연 발생적인 것이며, 국민의 정치적 복종은 인간의 본성에서 비롯된 것이라고 본다.
⑤ ㉠, ㉡은 국민이 국가에 복종하는 것은 무조건적인 의무라고 본다.

B 민주 시민의 참여와 시민 불복종

05 다음 글에서 강조하는 내용으로 가장 적절한 것은?

> 민주주의는 형식적 절차의 제도화만으로 이루어지는 것이 아니라 명령과 통제가 아닌 협력을 중시하는 사회, 절제와 타협, 상호 존중과 관용, 투철한 공공 의식을 가진 시민들의 자발적이고 적극적인 참여를 통해서 완성된다. 이를 통해 시민들은 자신들이 정치적 주체임을 깨닫고, 사회적으로는 질적으로 성숙한 진정한 민주주의를 실현하게 된다.

① 대의 민주주의의 문제점을 보완하기 위해 형식적 절차를 없애야 한다.
② 현대 사회에서 시민의 참여는 오히려 정책 결정의 신속성을 저해하기도 한다.
③ 민주주의 발전을 위해 절차나 제도뿐만 아니라 시민의 적극적 참여가 중요하다.
④ 시민의 무분별한 참여를 배제하고 전문가 집단을 중심으로 한 정치 참여를 강조해야 한다.
⑤ 복잡한 현대 사회에서는 시민의 참여를 바탕으로 한 '국민에 의한 통치'라는 이념을 구현하기 어렵다.

출제가능성 90%
06 시민 불복종 운동이 정당화되기 위한 조건으로 옳지 <u>않은</u> 것은?

① 은밀히 행하는 것이 아니라 공개적으로 이루어져야 한다.
② 폭력적인 수단을 배제하고 평화적인 방법을 사용해야 한다.
③ 행위 목적이 사적인 이익 추구가 아니라 사회 정의를 실현하기 위한 것이어야 한다.
④ 지속적인 불복종 의사를 정당하게 표현하기 위해 위법 행위로 받게 되는 처벌을 거부해야 한다.
⑤ 합법적인 여러 가지 수단을 동원했음에도 불구하고 효과가 없을 때 최후의 수단으로 전개해야 한다.

01 다음 사상가의 입장으로 옳은 것은?

> • 항산(恒産)이 없어도 항심(恒心)을 유지할 수 있는 사람은 오직 선비뿐이다. 백성은 항산이 없으면 자연스레 항심도 지니기 어렵다.
> • 하늘이 보고 듣는 것이 백성을 통해 보고 듣는 것이다. 하늘이 밝히고 두렵게 하는 것 또한 우리 백성들을 통해 밝히고 두렵게 하는 것이다. 이처럼 하늘과 백성은 통하는 것이니, 땅을 다스리는 사람은 백성을 공경해야 한다.

① 통치자는 백성의 직접적인 선거로 뽑아야 한다.
② 통치자는 백성의 뜻을 소중히 받들어 다스려야 한다.
③ 통치자는 인간의 악한 본성을 선하게 바꿀 수 있도록 노력해야 한다.
④ 통치자는 민생의 안정보다는 도덕성 실현을 우선 과제로 삼아야 한다.
⑤ 통치자는 인의(仁義)를 저버리는 한이 있더라도 통치를 그만두어서는 안 된다.

02 갑, 을 사상가들의 입장으로 옳지 <u>않은</u> 것은?

> 갑: 자신과 타인, 자기 가족과 남의 가족, 자기 나라와 다른 나라를 차별[別]하는 데서 모든 혼란이 발생합니다. 겸애(兼愛)를 실천할 때 온 천하가 바로 서게 될 것입니다.
> 을: 군주는 백성의 생업을 마련해 주는데, 반드시 위로는 부모를 섬기기에 충분하게 하고 아래로는 처자를 먹여 살릴 만하게 하여, 풍년에는 언제나 배부르고 흉년에는 죽음을 면하게 해야 합니다.

① 갑: 무조건적이고 무차별적인 사랑을 베풀어야 한다.
② 갑: 똑같이 사랑하고 함께 이익을 추구하면 혼란이 사라진다.
③ 을: 통치자는 백성의 생업을 일으켜 그들의 생계를 안정시켜야 한다.
④ 을: 통치자는 백성의 타고난 본성을 변화시켜 교화를 추구하는 왕도 정치를 구현해야 한다.
⑤ 갑, 을: 통치자는 사회의 질서를 유지하고, 모든 사람이 함께 잘 살아가게 하는 정치를 구현해야 한다.

03 갑, 을 사상가들의 입장에 대한 옳은 설명만을 〈보기〉에서 있는 대로 고른 것은?

> 갑: 다수에게 순응하기보다 그들에게 온 힘을 다해 맞설 때 소수는 거역할 수 없는 힘을 갖게 된다. 양심이 아니라 다수가 옳고 그름을 결정하는 정부는 정의에 입각한 정부라고 할 수 없다.
> 을: 시민 불복종은 '법에 대한 충실성'의 한계 내에서 법에 대한 불복종을 표현한다. 법에 대한 충실성은 양심적이고 진지하며 다수의 정의관에 호소하는 불복종의 의도를 보여준다.

> **보기**
> ㄱ. 갑은 개인의 양심에 따라 부정의한 법에 저항해야 한다고 본다.
> ㄴ. 을은 시민 불복종이 법에 대한 충실성을 거부하는 정치 행위라고 본다.
> ㄷ. 을은 부정의하고 부패한 체제를 변혁시키는 것은 시민 불복종에 포함되지 않는다고 본다.
> ㄹ. 을은 갑과 달리 시민 불복종의 근거를 사회적 다수의 공적인 정의관에서 찾아야 한다고 본다.

① ㄱ, ㄴ   ② ㄱ, ㄹ   ③ ㄴ, ㄷ
④ ㄱ, ㄷ, ㄹ   ⑤ ㄴ, ㄷ, ㄹ

✿ 서술형문제

04 다음 글을 읽고 물음에 답하시오.

> ⓐ 은/는 이기적 본성을 지닌 인간은 자연 상태에서 ⓑ 에 이를 수밖에 없기 때문에 이러한 자연 상태를 벗어나기 위해 자신의 권리를 절대적인 권력(리바이어던)에 양도하는 계약을 맺게 된다고 주장하였다. 한편 공리주의자인 ⓒ 은/는 국가는 ⓓ 을/를 제외하고는 시민의 자유와 기본권을 보장해야 한다고 강조하였다.

(1) ⓐ, ⓒ에 들어갈 사상가를 각각 쓰시오.

(2) ⓐ, ⓒ과 관련하여 ⓑ, ⓓ에 들어갈 내용을 각각 서술하시오.

01 과학 기술과 윤리

★ 표시는 시험 전에 확인해 주세요.

A 과학 기술의 성과와 윤리적 문제

1. 과학 기술의 성과와 윤리적 문제

(1) 과학 기술의 성과: 물질적 풍요와 안락한 삶 향유, 시공간적 제약 극복, 건강 증진과 생명 연장, 인터넷을 통한 정치적 의사 결정 과정에 참여 등 ┌─ 인간이 과학 기술에 지나치게 의존하거나 종속되면서 기술 지배 현상과 인간 소외 현상이 발생하였다.

(2) 과학 기술의 윤리적 문제: 환경 문제의 발생, 인간의 주체성 약화, 비인간화 현상 초래, 인권과 사생활 침해, 생명의 존엄성 훼손 등

┌─ 생명 복제와 유전자 조작 등으로 생명을 도구화·수단화한다.
└─ 위치 추적 시스템, 감시 카메라를 이용한 감시와 통제로 '판옵티콘' 사회와 '빅브라더'의 출현이 우려되고 있다.

2. 과학 기술을 바라보는 관점

과학 기술 지상주의	• 과학 기술의 긍정적인 측면만을 강조하며, 과학 기술이 사회의 모든 문제를 해결해 줄 수 있다고 믿는 관점 ┌─ 과학 기술의 발전을 지나치게 낙관적으로 바라보는 입장이다. • 문제점: 과학 기술의 부정적인 측면을 간과하고, 인간의 반성적 사고 능력을 훼손할 수 있음
과학 기술 혐오주의	• 과학 기술의 부정적인 측면만을 강조하며, 과학 기술의 비인간적이고 비윤리적인 측면을 부각하는 관점 → 예 러다이트(Luddite) 운동 • 문제점: 과학 기술의 가치와 과학 기술이 가져다준 여러 가지 혜택과 성과를 부정함
과학 기술에 대한 바람직한 관점	과학 기술의 긍정적·부정적 측면을 모두 고려하여 과학 기술에 대해 성찰하는 비판적 자세를 갖추어야 함

B 과학 기술의 가치 중립성 ─● 어떤 특정한 가치관이나 태도에 치우치지 않는 것

★ 1. 과학 기술의 가치 중립성에 대한 입장

과학 기술의 가치 중립성을 강조하는 입장	• 사실과 가치의 영역은 명확하게 나눌 수 있으며, 과학 기술은 사실을 다룸 • 과학 기술은 그 자체로 좋은 것도 나쁜 것도 아님 → 사회적 책임과 윤리적 평가에서 자유로워야 함 • 옳다, 그르다 또는 좋다, 나쁘다 등의 가치 문제는 연구를 담당한 과학 기술자가 아닌 과학 기술을 활용하는 사용자에게 전적으로 달려 있음 • 과학 기술을 윤리적 관점에서 규제하려는 시도는 과학 기술의 발전을 저해함 • 야스퍼스: "기술은 수단일 뿐이며 그 자체로 선도 아니고 악도 아니다." ┌─ 과학 기술에 가치 판단이 개입해서는 안 된다고 보았다.
과학 기술의 가치 중립성을 부정하는 입장	• 과학 기술 연구에서 연구 대상을 선정하고 그 결과가 활용되는 과정에는 개인의 가치관, 기업의 이익, 사회적 필요, 정치적 목적 등 다양한 가치가 개입됨 • 과학 기술을 연구하거나 활용하는 과정에 다양한 가치가 개입되므로 과학 기술은 가치 판단에서 자유로울 수 없음 → 윤리적 검토나 통제가 필요함 • 과학 기술을 연구하거나 발견 또는 발명, 활용하는 주체도 인간이므로 과학 기술과 도덕적 가치를 분리하여 생각할 수 없음 → 과학 기술의 연구 및 활용의 전 과정을 독립적인 영역으로 여겨서는 안 됨 • 하이데거: "과학 기술을 가치 중립적인 것으로 고찰할 때, 우리는 무방비 상태로 과학 기술에 내맡겨진다." ┌─ 과학 기술에 바람직한 가치 판단이 필요하다고 보았다.

2. 과학 기술의 발전을 위한 올바른 태도

(1) 과학 기술에 대한 가치 평가

과학 기술의 정당화 과정	과학 기술이 객관적 타당성을 갖춘 지식이나 원리로 인정받는 과정으로, 실험과 관찰 등 객관적인 방법을 통해 검증이 이루어지는 단계이므로 연구자의 주관적 가치가 개입되면 안 됨 → 과학 기술의 가치 중립성은 타당함
과학 기술의 발견 및 활용 과정	연구 목적을 설정하고 연구 결과를 현실에 활용하는 과정으로, 연구자의 가치관뿐만 아니라 정치적·경제적 목적에 따라 다양한 가치가 개입될 수 있음 → 과학 기술의 가치 중립성은 타당하지 않으며, 과학 기술은 윤리적 가치 평가에 의해 지도되고 규제받아야 함

(2) 과학 기술에 대한 올바른 태도: 과학 기술의 궁극적 목적이 인간의 존엄성 구현과 삶의 질 향상임을 염두에 두어야 함

┌─ 아무리 획기적인 과학 기술이라도 인간의 존엄성과 삶의 질을 향상하는 데 도움이 되지 않는다면, 그 과학 기술의 연구나 활용은 중단되어야 함

C 과학 기술의 사회적 책임

1. 과학 기술자의 사회적 책임
─● 과학 기술자의 내적 책임

과학 기술 연구 윤리 준수	과학 기술자는 연구 과정에서 날조, 변조, 표절, 부당한 저자 표기 등 비윤리적인 행위를 하지 말아야 함
사회적 책임 의식 ─● 과학 기술자의 외적 책임	• 과학 기술자는 최소한의 연구 윤리뿐만 아니라 과학 기술이 사회에 미치는 영향을 고려하여 사회적 책임을 다해야 함 • 과학 기술자는 사회적으로 해로운 결과가 예상되는 연구의 경우 그 위험성을 알리고 연구를 중단해야 함

2. 사회적 차원의 노력

(1) 부작용의 검토 및 대처: 과학 기술이 가져올 수 있는 부정적인 영향과 위험을 폭넓게 검토하여 예방적 조치를 해야 함

(2) 새로운 과학 기술 개발: 기아나 환경 문제의 해결을 위해 적정 기술, 식량 증산 기술, 대체 에너지 기술 등을 개발해야 함

(3) 제도적 장치 마련: 기술 영향 평가 제도 실시, 과학기술윤리위원회 등 설치, 과학 기술의 활용에 관한 시민들의 감시와 참여를 이끌어 내는 장치 제도화

★ 3. 요나스의 책임 윤리
┌─ 책임의 범위를 현세대로 한정하는 기존의 전통적 윤리관으로는 과학 기술 시대에 발생하는 문제를 해결하는 데 한계가 있으므로 새로운 책임 윤리가 필요하다고 보았다.

(1) 책임의 범위 확대
┌─● 전통 윤리학의 책임 개념

① 행해진 것에 대한 사후 책임에서 나아가 행위되어야 할 것에 대한 사전 책임을 강조 → 미래 지향적인 책임을 주장함

② 과학 기술의 발전이 사회에 미치게 될 결과를 예측하여 이에 대한 도덕적 책임을 져야 함

③ 책임의 범위를 공간적으로 인간을 포함한 자연 전체로, 시간적으로는 현세대를 포함한 미래 세대까지 확장함

(2) 공포의 발견술: 악의 인식이 선의 인식보다 쉽기 때문에 윤리학은 희망보다 공포를 논의의 대상으로 삼아야 한다는 것

┌─ 예 핵무기가 개발되었을 때 주어지는 혜택보다는 그것이 가져다줄 수 있는 절망과 공포를 먼저 생각해 보는 것

01 다음 설명이 맞으면 ○표, 틀리면 ×표를 하시오.

(1) 과학 기술은 우리 삶에 편리함을 가져다주었지만 많은 윤리적 문제를 일으켰다. ( )

(2) 과학 기술의 사회적 영향력을 고려할 때, 과학 기술의 발견 및 활용의 과정에서는 가치 중립성이 보장되어야 한다. ( )

(3) 요나스는 윤리적 책임의 범위를 자연은 물론 미래 세대까지 확장해야 한다고 강조하였다. ( )

02 과학 기술의 성과와 윤리적 문제를 〈보기〉에서 골라 기호를 쓰시오.

> **보기**
>
> ㄱ. 매체의 발달로 자신의 생각을 자유롭게 표현할 수 있게 되었다.
> ㄴ. 생명 과학의 발달로 수명이 연장되고 건강한 삶을 누리게 되었다.
> ㄷ. 기술의 발달로 기술이 인간을 지배하는 기술 지배 현상이 발생하였다.
> ㄹ. 정보 통신 기술의 발달로 개인 정보에 대한 접근성이 높아져 사생활 침해가 쉬워졌다.
> ㅁ. 과학 기술로 인간은 물리적 풍요와 안락한 삶을 누릴 수 있게 되었고, 효율성이 증진되었다.

(1) 성과 – ( )
(2) 윤리적 문제 – ( )

03 ( )은/는 과학 기술을 가치 중립적인 것으로 고찰할 때, 우리는 무방비 상태로 과학 기술에 내맡겨질 것이라고 주장하였다.

04 ㉠, ㉡에 들어갈 내용을 각각 쓰시오.

과학 기술자의 책임	의미
(㉠)	과학 기술자는 연구 자체에 대한 책임을 지녀야 한다. 따라서 연구 과정에서 위조, 변조, 표절 등을 하지 않고 연구 윤리를 지켜야 한다.
(㉡)	과학 기술자는 자신의 연구 결과가 사회에 미칠 영향에 대해 책임을 져야 하며, 자신의 연구 활동이 인간의 존엄성을 구현하고 삶의 질 향상을 위한 것인지 성찰하여야 한다.

A 과학 기술의 성과와 윤리적 문제

01 다음 교사의 질문에 바르게 대답한 학생을 고른 것은?

> 교사: 과학 기술이 가져온 성과와 문제점에는 무엇이 있을까요?
> 갑: 시공간적 제약에서 벗어나 세계 어느 곳에 있는 사람들과도 실시간으로 대화할 수 있게 되었습니다.
> 을: 하지만 정보가 특정 사람들에게만 공개되어 일반 시민들이 정보에 접근하기가 어려워졌습니다.
> 병: 또한 위치 추적 시스템, 감시 카메라는 사람들의 사생활을 위협하고 있습니다.
> 정: 생명 과학 기술의 발달로 모든 질병을 완전히 치료할 수 있게 되었습니다.

① 갑, 을 ② 갑, 병 ③ 을, 병
④ 을, 정 ⑤ 병, 정

B 과학 기술의 가치 중립성

출제가능성 90%

02 갑이 을에게 제기할 비판으로 가장 적절한 것은?

> 갑: 과학 기술은 좀처럼 상상하지 못한 방식으로 우리들의 존재를 철저하게 지배하고 있다. 오늘날 우리는 어디서나 과학 기술에 붙들려 있다. 따라서 최악의 경우는 기술을 가치 중립적인 것으로 고찰하여 우리와 무관한 것으로 보게 되는 것이다.
> 을: 기술은 수단일 뿐이며 그 자체로 선도 악도 아니다. 과학 기술이 선한지 악한지는 인간이 기술로부터 무엇을 만들어 내고, 기술을 어디에 사용하고, 어떤 조건에서 기술이 만들어지느냐에 달려 있다.

① 과학 기술이 사회에 미치는 영향을 간과하고 있다.
② 과학 기술이 가치 판단에서 자유로워야 함을 간과하고 있다.
③ 과학 기술이 사회에 발전을 가져다준다는 점을 간과하고 있다.
④ 과학 기술의 학문적 목적이 진리 탐구라는 것을 간과하고 있다.
⑤ 과학 기술의 연구 결과를 미리 판단할 수 없음을 간과하고 있다.

03 ㉠, ㉡에 대한 설명으로 적절하지 <u>않은</u> 것은?

> **과학 기술의 연구 과정**
>
> 1. ㉠ 과학 기술의 정당화 과정
>   – 과학 기술이 객관적 타당성을 갖춘 지식이나 원리로 인정받는 과정
> 2. ㉡ 과학 기술의 발견 및 활용 과정
>   – 연구 대상을 선정하고 그 결과를 활용하는 과정

① ㉠에서 과학 기술에 대한 검증은 객관적인 방법으로 이루어져야 한다.
② ㉠에 과학 기술자의 주관적 가치 판단이 들어가면 연구의 타당성을 잃을 수 있다.
③ ㉡에서는 발견 및 활용 주체의 의도에 따라 사회에 긍정적·부정적 영향을 끼칠 수 있다.
④ ㉡에서 과학 기술의 연구 결과가 가져오는 파급력은 현세대에 한정된다.
⑤ ㉠에서 과학 기술은 가치 중립성을 확보해야 하지만, ㉡에서는 과학 기술에 대하여 가치 판단을 하는 것이 바람직하다.

04 다음은 서술형 평가 문제와 학생 답안이다. (가)에 들어갈 적절한 진술을 〈보기〉에서 고른 것은?

> **서술형 평가**
>
> ◎ 문제: 과학 기술의 가치 중립성을 강조하거나 부정하는 입장 중 자신의 견해를 선택하여 그 근거를 함께 서술하시오.
>
> ◎ 학생 답안
> 나는 과학 기술의 가치 중립성을 강조하는 입장이다. 왜냐하면 ＿＿＿＿ (가) ＿＿＿＿ 이다.

> **보기**
>
> ㄱ. 과학 기술의 연구 결과를 미리 파악할 수 있기 때문
> ㄴ. 과학 기술은 다양한 사회적 요인들과 결합하여 발전하기 때문
> ㄷ. 과학 기술을 윤리적 관점에서 규제하는 것은 과학 기술의 발달을 저해하기 때문
> ㄹ. 과학 기술 이론의 사실성 여부를 파악할 때 특정 가치가 개입되어서는 안 되기 때문

① ㄱ, ㄴ ② ㄱ, ㄷ ③ ㄴ, ㄷ
④ ㄴ, ㄹ ⑤ ㄷ, ㄹ

C 과학 기술의 사회적 책임

출제가능성 90%
05 과학 기술의 사회적 책임을 강조하는 입장에서 하버의 행동을 평가한 내용으로 가장 적절한 것은?

> 과학자 하버(Haber, F.)는 암모니아 합성법을 발견함으로써 인류를 식량 위기에서 벗어나게 하는 데 큰 공헌을 했으나, 한편으로는 제1차 세계 대전 당시 독가스를 개발하여 전쟁에서 무수한 인명을 앗아 가기도 하였다.

① 연구 과정에서 연구 윤리를 지켰어야 했다.
② 자신이 개발한 기술이 어떻게 사용될지 고려했어야 했다.
③ 과학 기술 연구의 목적이 개인의 이익 추구라는 점을 명심했어야 했다.
④ 과학 기술이 물질적 풍요와 안락한 삶을 가져온다는 점을 인식했어야 했다.
⑤ 과학 기술은 그 자체로 좋은 것도 나쁜 것도 아니므로 윤리적 평가에서 자유롭다는 점을 알았어야 했다.

06 현대 과학 기술의 발전에 윤리적 책임이 커지는 이유로 적절하지 <u>않은</u> 것은?

① 과학 기술의 적용이 강제성을 갖기 때문이다.
② 과학 기술의 결과에 대한 예측이 분명하지 않기 때문이다.
③ 비윤리적인 과학 기술에 대한 개발과 적용을 막기가 쉬워졌기 때문이다.
④ 과학 기술의 결과가 장기간에 걸쳐 광범위하게 영향력을 행사하기 때문이다.
⑤ 과학 기술이 의도하지 않은 부수적 결과가 의도한 결과를 압도할 수 있기 때문이다.

07 다음 문제에서 학생이 옳게 표시한 답의 개수로 옳은 것은?

> 1. 요나스의 책임 윤리에 대한 설명으로 옳으면 ○표, 틀리면 ×표를 하시오.
>
> (1) 행해진 것에 대한 사후적 책임을 강조한다. ……… (○)
> (2) 과학 기술이 가져다줄 긍정적인 측면에 집중한다.
> ……………………………………………… (×)
> (3) 부모가 신생아에게 가지는 책임처럼 총체적이고 미래 지향적인 책임이 중요하다. ……… (○)
> (4) 과학 기술의 발전이 사회에 미치게 될 결과를 예측하여 이에 대한 도덕적 책임을 져야 한다. ………… (○)

① 0개 ② 1개 ③ 2개 ④ 3개 ⑤ 4개

2017 수능 응용

01 (가)의 입장에 비해 (나)의 입장이 갖는 상대적 특징을 그림의 ㉠~㉤ 중에서 고른 것은?

> (가) 과학 기술은 사회에 영향을 끼치므로 과학 기술을 연구하고 활용하는 전 과정을 독립적인 영역으로 여겨서는 안 된다.
>
> (나) 과학 기술 이론의 사실성 여부를 판단하는 경우에는 특정 가치가 개입해서는 안 되며, 연구 결과를 미리 판단할 수 없으므로 과학 기술에 대한 윤리적 평가와 비판을 유보해야 한다.

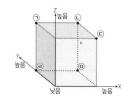

> • X: 과학 기술 연구의 독립성이 인류 진보에 공헌함을 강조하는 정도
> • Y: 과학 기술 자체에 대한 윤리적 판단을 배제해야 함을 강조하는 정도
> • Z: 과학 기술 연구 결과의 활용에 대한 과학자의 사회적 책임을 강조하는 정도

① ㉠ ② ㉡ ③ ㉢ ④ ㉣ ⑤ ㉤

2018 평가원 응용

02 다음 토론의 핵심 쟁점으로 가장 적절한 것은?

> 갑: 현대 기술 사회에서 기술은 대다수 시민들에게 막대한 영향력을 행사하고 있습니다. 따라서 기술 정책 결정과 관련하여 시민들에게 기술 시민권을 보장해야 합니다.
>
> 을: 동의합니다. 다만 시민들이 기술 정책 결정 과정에 직접 참여하는 것은 많은 비용이 발생하므로 기술 시민권은 기술 정보에 대한 접근권으로 한정되어야 합니다.
>
> 갑: 아닙니다. 그러한 접근권만으로는 기술 정책의 정당성을 확보할 수 없습니다. 많은 비용이 발생하더라도 기술 정책 결정 과정에 시민들이 직접 참여할 권리를 보장해야 합니다.
>
> 을: 그렇지 않습니다. 기술 정책 결정은 고도의 전문성을 요구합니다. 따라서 전문가의 참여만으로도 기술 정책의 정당성은 충분히 확보될 수 있습니다.

① 과학 기술의 진보는 계속되어야 하는가?
② 과학 기술 개발에 대한 사회적 합의는 불필요한가?
③ 기술 정책 결정에 시민이 참여하면 많은 비용이 발생하는가?
④ 기술 정책의 정당성은 전문가의 참여만으로 충분히 확보되는가?
⑤ 과학 기술의 부정적인 영향을 최소화하기 위해 기술 정책이 필요한가?

최고난도

03 다음 추론 과정에서 ㉠에 대한 반론의 근거로 가장 적절한 것은?

대전제	객관적인 사실의 영역에는 주관적 가치가 개입되어서는 안 된다.
소전제	㉠
결론	과학 기술에는 주관적 가치가 개입되어서는 안 된다.

① 과학 기술은 윤리적 평가에서 자유로워야 한다.
② 과학 기술은 현세대의 안락한 삶을 가능하게 한다.
③ 현대 과학은 과학자의 학문적 호기심에 따라 연구를 진행한다.
④ 현대 과학의 인공 지능, 생명 공학은 미래 세대의 생존을 보장한다.
⑤ 과학 기술은 정치적, 경제적 목적에 따라 발견과 활용이 이루어진다.

서술형문제

04 다음 사상가의 글을 읽고 물음에 답하시오.

> • 책임의 범위를 현세대로 한정하는 기존의 전통적 윤리관으로는 과학 기술 시대에 발생하는 문제를 해결하는 데 한계가 있다. 새롭게 요구되는 윤리는 과학 기술로 인한 상황을 적극적으로 반성하는 책임 윤리이다.
> • 인간이 지금보다 훨씬 더 오래 살게 된다는 사실이 과연 바람직한지, 인간에게 자연이 부여한 수명이 참된 표준은 아닌지 미리 숙고해 볼 필요가 있다고 생각한다. … (중략) … 인간의 오랜 꿈, 즉 죽지 않거나 혹은 가능한 한 오래 살려는 꿈의 실현을 목적으로 하는 연구는 중단해야 한다.

(1) 위 사상가의 이름을 쓰시오.

(2) 위 사상가가 일부 과학 기술의 연구를 중단해야 한다고 주장하는 이유를 서술하시오.

02 정보 사회와 윤리

★ 표시는 시험 전에 확인해 주세요.

A 정보 기술의 발달과 정보 윤리

1. 정보 기술의 발달에 따른 긍정적 변화: 생활의 편리성 향상, 사회·정치 참여의 기회 확대, 전문 지식 습득, 다양한 문화에 관한 이해의 폭 확대

> 사이버 공간에서 상대방이 원하지 않는 언어, 이미지 등을 사용하여 정신적·심리적 피해를 주는 행위

★ 2. 정보 기술의 발달에 따른 윤리적 문제 — 익명성, 시공간의 초월성, 의견의 개방성

(1) **사이버 폭력:** 현실 세계의 폭력과 마찬가지로 다른 사람에게 고통을 주고, 사이버 공간의 특성상 폭력의 심각성을 제대로 인식하지 못함 **예** 사이버 따돌림, 사이버 명예 훼손, 사이버 모욕, 사이버 스토킹, 사이버 성폭력 등

(2) **사생활 침해** — 정보의 유통 과정에 대해 개인이 결정하고 통제하는 권한을 가져야 한다는 '정보 자기 결정권'이 강조되고 있다.

① 발생 원인: 정보 기술의 발달로 개인 정보가 유출되면서 사생활을 침해하는 일이 발생함

② 주요 쟁점: 사생활 보호와 국민의 알 권리가 충돌하는 문제, 과도한 개인 정보 공개로 인한 사생활 침해로 '잊힐 권리'가 등장함 — 온라인상에서 자신과 관련된 모든 정보에 대한 삭제와 확산 방지를 요구할 수 있는 정보 주체의 자기 결정권 및 통제 권리

(3) **표현의 자유 문제:** 사이버 공간에서도 타인의 권리를 침해하지 않고, 사회 질서와 공공복리를 침해하지 않는 범위에서 허용되어야 함 — 밀은 다른 사람에게 해를 끼치지 않는 한 개인은 최대한의 자유를 누릴 수 있다고 주장하였다.

(4) **저작권 침해를 둘러싼 논쟁** — 저작권법에 따라 보호되는 저작물을 무단으로 사용하여 저작권자의 배타적 권리를 침해하는 행위

저작권 보호 (copyright)	• 정보와 그 산물은 개인의 사유 재산 → 정보 창작자의 정보 생산에 필요한 시간과 노력, 비용에 대하여 대가를 지불해야 함 • 지적 재산권을 보호함으로써 창작자의 창작 의욕을 높이고 양질의 정보를 생산할 수 있음 • 비판: 창작자에게 정보에 대한 배타적 독점권을 부여하기 때문에 정보의 자유로운 교류를 방해할 수 있음
정보 공유 권리 (copyleft)	• 정보와 그 산물은 공공재 → 공동체의 이익을 위해 사용되어야 함 — 인류 공동의 자산이라고 본다. • 저작물을 공유하고 자유롭게 이용함으로써 창작 활동이 활발해지며 정보의 질적 발전이 이루어짐 • 저작물에 대한 권리 행사는 정보 격차에 따른 불평등을 발생시킴 • 비판: 창작자의 노력을 충분히 고려하지 못하고, 저작물의 질적 수준이 낮아질 수 있음

3. 정보 사회에서 요구되는 정보 윤리 — 스피넬로의 정보 윤리의 기본 원칙: 자율성의 원리, 해악 금지의 원리, 선행의 원리, 정의의 원리

인간 존중의 원칙	다른 사람의 인격과 사생활, 지적 재산권 등을 존중해야 함
책임의 원칙	정보를 자유롭게 제작·유통할 때 자신의 행동이 가져올 결과를 생각하면서 책임 의식을 지녀야 함
정의의 원칙	다른 사람의 기본적 자유와 권리를 침해하지 않고, 정보의 진실성과 공정성을 추구해야 함
해악 금지의 원칙	다른 사람과 사회에 해악을 끼치지 말아야 함

B 정보 사회에서의 매체 윤리

1. 뉴 미디어의 특징과 문제점 — 기존의 매체들이 제공하던 정보를 인터넷을 통해 가공, 전달, 소비하는 포괄적 융합 매체

(1) **뉴 미디어의 특징**

종합화	아날로그 시대에 개별적으로 존재했던 매체들이 하나의 정보망으로 통합됨
상호 작용화	뉴 미디어로 송수신자 간 쌍방향 정보 교환이 가능함
비동시화	수신자가 원하는 시간에 정보를 볼 수 있음
탈대중화	대규모 집단에 획일적 메시지 전달이 아닌 특정 대상과 특정 정보를 상호 교환할 수 있음
능동화	이용자가 더욱 능동적으로 정보에 접근할 수 있음
디지털화	모든 정보를 디지털화함으로써 정보를 신속하고 정확하게 처리할 수 있음

(2) **뉴 미디어의 문제점** — 정보 교환의 의사소통 양을 증가시키고, 사람들의 사회적 거리를 좁히며, 참여 민주주의를 가능하게 해 준다.

① 전문성이 검증되지 않은 정보가 많음

② 허위 정보나 음란·폭력·유해 정보를 전달하기도 함

③ 폭력적이고 자극적인 정보로 이윤을 추구하기도 함

★ 2. 뉴 미디어 시대의 매체 윤리 — 공익 실현을 위한 알 권리는 존중되어야 하지만, 무분별한 정보 공개는 개인의 인격권을 침해할 수 있으므로 유의해야 한다.

(1) **정보 생산과 유통 과정에서 필요한 윤리**

진실한 태도	• 정보를 자의적으로 해석하거나 왜곡해서는 안 됨 • 의견을 표명할 때 관련된 내용을 균형 있게 취급하는 객관성과 공정성을 가져야 함
타인의 인격 존중	시민의 알 권리를 충족하기 위한 과정에서 특정 개인의 명예나 사생활, 인격권을 침해하지 않도록 유의해야 함
배려하는 자세	뉴 미디어를 통해 가상 공간에서 만나는 상대방을 배려하고, 타인의 의견을 고려하며, 반대 의견도 존중하는 자세를 가져야 함

(2) **정보의 소비 과정에서 필요한 윤리** — 매체가 형성하는 현실을 비판적으로 읽어 내면서 매체를 제대로 사용하고 바람직하게 표현하는 능력으로, '매체 이해력'이라고도 한다.

미디어 리터러시	단순히 매체를 사용할 수 있는 능력이 아니라, 자신이 찾아 낸 정보의 가치를 제대로 평가하기 위한 비판적 사고 능력을 지니고 매체를 활용해야 함
소통과 시민 의식	매체 이용자가 서로 정보를 바탕으로 대화하고 교류함으로써 공동으로 체험하고 협력할 수 있는 능력과 자세를 갖추어야 함
정보의 비판적 수용	매체가 제공하는 정보의 진위와 진실성을 판단하여 수용하고, 매체들이 공정하고 객관적인 정보를 제공하는지 적극적으로 감시해야 함

(3) **매체와 매체 종사자에게 필요한 매체 윤리**

① 매체: 정보를 생산, 처리, 분배해 주는 막강한 영향력과 함께 그에 상응하는 사회적 책임과 윤리적 사명을 갖게 됨

② 매체 제작자와 종사자: 진실 보도, 공정한 편집과 편성, 타인의 인격 존중, 사회의 소수자 보호 등 매체 윤리를 준수해야 함

01 다음 설명이 맞으면 ○표, 틀리면 ×표를 하시오.

(1) 정보 사회에서는 거짓된 정보가 유포되더라도 빠르게 회수할 수 있다. ( )

(2) 정보 통신 기술의 발달로 중앙 집권적이고 수직적이던 사회 구조가 수평화, 다원화되었다. ( )

(3) 매체를 제대로 사용하고 바람직하게 표현하는 능력을 미디어 리터러시라고 한다. ( )

02 정보 기술의 발달에 따른 윤리적 문제로 옳은 것을 〈보기〉에서 골라 기호를 쓰시오.

> **보기**
> ㄱ. 사이버 폭력의 확산
> ㄴ. 저작권 보호 문제 발생
> ㄷ. 사생활 침해의 우려 약화
> ㄹ. 표현의 자유의 무제한 허용
> ㅁ. 익명성으로 인한 인격권 침해

03 ( )(이)란 온라인상에서 자신과 관련된 모든 정보에 대한 삭제와 확산 방지를 요구할 수 있는 정보 주체의 자기 결정권 및 통제 권리를 뜻한다. 개인 정보를 비롯하여 자신이 원하지 않는 민감한 정보들이 인터넷 검색 등을 통하여 많은 사람에게 공개되지 않아야 한다는 생각이 확산되면서 등장한 권리이다.

04 ㉠~㉢에 들어갈 내용을 각각 쓰시오.

구분	저작권 보호를 주장하는 입장	정보 공유 권리를 주장하는 입장
주장	정보와 그 산물은 창작자의 (㉠)이므로 창작자의 권리를 보호해야 함	정보와 그 산물은 인류의 (㉡)이므로 사회 전체를 위해 사용해야 함
비판	창작자가 정보에 대하여 가지는 (㉢)을/를 고려하기 때문에 정보의 자유로운 교류를 방해할 수 있음	창작자의 노력을 충분히 고려하지 못하고, 저작물의 질적 수준이 낮아질 수 있음

05 사이버 공간에서 발생하는 윤리 문제는 기술의 보완이나 법의 강제력만으로는 해결하기 어려운 부분이 많다. 따라서 사이버 공간에서는 (㉠), (㉡), (㉢), (㉣)의 원칙을 지켜야 한다.

A 정보 기술의 발달과 정보 윤리

01 정보 기술의 발달에 따른 변화로 적절하지 않은 것은?

① 기술에 대한 의존성이 증가하였다.

② 다양한 의견을 자유롭게 표현할 수 있게 되었다.

③ 쉽고 빠른 일 처리로 삶의 편리성이 증대되었다.

④ 구성원들을 감시하고 통제할 가능성이 높아졌다.

⑤ 정보 교류의 형태가 수직적이고 일방적으로 변하였다.

02 다음 글에 나타난 정보 기술의 발달에 따른 문제점으로 가장 적절한 것은?

> 고등학생 A는 최근 하굣길에 스마트폰으로 SNS에 접속했다가 한참을 울었다. 같은 반 친구가 자신을 흉보는 글을 SNS에 올려놓고 자신과 반 친구 10여 명에게 알린 것이다. 이를 본 친구들은 공감을 뜻하는 '좋아요'를 눌렀다. 이에 A는 큰 상처를 받았다.

① 시공간의 제약 없이 폭력이 발생하기 쉽다.

② 열심히 만든 저작물의 저작권이 쉽게 침해된다.

③ 개인 정보의 노출이 심해져 사생활 침해를 받는다.

④ 바이러스가 쉽게 유포되어 경제적인 손실을 입는다.

⑤ 언제 어디서든 국가에 의해 감시받고 통제되는 느낌을 받는다.

출제가능성 90%

03 갑이 을에게 제기할 적절한 비판이 아닌 것은?

> 갑: 지적 창작물은 공공재이며, 이러한 공공재는 공동체의 이익을 위해 사용해야 한다.
> 을: 창작자에게 창작물에 대한 배타적 독점권을 인정하여 창작 의욕을 높이고 정보의 질적 수준을 높일 수 있다.

① 정보의 자유로운 교류를 방해한다.

② 특정한 개인이나 집단이 정보를 독점할 수 있다.

③ 정보와 그 산물은 인류가 함께 누려야 할 자산이다.

④ 배타적 독점권은 정보 격차에 따른 불평등을 발생시킨다.

⑤ 창작 활동의 동기를 약화시켜 정보의 질적 발달을 저해한다.

04 다음 사상가가 사이버 공간에서의 표현의 자유와 그 한계에 대해 주장할 수 있는 내용으로 가장 적절한 것은?

> 사람들이 자유롭게 자기 의견을 가지고, 또 그 의견을 자유롭게 표현할 수 있지 않으면 안 된다. 그러나 다른 사람들이 옳지 못한 행동을 하도록 하는 데 직접적인 영향을 끼칠 수 있는 상황이라면, 의견의 자유도 무제한적으로 허용될 수는 없다.

① 사이버 공간에서 다른 사람에게 해를 끼치는 글을 작성해서는 안 된다.
② 익명성을 기반으로 하는 사이버 공간에서는 자유를 무제한으로 허용해야 한다.
③ 타인에게 해를 가할지라도 사이버 공간에서 표현의 자유를 침해해서는 안 된다.
④ 사이버 공간에서는 한 개인의 표현이 다수의 사람이 싫다는 이유만으로 제한될 수 있다.
⑤ 사이버 공간에서 단 한 사람만 다른 생각을 가지고 있다면 공익을 위해 그 사람의 표현을 제한해도 된다.

B 정보 사회에서의 매체 윤리

05 다음 문제에서 학생이 옳게 표시한 답의 개수로 옳은 것은?

> 1. 뉴 미디어 시대에 매체의 특징으로 옳으면 ○표, 틀리면 ×표를 하시오.
> (1) 이용자가 능동적으로 정보를 소비하고 생산할 수 있다. ······························ (○)
> (2) 대규모 집단에 획일적으로 메시지를 전달하는 방식을 주로 한다. ·················· (○)
> (3) 모든 정보가 디지털화되어 정보를 신속하고 정확하게 처리할 수 있다. ·············· (○)
> (4) 정보 교환에서 송수신자가 동시에 참여하지 않고도 원하는 시간에 정보를 볼 수 있다. (×)

① 0개   ② 1개   ③ 2개   ④ 3개   ⑤ 4개

06 ㉠의 이유로 가장 적절한 것은?

> 정보 통신 기술의 발달과 함께 등장한 뉴 미디어는 정보를 생산하는 주체와 소비하는 주체가 비교적 수평적인 관계를 가지며 쌍방향적인 의사소통이 이루어지는 특징이 있다. 하지만 전문성이 검증되지 않은 ㉠ 뉴 미디어의 정보는 기존 매체 수준으로 신뢰하기 어렵다는 문제점이 있다.

① 뉴 미디어는 정보의 확산력이 약하기 때문이다.
② 뉴 미디어의 정보는 소수가 이용하기 때문이다.
③ 뉴 미디어의 공적인 경향이 심화되었기 때문이다.
④ 뉴 미디어의 정보가 객관성을 지니는지 점검할 장치가 부족하기 때문이다.
⑤ 뉴 미디어의 정보를 이용하는 데 시간과 장소 등에 많은 제한을 받기 때문이다.

출제가능성 90%
07 갑이 을에게 제기할 비판으로 가장 적절한 것은?

> 갑: 정보 사회에서는 인터넷에 사람들이 잊거나 지우고 싶은 정보가 남아 있으면 타인에게 노출될 수 있다. 따라서 자신이 공개하기를 원하지 않는 정보를 삭제할 수 있는 '잊힐 권리'를 보장해야 한다.
> 을: 장발장이 아무리 시민을 위해 봉사했다 하더라도 그가 시장에 출마했을 때 사람들은 그의 전과자 전력을 알아야만 한다. 정보 사회에서는 누구나 그러한 정보에 접근할 수 있어야 하며, 사람들이 공공의 이익과 안전을 위해 알아야 할 정보라면 삭제해서는 안 된다.

① 정보의 진위 여부를 파악하는 능력이 필요함을 간과하고 있다.
② 공익 증진을 위해 사생활 보호를 제한할 수 있음을 간과하고 있다.
③ 사생활 침해를 방지하기 위한 정보의 자기 결정권의 중요성을 간과하고 있다.
④ 온라인상의 폭력은 현실 세계의 폭력과 달리 피해를 주지 않는다는 것을 간과하고 있다.
⑤ 국민은 사회적 현실에 관한 정보를 자유롭게 알 수 있는 권리가 있음을 간과하고 있다.

3단계 등급 올리기

2017 교육청 응용 ★최고난도

01 갑과 을의 입장에서 질문에 모두 옳게 대답한 것은?

> 갑: 가상 공간에서 '표현의 자유'는 그것이 지켜야 할 품격의 한계를 넘어서고 있다. 특히, 인터넷에서 무분별하게 생산되는 가십(gossip)* 중에서 당사자에게 심각한 고통을 주는 유포물이 있다면, 이를 규제하기 위한 법률적 노력이 필요하다.
>
> 을: 가상 공간에서 사람들이 자유롭게 발언하도록 내버려 두면 진실하고 건전한 표현은 살아남고, 그릇되고 불건전한 표현은 소멸하게 된다. 자유로운 표현의 장(場)에서 진실을 판단하는 것은 제도적 권위에 기대지 않아도 가능하다.
>
> *가십(gossip): 신문, 잡지 등에서 개인의 사생활에 대하여 소문이나 험담 따위를 흥미 본위로 다룬 기사

	질문	갑	을
①	표현의 자유가 제한 없이 보장되어야 하는가?	예	예
②	개인의 자정 노력만으로도 인권이 보호될 수 있는가?	아니요	예
③	인격을 보호하기 위해 강력한 법적 제재가 필요한가?	아니요	아니요
④	가상 공간에서 익명성은 자유로운 표현을 불가능하게 하는가?	아니요	예
⑤	가상 공간은 다수에게 영향을 끼치지 않는 사적인 영역인가?	예	아니요

02 갑에 비해 을이 강조하는 내용으로 가장 적절한 것은?

> 갑: 사이버 공간에서는 정보에 대한 접근이 쉬워지면서 사적인 정보가 쉽게 유출되고 있습니다. 개인 정보를 다른 사람의 부당한 감시나 침해, 남용에서 보호하는 것이 중요합니다.
>
> 을: 개인 정보를 보호해야 한다는 의견에는 동의합니다. 하지만 모든 국민의 사생활이 반드시 보호되어야 하는 것은 아닙니다. 특정한 사람들, 가령 정치인이나 범죄자의 경우에는 공익을 위해서 정보를 공개해야 합니다.

① 정보 접근의 용이성
② 잊힐 권리의 필요성
③ 개인의 정보 자기 결정권
④ 사이버 공간에서의 인격권
⑤ 공익을 위한 국민의 알 권리

2016 평가원 응용

03 갑은 긍정, 을은 부정의 대답을 할 질문으로 가장 적절한 것은?

> 갑: 내 촛불을 여러 사람에게 붙여 주더라도 나에게는 아무런 손해가 없으면서 세상은 더욱 밝아질 거야. 정보도 이와 같아서 어느 한 사람만의 것이 아니라 모두가 나누어야 할 공공의 소중한 자산이야.
>
> 을: 촛불을 여러 사람에게 붙여 세상이 밝아지는 것은 처음 불씨를 일으킨 사람이 있기 때문이야. 따라서 그의 노력에 정당한 대가를 지불해야 그 불빛이 더욱 의미가 있어. 이처럼 정보는 소유권을 인정해야 할 개인의 재산이야.

① 정보는 삶의 질을 향상하기 위한 자산인가?
② 정보 소유권 보장이 정보의 발전을 촉진하는가?
③ 양질의 정보 생산을 위해 정보 복제에 제약이 없어야 하는가?
④ 지적 재산권을 개인이나 기업이 소유하는 것이 정보 발전에 유익한가?
⑤ 저작물을 무단으로 사용하는 것은 저작자의 창작 의욕을 감소시키는가?

서술형 문제

04 다음 글을 읽고 물음에 답하시오.

> 최근 개인의 신상 정보를 온라인에 공개하고 이를 퍼뜨리는 '신상 털기와 퍼 나르기' 피해 사례가 속출하고 있는 만큼, ㉠ 온라인상에서 자신과 관련된 모든 정보에 대한 삭제와 확산 방지를 요구할 수 있는 정보 주체의 자기 결정권 및 통제 권리의 법제화 요구가 더욱 거세어지고 있다.

(1) ㉠의 권리를 무엇이라고 하는지 쓰시오.

(2) 잊힐 권리를 법제화하는 것에 대한 자신의 의견이 찬성인지, 반대인지 그 근거를 함께 서술하시오.

03 자연과 윤리

A 인간과 자연의 관계에 대한 다양한 입장

★ 1. 인간 중심주의 → 도덕적 고려 대상: 인간

(1) 특징: 인간만이 도덕적 지위를 지니며, 인간 외의 모든 존재는 인간의 목적을 이루기 위한 수단으로 여김

(2) 대표 사상가

사상가	입장
아리스토 텔레스	"식물은 동물을 위해서, 동물은 인간을 위해서 존재한다."
아퀴나스	"신의 섭리에 따라 동물은 자연의 과정에서 인간이 사용하도록 운명 지어졌다." └ "방황하고 있는 자연을 사냥해서 노예로 만들어 인간의 이익에 봉사하게 해야 한다."
베이컨	자연을 인류 복지의 수단으로 보고 자연에 관한 지식의 활용을 강조함 → "지식은 곧 힘이다." → 정복 지향적 자연관
데카르트	• 이분법적 세계관: 인간과 자연의 관계를 인식 주체와 인식 대상으로 설정함 • 기계론적 자연관: 자연을 단순한 물질 또는 기계로 파악함으로써 도덕적 고려의 대상에서 제외함
칸트	• 이성적 존재만이 자율적으로 행동하는 주체가 될 수 있음 • 동물과 자연은 도덕적 주체가 될 수 없고, 우리의 간접적인 도덕적 의무의 대상일 뿐임
패스모어	온건한 인간 중심주의, 현세대를 포함한 인류의 장기적인 이익을 위해 자연 친화적인 삶을 추구해야 함

(3) 한계: 자연에 대한 인간의 지배와 착취를 정당화하여 환경 문제를 초래함

└ 강경한 인간 중심주의에 비해 인간이 자연의 일부임을 인정하고, 자연에 대한 존중과 책임 문제에 관심을 기울인다는 점에서 의미가 있지만, 인간의 이익이나 관심을 벗어난 환경 오염이나 생태계 파괴는 여전히 고려하지 않는다는 한계가 있다.

★ 2. 동물 중심주의 → 도덕적 고려 대상: 인간, 동물

(1) 특징: 동물을 인간을 위한 수단으로 여기는 것에 반대하고, 동물의 복지와 권리의 향상을 강조함

(2) 대표 사상가
└ 인간은 동물을 도덕적으로 배려해야 할 직접적 의무가 있다고 보았다.

사상가	입장
싱어	• 공리주의에 기초한 '동물 해방론'을 주장함 • 도덕적 고려의 기준을 쾌고 감수 능력으로 봄 • '이익 평등 고려의 원칙'에 근거하여 동물의 고통을 무시하는 행위는 일종의 '종 차별주의'라고 비판함 └ 쾌락과 고통을 느끼는 모든 존재의 이익을 동등하게 고려해야 한다는 원칙
레건	• 의무론에 기초한 '동물 권리론'을 주장함 • 내재적 가치를 갖는 대상은 수단이 아니라 목적으로 대우해야 한다고 봄 └ 인간의 경험적 좋음이나 평가에서 독립하여 스스로 자기 안에서 갖는 가치 • 동물이 도덕적으로 무능할지라도 자기의 삶을 영위할 수 있는 '삶의 주체'로서 내재적 가치를 지니기 때문에 도덕적으로 존중받을 권리가 있다고 주장함

(3) 의의: 동물 학대와 동물 실험에 반대하며 동물 복지에 관심을 가지는 계기를 마련함 └ 동물에 대한 비도덕적 관행을 반성하는 계기를 마련해 주었다.

(4) 한계: 인간의 이익과 동물의 이익이 충돌할 때 현실적 대안을 제공하기 어렵고, 고통을 느끼지 못하는 동물과 식물, 생태계 전체에 대한 고려가 미흡함

★ 3. 생명 중심주의 → 도덕적 고려 대상: '생명'을 지닌 존재(인간, 동물, 식물)

(1) 특징: 모든 생명체는 그 자체로서 가치를 지니므로 도덕적 고려의 범위를 모든 생명체로 확대함

(2) 대표 사상가

사상가	입장
슈바이처	• 생명에 대한 외경(畏敬) 강조: 모든 생명은 살고자 하는 의지를 지니고 있으며, 그 자체로 신성함 • 불가피하게 다른 생명을 해쳐야 할 때도 생명을 함부로 죽여서는 안 되며, 그에 대한 도덕적 책임을 자각해야 함
테일러	• 모든 생명체는 의식의 여부에 상관없이 자기 보존과 행복이라는 목적을 지향하는 '목적론적 삶의 중심'임 • 모든 생명체는 자신의 고유한 방식으로 자신의 선(善)을 추구한다는 점에서 인격체와 다름없는 내재적 존엄성을 지님

(3) 의의: 모든 생명체에 대한 소중함을 일깨워 줌

(4) 한계: 생태계 전체를 고려한 것이 아니므로 오늘날 환경 문제를 극복하는 데 한계를 지님 └ 개별 생명체에 중점을 두는 개체론의 성격을 지닌다.

★ 4. 생태 중심주의 → 도덕적 고려 대상: 무생물을 포함한 생태계 전체

(1) 특징: 생명 개체에만 초점을 맞추어 생태계 전체를 바라보지 못하는 개체 중심적인 환경 윤리를 비판하며 전일론(全一論)적 입장을 취함 └ 전체로서의 자연환경, 종과 생태계의 보전에 초점을 맞추는 견해

(2) 대표 사상가
└ 자연의 모든 존재가 서로 그물망처럼 얽혀 있는 생명 공동체

사상가	입장
레오폴드	• 대지 윤리: 도덕 공동체의 범위를 식물, 토양, 물을 포함하는 대지까지 확장함 • 인간은 대지의 한 구성원일 뿐이며, 자연은 인간의 이해와 상관없이 내재적 가치를 지님
네스	• 심층 생태주의: 피상적인 환경 보호 활동보다는 근본적으로 세계관과 생활 양식 자체를 생태 중심적으로 바꿔야 함 • '큰 자아실현'과 '생명 중심적 평등'을 제시함

(3) 의의: 환경 문제를 해결하기 위해 생태계 전체에 대한 포괄적 시각이 필요함을 강조함

(4) 한계: 환경 파시즘으로 흐를 수 있고, 환경 보존을 위한 구체적 방안을 제시하기 어려움 └ 레건이 생태 중심주의를 비판하면서 사용한 용어로, 전체의 자연환경이나 생태계 전체의 이익을 위한다는 명분으로 개별 생명체를 희생시킬 수 있다는 관점이다.

5. 동양의 자연관
└ 전통적으로 자연을 상의와 화해의 대상으로 여긴다.

(1) 유교: 만물은 본래적 가치를 지니고, 인간과 자연이 조화를 이루는 천인합일의 경지를 추구함

(2) 불교: 연기설에 근거하여 인간과 자연의 상호 의존성을 자각하고 모든 생명에 자비를 베풀 것을 강조함

(3) 도가: 천지 만물을 무위(無爲)의 체계로 보고, 자연의 순리에 따라 사는 무위자연을 추구함

(4) 공통점: 인간과 자연이 상호 의존적 관계임을 강조함

★ 표시는 시험 전에 확인해 주세요.

B 환경 문제에 대한 윤리적 쟁점

1. 현대 환경 문제의 특징: 전 지구적 문제, 책임 소재가 불분명함, 지구의 자정 능력을 넘어섬, 미래 세대에 영향을 미침

└ 기후가 평균 상태에서 벗어나 변화하는 것

2. 기후 변화와 기후 정의 문제

(1) **기후 변화**: 다양한 생물종의 감소와 멸종, 농토의 사막화와 식량 생산량 감소, 해수면 상승 등으로 환경 난민을 초래함

(2) **기후 정의**: 기후 변화에 따른 불평등을 해소함으로써 실현되는 정의로, 기후 변화 문제를 형평성의 관점에서 바라봄

(3) **기후 정의를 실현하기 위한 노력**

① 선진국들의 책임 있는 자세: 기후 변화로 피해를 본 나라들에 적극적인 보상과 지원을 해야 함

② 각 국가는 온실가스 배출량을 줄이기 위해 노력해야 함 ┐ 예) 탄소 배출권 거래 제도

★ **3. 미래 세대에 대한 책임 문제와 책임 윤리**

(1) **미래 세대에 대한 책임 문제**: 환경 문제는 미래 세대의 생존과 삶의 질 문제와 직결되어 있기 때문에 현세대는 미래 세대에 책임을 가짐

(2) 요나스의 책임 윤리 ┐ 현세대가 지녀야 할 덕목으로 두려움, 겸손, 검소, 절제를 제시하였다.

입장
• 오직 인간만이 책임을 질 수 있는 유일한 존재이며, 책임질 수 있는 능력은 곧 책임을 이행해야 한다는 당위로 이어져야 함
• 인류가 존재해야 한다는 당위적 요청을 근거로 인류 존속에 관해 현세대가 책임을 져야 함 → 새로운 생태학적 정언 명법을 제시함
• 우리의 책임은 일차적으로 미래 세대의 존재를 보장하는 것이며, 이차적으로는 그들의 삶의 질을 배려하는 것임

"너의 행위의 효과가 지상에서의 진정한 인간적 삶의 지속과 조화될 수 있도록 행위하라.", "너의 행위의 결과가 지구상의 인간의 삶에 대한 미래의 가능성을 파괴하지 않도록 행위하라."

4. 생태 지속 가능성 문제

(1) 개발과 환경 보존의 딜레마

구분	개발론	환경 보존론
입장	자연 개발로 얻는 이익 중시 → 자연 개발 강조	자연 보존이 장기적으로 큰 이익 → 자연 보존 강조
문제점	환경 파괴로 이어짐	개발을 가로막고 성장을 둔화함

(2) **환경적으로 건전하고 지속 가능한 발전**: 미래 세대가 그들의 필요를 충족할 수 있는 범위에서 현세대의 필요를 충족하는 개발 방식 ┐ 인간과 자연이 공존해야 한다는 전제 아래 경제 성장과 환경 보존의 조화와 균형을 추구한다.

(3) 환경적으로 건전하고 지속 가능한 발전을 위한 노력

① 개인적 노력: 친환경적 소비의 생활화 예) 에너지 절약 등

② 국가적 노력: 환경 관련 제도와 법 제정 예) 신·재생 에너지 개발 지원 제도, 환경 오염 물질 배출 규제 등

③ 국제적 노력: 국가 간 협력 체제 구축 예) 파리 협정, 생물 다양성 협약, 탄소 배출권 거래 제도, 녹색기후기금 등

└ 동식물과 천연자원 보존 협약이다.

---

01 다음 설명이 맞으면 ○표, 틀리면 ×표를 하시오.

(1) 온건한 인간 중심주의는 자연을 그 자체로 목적적 존재로 여긴다. (   )

(2) 동물 중심주의는 도구적 자연관, 기계적 자연관, 이분법적 세계관을 특징으로 한다. (   )

(3) 슈바이처는 생명을 고양하는 것은 선이고, 생명을 훼손하는 것은 악이기 때문에 생명을 함부로 해쳐서는 안 된다고 주장하였다. (   )

02 각 사상가의 주장과 관련된 내용을 〈보기〉에서 골라 기호를 쓰시오.

보기

ㄱ. 대지 윤리   ㄴ. 삶의 주체

ㄷ. 큰 자아실현   ㄹ. 목적론적 삶의 중심

ㅁ. 이익 평등 고려의 원칙

(1) 싱어 (   )   (2) 레건 (   )

(3) 네스 (   )   (4) 레오폴드 (   )

(5) 테일러 (   )

03 생태 중심주의는 전체의 자연환경이나 생태계의 선을 위해 인간을 포함한 개별 동물을 희생시킬 수 있다는 관점인 (   )(으)로 흐를 수 있다는 비판을 받는다.

04 ㉠~㉤에 들어갈 내용을 각각 쓰시오.

구분	유교	불교	도가
특징	인간과 자연이 조화를 이루는 (㉠)의 경지를 강조함	(㉡)에 근거하여 만물은 서로 연결되어 있기 때문에 자연을 보호해야 함	자연은 무목적의 질서를 갖고 있으므로 자연의 순리에 따르는(㉢)의 삶을 추구해야 함
공통점	자연을 (㉣)와/과 (㉤)의 대상으로 보고 자연과 공존하려는 지혜가 나타나 있음		

05 (   )은/는 교토 의정서 가입 국가와 해당 국가의 기업들이 탄소 배출량을 목표보다 많이 줄이면 그렇지 못한 국가나 기업에 이를 판매할 수 있게 한 제도이다.

A 인간과 자연의 관계에 대한 다양한 입장

출제가능성 90%
01 다음 사상가의 주장으로 옳은 것은?

> 쾌고 감수 능력은 다른 존재의 이익에 관심을 가질지의 여부를 판가름하는 유일한 경계가 된다.

① 모든 생명은 그 자체로 신성하다.
② 도덕적 고려의 범위를 생태계 전체로 보아야 한다.
③ 모든 생명체는 자신의 고유한 방식으로 자신의 선을 추구한다.
④ 동물의 고통을 저급하게 여기거나 무시하는 행위는 종 차별주의이다.
⑤ 동물이 도덕적으로 무능력하더라도 삶의 주체로서 존중받을 권리가 있다.

02 갑이 을에게 제기할 수 있는 비판으로 가장 적절한 것은?

> 갑: 모든 생명체는 자기 보존과 행복이라는 목적을 지향하는 '목적론적 삶의 중심'이다.
> 을: 자연은 인류의 복지를 위한 수단이다. 자연에 관한 지식을 활용하여 인류가 발전해야 한다.

① 동물 이외의 식물이나 무생물을 고려하지 못하고 있다.
② 생명 개체에만 초점을 맞추어 생태계 전체를 바라보지 못하고 있다.
③ 인간과 자연의 관계는 인식 주체와 인식 대상의 관계임을 간과하고 있다.
④ 자연은 신에 의해 창조된 것이므로 신의 명령에 따라야 함을 간과하고 있다.
⑤ 모든 생명체는 인격체와 다름없는 내재적 존엄성을 지니고 있음을 간과하고 있다.

03 싱어와 레건이 공통으로 지지할 주장으로 가장 적절한 것은?

① 원칙적으로 모든 생명체는 동등한 가치를 지닌다.
② 동물은 인간과 동등한 도덕적 고려의 대상이 아니다.
③ 자연은 인간의 욕구를 충족하기 위한 도구일 뿐이다.
④ 생명 개체가 아닌 전체의 자연환경을 보전해야 한다.
⑤ 인간의 상업적 이익을 위한 동물 실험은 해서는 안 된다.

04 슈바이처의 생명 중심주의에 대한 입장으로 옳지 않은 것은?

① 어떠한 경우에도 생명을 해쳐서는 안 된다.
② 원칙적으로 모든 생명체는 동등한 가치를 지닌다.
③ 도덕적 고려의 범위를 모든 생명체로 확대해야 한다.
④ 생명의 신비를 두려워하고 존경하는 마음을 지녀야 한다.
⑤ 생명을 유지하고 고양하는 것은 선이며, 생명을 파괴하고 억압하는 것은 악이다.

05 다음 문제 상황에 대해 레오폴드가 취할 입장으로 가장 적절한 것은?

> 한정된 생태계 안에서 사슴의 숫자가 너무 늘어나면 사슴 개체군의 안정뿐만 아니라 사슴이 속한 생태계 전체의 온전함을 해칠 수 있다. 이때 우리는 사슴을 선별해서 죽일 수 있는가?

① 사슴은 삶의 주체로서 살아가므로 죽일 수 없다.
② 사슴도 고통을 느끼는 존재이므로 죽일 수 없다.
③ 생태계의 균형과 안정을 위해 사슴을 죽일 수 있다.
④ 모든 생명은 내재적 가치를 지니므로 죽일 수 없다.
⑤ 인간의 삶에 피해를 끼칠 경우 사슴을 죽일 수 있다.

출제가능성 90%
06 ㉠, ㉡에 들어갈 내용을 바르게 연결한 것은?

> 네스는 인간 중심주의적 환경 보호 운동을 비판하고 '심층 생태주의'를 주장하였다. 심층 생태주의는 환경 위기를 극복하기 위하여 인간의 세계관 자체를 근본적으로 바꾸어야 한다고 보았으며, 이에 따라 인간은 자연을 자신과 같은 존재로 의식하여 일체화해야 한다는 ㉠ 와/과 생명 공동체는 모든 유기적 관계에서 평등한 가치를 지닌다는 ㉡ 을/를 주요 개념으로 제시하였다.

	㉠	㉡
①	큰 자아실현	환경 파시즘
②	큰 자아실현	생명 중심적 평등
③	생명의 외경	평등한 이익 고려
④	평등한 이익 고려	생명 중심적 평등
⑤	평등한 이익 고려	목적론적 삶의 중심

07 다음은 서술형 평가와 학생 답안이다. 학생 답안의 ㉠~㉤ 중 옳지 <u>않은</u> 것은?

> **서술형 평가**
>
> ◎ 문제: 환경 문제 해결을 위해 동양의 자연관이 주는 시사점을 서술하시오.
>
> ◎ 학생 답안
> ㉠ <u>유교에서는 인간과 자연이 조화를 이루는 천인합일 (天人合一)의 경지를 추구하였다.</u> ㉡ <u>또한 만물은 본래 의 가치를 지닌다고 보았다.</u> 불교에서는 ㉢ <u>인간과 자 연이 분리되어 존재하지만 서로 긴밀하게 연결되어 있 다고 보았다.</u> 도가에서는 자연을 우주 만물의 생성과 존재의 근본 원리로 보았으며, ㉣ <u>노자는 자연의 순리 에 따르는 무위자연의 삶을 추구해야 한다고 보았다.</u> 이처럼 ㉤ <u>동양에서는 인간과 자연의 관계를 상호 유 기적인 관계로 보았다.</u> 이러한 관점은 현대 환경 문제 해결을 위한 가르침을 줄 수 있다.

① ㉠   ② ㉡   ③ ㉢   ④ ㉣   ⑤ ㉤

B 환경 문제에 대한 윤리적 쟁점

✧출제가능성 **90%**

08 다음 기사에 나타난 문제 상황에 대해 주장할 내용으로 가 장 적절한 것은?

> **○○ 신문**
>
> 방글라데시는 기후 변화에 따른 해수면 상승으로 주요 섬들의 65%가 바닷물에 잠식되어 수많은 사람이 삶의 터전을 잃었다. 하지만 방글라데시는 기후 변화의 원인 인 온실가스를 1인당 연간 1톤도 배출하지 않는다.

① 기후 변화에 따른 자연재해는 대부분 선진국에서 발 생한다.
② 선진국과 개발 도상국은 기후 변화에 대해 공평하게 책임져야 한다.
③ 기후 변화는 개별 국가들의 노력으로 해결할 수 있는 환경 문제이다.
④ 개발 도상국은 환경 위기를 극복하기 위해 온실가스 를 배출해서는 안 된다.
⑤ 기후 정의의 관점에서 선진국은 개발 도상국에 책임 있는 보상을 해야 한다.

09 을의 질문에 대해 갑이 할 답변으로 가장 적절한 것은?

> 갑: 현세대가 생태계 파괴를 지속한다면 미래 세대는 생 존할 수 없을 거야. 따라서 우리는 겸손한 태도로 검 소하고 절제하는 삶을 살아갈 책임이 있어.
> 을: 미래를 예측할 수 없는데 미래 세대가 무엇을 원할 지 우리가 어떻게 알 수 있을까? 아직 존재하지도 않는 미래 세대에 대해 현세대가 책임을 져야 할까?

① 미래 세대의 생존보다 현세대의 삶이 더 중요해.
② 인류의 존속을 위해 현세대에 희생을 강요할 수 없어.
③ 현세대가 지구의 자정 능력을 벗어날 정도로 환경 오 염을 일으킨다고 생각하지 않아.
④ 미래 세대에게 남겨 줄 자연환경을 보전하기 위해 현 시점에서 모든 개발을 중단해야 해.
⑤ 어느 세대도 자신의 이익을 위해 전 인류의 공동 자 산인 자연환경을 남용할 권리는 없어.

10 다음 사상가의 주장으로 옳지 <u>않은</u> 것은?

> 너의 행위의 효과가 지상에서의 진정한 인간적 삶의 지 속과 조화될 수 있도록 행위하라.

① 미래 세대가 건강한 자연환경에서 살아갈 수 있는 권 리를 보장해 주어야 한다.
② 현세대에 의한 환경 오염의 책임 범위는 시간적으로 미래 세대에까지 미친다.
③ 현세대의 책임은 일차적으로 미래 세대의 생존보다 그들의 삶의 질을 배려하는 것이다.
④ 인류가 존재해야 한다는 당위적 요청을 근거로 인류 존속에 관해 현세대는 책임을 져야 한다.
⑤ 인류 존속을 위해 현세대의 잘못으로 미래 세대가 생 존할 수 없을지도 모른다는 사실에 대한 두려움을 가 져야 한다.

11 환경적으로 건전하고 지속 가능한 발전을 위한 사례만을 〈보기〉에서 있는 대로 고른 것은?

> **보기**
> ㄱ. 파리 협정과 같은 국제 협약
> ㄴ. 친환경 기술과 신재생 에너지 활용
> ㄷ. 병충해 없는 과일을 위한 농약 사용
> ㄹ. 환경 파괴를 하는 기업의 제품 불매 운동

① ㄱ, ㄴ   ② ㄴ, ㄷ   ③ ㄷ, ㄹ
④ ㄱ, ㄴ, ㄷ   ⑤ ㄱ, ㄴ, ㄹ

2016 수능 응용 ★최고난도

01 (가)의 갑, 을, 병 사상가들의 입장을 (나) 그림으로 탐구할 때, A~D에 들어갈 질문으로 옳지 않은 것은?

(가)	갑: 동물을 학대하는 행위는 동물의 고통에 대한 공감을 둔화시키고, 도덕성에 매우 이로운 자연적 소질을 약화시킨다. 따라서 그러한 행위는 인간의 자기 자신에 대한 의무에 어긋난다. 을: 동물, 식물, 토양이라는 회로를 통해 흐르는 에너지가 솟아나는 샘, 그것이 자연이다. 사슴이 참나무 외에도 백여 종의 식물을 먹는 것처럼 먹이 사슬의 여러 고리로 연결된 자연은 하나의 유기적 전체이다. 병: 동식물은 고유의 선을 갖는 실체이다. 이러한 관점을 지닌 합리적 인격체들은 자연에 대한 존중의 태도를 취하고, 동식물을 내재적 존엄성을 지니는 것으로 간주한다.

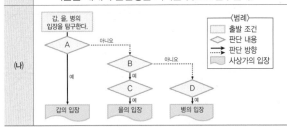

① A: 인간과 달리 동물은 기본적 권리를 갖는가?
② B: 인간은 자연 전체에 대해 직접적인 도덕적 의무를 지니는가?
③ B: 개체로서 생명의 가치보다 생태계 전체의 유기적 관계가 중요한가?
④ C: 숲을 보호하는 것은 인간의 이해와 관계없이 숲이 그 자체로 가치 있기 때문인가?
⑤ D: 모든 생명체는 자신의 생존, 성장, 발전, 번식이라는 목적을 추구하는 존재인가?

02 갑, 을 사상가의 입장에서 질문에 모두 옳게 대답한 것은?

갑: 현세대를 포함한 인류의 장기적인 이익을 위해 자연 친화적인 삶을 추구해야 한다. 을: 대지는 재산이 아니라 수많은 존재가 서로 균형을 맞추어 살아가는 공동체이다.

	질문	갑	을
①	인간이 자연의 일부라는 점을 인정하는가?	예	예
②	인간은 과학적 지식을 활용하여 자연을 정복해야 하는가?	아니요	예
③	인간의 이익을 위해서 동물을 속이는 행위를 하지 말아야 하는가?	예	아니요
④	동물과 인간의 이익을 동등하게 고려하지 않는 것은 종 차별주의인가?	예	아니요
⑤	모든 생명체는 생존, 번식이라는 목적을 추구하는 목표 지향적 존재인가?	예	아니요

2017 평가원 응용

03 (가)의 갑, 을, 병의 입장을 (나) 그림으로 표현할 때, A~D에 해당하는 적절한 진술만을 〈보기〉에서 있는 대로 고른 것은?

(가)	갑: 인간은 말과 기호를 사용할 줄 알고 모든 상황에 적절히 대처할 수 있는 데 반해 동물은 움직이는 자동 기계에 불과하다. 을: 욕구, 지각, 기억, 감정 등 일련의 특징을 지니고 자신의 고유한 삶을 살아가는 삶의 주체만이 도덕적 권리를 지닌다. 병: 살아 있는 모든 존재는 자신의 고유한 선을 자신의 방식대로 추구하는 목적론적 삶의 중심으로서 도덕적 고려의 대상이다.

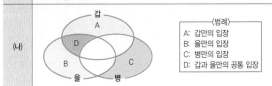

	〈범례〉
A: 갑만의 입장
B: 을만의 입장
C: 병만의 입장
D: 갑과 을만의 공통 입장

보기

ㄱ. A: 인간과 달리 동물은 영혼과 육체의 단순한 결합체일 뿐이다.
ㄴ. B: 동물의 권리를 존중하여 동물의 주체적 삶을 존중해야 한다.
ㄷ. C: 인간이 다른 생명체에 해를 입혔을 경우에는 보상해야 한다.
ㄹ. D: 자연 안의 모든 생명체가 도덕적 지위를 갖는 것은 아니다.

① ㄱ, ㄴ   ② ㄴ, ㄷ   ③ ㄷ, ㄹ
④ ㄱ, ㄴ, ㄹ   ⑤ ㄴ, ㄷ, ㄹ

04 갑의 입장에서 을에게 할 비판으로 가장 적절한 것은?

갑: 사람은 땅을 본받고, 땅은 하늘을 본받고, 하늘은 도를 본받고, 도는 자연을 본받는다. 을: 인간은 자연의 사용자 및 자연의 해석자로서 자연의 질서에 관해 실제로 관찰하고, 고찰한 것만큼 무엇인가를 할 수 있다. 그 이상의 것은 알 수도 없고, 할 수도 없다. 인간의 지식이 곧 인간의 힘이다.

① 자연은 인류의 복지 수단임을 간과하고 있다.
② 생태계 전체의 이익을 위해 개인의 희생이 불가피함을 간과하고 있다.
③ 이성적 존재만이 자율적으로 행동하는 도덕적 주체가 됨을 간과하고 있다.
④ 인위적인 것에서 벗어나 자연을 본받고 따르는 것이 이상적임을 간과하고 있다.
⑤ 모든 생명체는 자기 보존과 행복이라는 목적을 지향하는 목적론적 삶의 중심임을 간과하고 있다.

05 (가) 사상가의 입장에서 (나)의 문제 상황에 대해 할 수 있는 주장으로 가장 적절한 것은?

(가)	대지 윤리는 인간을 대지 공동체의 정복자에서 그 구성원으로 변화시키는 것이다. 공동체의 구성원은 동료나 전체 공동체에 대해 존경심을 가져야 한다.
(나)	북태평양 하와이 섬 근처 해상에는 한반도 면적의 약 7배가 되는 쓰레기 더미들이 있다. 태평양 연안의 국가들이 버린 플라스틱들이 해류를 따라 떠다니다가 이곳에 모여 세계 최대의 쓰레기 섬을 이룬 것이다. 바다 쓰레기들은 생태계 속으로 돌아가지 못하고 잘게 쪼개지기만 할 뿐이다. 조류와 물고기, 플랑크톤 등은 강이나 호수, 바다에 유입된 미세 플라스틱을 먹이라고 착각하고 먹는다. 결국 먹이 사슬을 통해 인간이 다시 미세 플라스틱과 그 속에 포함된 유해 물질을 먹게 된다.

① 인류가 아니라 동물을 도덕적으로 고려하여 환경을 보호해야 한다.

② 미래 세대가 쓰레기 없는 환경에서 살 수 있도록 모든 발전을 중단해야 한다.

③ 생태계 전체가 도덕적 고려의 대상이므로 쓰레기를 함부로 버려서는 안 된다.

④ 인간과 동물만이 내재적 가치를 지니므로 바다 쓰레기를 만들지 않도록 해야 한다.

⑤ 인간과 자연은 상호 의존성을 지니므로 자비를 베풀어 일상에서 쓰레기를 적게 버리는 노력을 해야 한다.

06 갑은 긍정, 을은 부정의 대답을 할 질문으로 가장 적절한 것은?

갑: 생명체가 '목적론적 삶의 중심'이라는 것은 그것의 외적 활동뿐만 아니라 내적 작용이 목표 지향적이라는 것, 그리고 그것이 자신의 생존을 유지하고, 자신의 종을 재생산하고, 변화하는 환경에 적응하게 하는 생명 활동을 성공적으로 수행하게 해 주는 경향성을 갖고 있다는 것이다.

을: '삶의 주체'라는 것은 단지 살아 있거나 의식을 갖고 있다는 것 이상을 의미한다. 삶의 주체가 된다는 것은 선호와 복지에 대한 이익 관심, 자신의 욕구와 목표를 위해 행위할 수 있는 능력, 순간순간의 시간을 넘어서 자신의 정체성을 느낄 수 있고, 타자와는 별개로 자신의 삶이 좋을 수도 나쁠 수도 있다는 의미에서 자신의 복지를 갖고 있다는 것이다.

① 인간은 함부로 동물을 죽여서는 안 되는가?

② 인간만이 도덕적 고려 대상이 될 수 있는가?

③ 쾌고 감수 능력은 도덕적 고려의 유일한 기준인가?

④ 동물은 삶의 주체로서 자신만의 고유한 삶의 권리를 지니는가?

⑤ 모든 생명체는 자신의 고유한 방식으로 자신의 선을 추구하는가?

07 (가)의 입장에 비해 (나)의 입장이 갖는 상대적 특징을 그림의 ㉠~㉤ 중에서 고른 것은?

(가) 자연을 무자비하게 파괴하고자 하는 성향은 다른 사람을 대하는 태도에도 영향을 미치므로 인간에 대한 의무를 거스르는 것이다.

(나) 더 넓은 관점인 자연과 나의 동일시를 통하면, 환경 보호 덕분에 자기 이익에도 도움이 된다는 것을 알 수 있다.

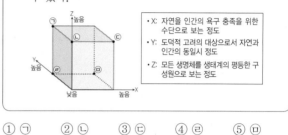

- X: 자연을 인간의 욕구 충족을 위한 수단으로 보는 정도
- Y: 도덕적 고려의 대상으로서 자연과 인간의 동일시 정도
- Z: 모든 생명체를 생태계의 평등한 구성원으로 보는 정도

① ㉠   ② ㉡   ③ ㉢   ④ ㉣   ⑤ ㉤

서술형 문제

08 다음은 환경 윤리를 주장하는 사상가들의 입장이다. (가)와 (나)를 읽고 물음에 답하시오.

(가)	어떤 것이 생명 공동체의 온전성, 안정성, 아름다움에 이바지하는 경향이 있다면 옳은 것이며, 그렇지 않다면 그른 것이다.
(나)	자연을 무자비하게 파괴하고자 하는 성향은 다른 사람을 대하는 태도에도 영향을 미치므로 이는 인간에 대한 의무를 거스르는 것이다. 자연은 인간의 도덕적 감수성을 증진하는 데 이바지하기 때문에 인간이 자연을 폭력적으로 대해서는 안 된다.

(1) (가), (나)를 주장한 사상가와 그 사상가의 자연과 인간의 관계에 대한 입장을 쓰시오.

(2) (가), (나)의 관점에서 '도덕적 고려의 대상으로서 인간의 지위'를 비교하고, (가)의 관점에서 (나)의 한계를 비판하는 내용을 서술하시오.

01 예술과 대중문화 윤리

★ 표시는 시험 전에 확인해 주세요.

A 예술과 윤리의 관계

1. 예술의 의미와 기능
• 예술은 예술가가 자신의 예술적 세계관을 창의적으로 표현하는 것을 강조하는 '순수 예술'과 대중의 예술적 욕구와 취향을 충족시키는 것을 강조하는 '대중 예술'로 구분하기도 한다.

(1) 의미: 아름다움을 표현하고 창조하는 인간의 모든 활동과 그 산물 • 감정을 정화하면서 카타르시스를 경험할 수 있다.

(2) 기능: 인간의 정서와 감정의 순화, 심리적 안정과 즐거움 제공, 인간의 사고 확장, 사회 모순 비판 등

★ 2. 예술과 윤리의 관계에 대한 관점

(1) 예술 지상주의(심미주의)

특징	• 예술의 목적: 예술 그 자체 또는 미적 가치를 구현하는 것 • 윤리적 가치와 미적 가치는 무관함 • 예술은 다른 어떤 것을 위한 것이 아니라 그 자체로 가치가 있음 – '예술을 위한 예술'을 주장함 • 예술의 자율성과 독창성 강조: 순수 예술론 지지 → 예술에 대한 윤리적 규제에 반대함
대표 사상가	• 와일드: "예술가에게 윤리적 동정심이란 용서할 수 없는 매너리즘이다." → 와일드는 예술과 윤리를 별개의 영역으로 보았다. • 스핑건: "시가 도덕적이라든가 혹은 비도덕적이라고 말하는 것은 정삼각형은 도덕적이고 이등변 삼각형은 비도덕적이라고 말하는 것과 마찬가지로 무의미하다."
문제점	• 인간의 삶과 무관한 예술이 될 수 있음 • 예술의 사회적 영향과 책임을 간과하여 사회 질서를 혼란스럽게 할 수 있음

(2) 도덕주의

특징	• 예술의 목적: 올바른 품성을 기르고 도덕적 교훈이나 모범을 제공하는 것 • 윤리적 가치가 미적 가치보다 우위에 있음 • 예술이 가치 있는 것은 예술이 지닌 윤리적 가치 때문임 • 예술의 사회성 강조: 참여 예술론 지지, 예술은 사회의 모순을 지적하고 사회의 도덕적 성숙에 기여해야 함 → 예술에 대한 적절한 규제가 필요함
대표 사상가	• 플라톤: "예술 작품은 어릴 때부터 곧장 자기도 모르는 사이에 아름다운 말을 닮고 사랑하고 공감하도록 그들을 이끌어 준다." • 플라톤은 예술의 목적이 인간의 올바른 도덕적 품성을 함양하는 것이어야 한다고 주장하였다. • 톨스토이: "예술의 진정한 가치는 인류 최고의 사랑을 완성하는 데 있다."
문제점	• 미적 요소가 경시될 수 있고, 자유로운 창작을 제한함 • 예술의 자율성을 침해할 수 있음

3. 예술과 윤리의 상호 관련성
• 예술의 심미적 기능을 강조함과 동시에 예술을 도덕적 품성을 함양하는 방편으로 보았다.

(1) 예술은 미적 가치를 추구하면서 도덕적 가치와 조화로운 관계를 추구함 → 인격 형성에 긍정적인 영향

(2) 공자: "인(仁)에 의지하고, 예(藝)에서 노닐어야 한다.", "예(禮)에서 사람이 서고, 악(樂)에서 사람이 완성된다."

(3) 칸트: 자유로운 미적 체험이나 자유로운 도덕적 행위는 특정 이익을 추구하는 것이 아니라는 점에서 유사함 → "미(美)는 도덕성의 상징이다." • 칸트는 미가 도덕성의 실현에 기여할 수 있다고 보았다.

B 대중문화의 윤리적 문제

1. 대중문화의 의미와 특징
• 현대인의 삶이나 현대 사회에서 차지하는 비중이나 영향력이 매우 크다.

의미	대중 사회를 기반으로 형성되어 다수의 사람들이 공통으로 쉽게 접하고 즐기는 문화 대량 소비를 가능하게 한다.
특징	• 대중 매체에 의해 생산되고 확산되는 경우가 많음 • 시장을 통해 유통됨 → 이윤을 창출하는 상업적 특징을 지님 • 대중이 살아가는 시대상을 반영함
중요성	• 개인의 가치관이나 행동 양식에 영향을 줌 • 현실 문제를 비판·풍자함으로써 사회 변화를 이끌거나 정치적 목적을 달성하기 위한 수단으로 이용되기도 함

2. 대중문화의 윤리적 문제

지나친 상업성	• 오늘날 대중문화를 단순한 상품으로 여김 • 대중문화가 미칠 정신적 영향과 사회적 효과를 더욱 신중하게 고려해야 함
선정성과 폭력성	• 소비자들의 이목을 끌기 위해 과도하게 자극적인 요소를 포함함 • 주의나 관심 • 대중의 정서에 악영향을 주며 모방 범죄가 우려됨
대중문화의 자본 종속	• 의미: 자본의 힘이 대중문화를 지배하는 현상 • 상업적 이익을 우선하면서 대중문화의 다양성이 떨어지고 획일화됨 • 문화 산업에 종속된 예술은 대중의 취향과 기호만 중시하여 예술의 자율성과 독립성을 제약할 수 있음

• 문화 상품의 기획, 개발, 제작, 생산, 유통, 소비 등과 이에 관련된 서비스를 하는 산업

3. 대중문화에 대한 윤리적 규제 논쟁

찬성	• 성의 상품화 예방을 강조함 • 대중의 정서에 미칠 부정적 영향을 방지할 수 있음
반대	• 자율성과 표현의 자유를 강조함 • 대중의 문화적 권리를 침해할 수 있음

• 성을 상품으로 대상화하여 성의 인격적 가치를 훼손하지 않아야 한다고 본다.

C 예술의 상업화

★ 1. 예술의 대중화와 상업화

예술의 대중화	• 배경: 예술 작품을 대량으로 생산하고 소비할 수 있는 대중 매체의 발달 • 전통적인 미의 기준이 허물어지면서 아름다움이 감상자의 주관에 달려 있다는 주관주의가 주목받게 되었다. • 대중이 예술을 향유하는 주체가 됨
예술의 상업화	• 의미: 상품을 사고파는 행위를 통해 이윤을 얻는 일이 예술 작품에도 적용되는 현상 • 긍정적 측면: 예술의 대중화에 기여, 예술가에게 경제적 이익을 제공하고 창작 의욕을 북돋음 • 부유한 일부 계층이 누리던 예술을 대중들도 누릴 수 있게 되었다. • 부정적 측면: 예술의 본질을 왜곡하고, 예술 작품을 부의 축적 수단으로 바라봄, 예술 작품의 미적 가치와 윤리적 가치를 간과함 • 아도르노: 상업화된 예술을 '문화 산업'이라고 비판하면서, 현대 예술이 자본에 종속되어 문화 산업으로 획일화되었으며, 하나의 상품으로 전락한 예술 작품을 감상하는 것은 감상자에게 고유한 체험이 아니라 표준화된 소비 양식이 될 뿐이라고 함

• 앤디 워홀: 대중 미술의 거장으로, 예술의 상업화가 가진 긍정적 측면을 강조함
• 페기 구겐하임: 세계적인 미술품 수집가로, 예술의 상업화가 가진 부정적 측면을 강조함

01 다음 설명이 맞으면 ○표, 틀리면 ×표를 하시오.

(1) 도덕주의는 예술의 사회적, 교육적 기능에 주목한다. ( )

(2) 예술 지상주의는 미적 가치와 윤리적 가치의 관련성을 강조한다. ( )

(3) 대중문화의 자본 종속은 대중문화의 다양성을 떨어뜨리고 획일화되는 경향을 낳는다. ( )

02 예술과 윤리의 관계에 대한 입장과 관련된 말을 옳게 연결하시오.

(1) 예술 지상 · 　　　 · ㉠ "예술의 진정한 가치는 인류
주의 　　　　　　　 최고의 사랑을 완성하는 데
　　　　　　　　　 있다."

(2) 도덕주의 · 　　　　 · ㉡ "시가 도덕적이라든가 혹은
　　　　　　　　　 비도덕적이라고 말하는 것은
　　　　　　　　　 정삼각형은 도덕적이고 이등
　　　　　　　　　 변 삼각형은 비도덕적이라고
　　　　　　　　　 말하는 것과 마찬가지로 무의
　　　　　　　　　 미하다."

03 빈칸에 들어갈 내용을 각각 쓰시오.

(1) 대중 사회를 기반으로 형성되어 다수의 사람이 소비하고 향유하는 문화를 ( )(이)라고 한다.

(2) ( )은/는 상품을 사고파는 행위를 통해 이윤을 얻는 일이 예술 작품에도 적용되는 현상을 의미한다.

04 대중문화에 대한 윤리적 규제를 찬성하는 입장과 반대하는 입장의 근거를 〈보기〉에서 골라 기호를 쓰시오.

보기
ㄱ. 성의 상품화 예방 강조
ㄴ. 대중의 문화적 권리 강조
ㄷ. 대중의 정서에 미칠 부정적 영향 방지
ㄹ. 대중문화의 자율성과 표현의 자유 강조

(1) 대중문화에 대한 윤리적 규제를 찬성하는 입장 ( )

(2) 대중문화에 대한 윤리적 규제를 반대하는 입장 ( )

A 예술과 윤리의 관계

01 예술의 기능에 대한 설명으로 옳지 <u>않은</u> 것은?

① 인간이 세계와 정서적으로 소통하는 매개체의 역할을 한다.

② 노동과 생존을 위한 활동으로 이성적 능력을 최대한 발휘하게 한다.

③ 자신의 생각과 감정을 자유롭게 표현하고 정서와 감정을 정화할 수 있다.

④ 일상생활에서 받는 스트레스를 해소해 주고, 심리적 안정과 즐거움을 느낄 수 있다.

⑤ 예술 활동을 통해 사회의 모순을 비판하거나 새로운 사상과 가치를 창조할 수 있다.

출제가능성 90%
02 갑의 관점에서 을의 관점을 평가한 내용으로 가장 적절한 것은?

갑: 어떠한 예술가도 윤리적 동정심을 가지고 있지 않다. 예술가에게 윤리적 동정심이란 용서할 수 없는 매너리즘이다.
을: 음악에서 리듬과 하모니는 영혼의 내부로 파고 들어가서 우아함을 실어 준다.

① 예술이 사회에 미치는 영향력을 간과하고 있다.

② 예술은 예술 그 자체를 위해 존재해야 함을 간과하고 있다.

③ 예술이 도덕적 평가의 대상이 되어야 함을 간과하고 있다.

④ 예술의 사회성보다 예술의 자율성과 독창성을 강조하고 있다.

⑤ 예술이 다른 목적을 위한 도구로 이용될 수 있음을 간과하고 있다.

03 다음 사상가가 지지할 입장으로 가장 적절한 것은?

> 아름다운 것에서 아름다운 의미를 찾는 자들은 교양 있는 자들이다. 세상에 도덕적인 작품, 비도덕적인 작품이라는 것은 없다. 작품은 잘 쓰였거나 형편없이 쓰였거나 둘 중 하나일 뿐이다.

① 예술과 윤리는 별개의 영역이다.
② 예술은 사회적 성숙에 기여해야 한다.
③ 예술가에게는 윤리적 공감이 요구된다.
④ 도덕적 가치는 미적 가치보다 우위에 있다.
⑤ 예술가는 다른 사람의 욕구를 만족시켜야 한다.

04 다음 사상가의 주장으로 가장 적절한 것은?

> 미는 도덕성의 상징이다. 바로 이 점에서 아름다움은 만족을 주며, 다른 모든 사람에게 동의를 요구하는 것이다. 이때 우리의 마음은 감각적 쾌락을 넘어서 순화되고 고양된 고귀함을 느끼며, 사람들의 비슷한 준칙에 따라서 다른 모든 것들의 가치를 판단한다.

① 심미적 즐거움과 도덕적 삶은 동떨어져 있다.
② 자유로운 도덕적 행위는 특정 이익을 추구한다.
③ 미의 판단 형식과 선의 판단 형식은 완전히 동일하다.
④ 미는 선과 상호 보완적이며 도덕성 실현에 기여할 수 있다.
⑤ 인간의 영혼을 타락시키고 삶을 황폐화하는 것도 미적으로는 가치가 있을 수 있다.

B 대중문화의 윤리적 문제

05 대중문화에 대한 설명으로 옳지 않은 것은?

① 대중이 살아가는 시대상을 반영한다.
② 시장을 통해 유통되면서 이윤을 창출하는 상업적 특징을 지닌다.
③ 다양한 복제 기술을 이용하여 다품종을 소량 생산하고 유통한다.
④ 대중 사회를 기반으로 형성되어 다수의 사람이 소비하고 향유하는 문화이다.
⑤ 본질적으로 대중 지향적이므로 대중의 흥미와 관심에 즉각적으로 반응한다.

06 대중문화와 관련된 윤리적 문제로 적절하지 않은 것은?

① 각 개인을 문화 산업의 도구로 전락시킬 위험성
② 자본을 소유한 소수 집단의 대중문화 독점 우려
③ 대중문화가 미칠 정신적 영향에 대한 지나친 강조
④ 대중문화의 자본 종속으로 예술의 미적 가치 훼손
⑤ 선정성·폭력성으로 인격 형성 저해와 인간성 상실

C 예술의 상업화

07 아름다움에 대한 입장이 나머지 넷과 다른 하나는?

① 아름다움은 감상자에 따라 다르게 해석된다.
② 아름다움은 주관 속에 생겨나는 감정의 산물이다.
③ 아름다움은 대상이 가지고 있는 고유한 속성이 아니다.
④ 대상 자체가 가진 아름다움으로 우리는 미적 쾌감을 느낀다.
⑤ 아름다움은 대상을 관찰하는 관찰자의 마음속에 일어나는 현상이다.

08 다음 사상가가 예술의 상업화를 바라보는 관점을 〈보기〉에서 고른 것은?

> 이윤 추구를 목적으로 하는 문화 산업은 대량 생산, 대량 소비를 추구한다. 이 과정에서 대중의 취향에 따라 획일화된 문화 상품을 끊임없이 생산한다. 획일화된 문화 상품으로 즐거움을 추구하는 동안 대중의 사유 가능성은 사라진다.

보기

ㄱ. 대중이 반성적 사고를 하지 않고 시장의 논리에 따라 강요된 문화를 접하게 한다.
ㄴ. 문화 산업이 된 예술 작품을 감상하는 것은 감상자에게 고유한 체험을 제공한다.
ㄷ. 상품성이 높은 문화만을 생산함으로써 문화의 규격화, 몰개성화 현상이 심화된다.
ㄹ. 새롭고 다양한 영역에서 예술이 발달하도록 도우면서 예술의 양적·질적 변화를 이끈다.

① ㄱ, ㄴ ② ㄱ, ㄷ ③ ㄴ, ㄷ
④ ㄴ, ㄹ ⑤ ㄷ, ㄹ

2018 수능 응용

01 다음 사상가의 주장으로 가장 적절한 것은?

> 만약 즐거움을 위한 시가 훌륭한 법질서를 갖는 국가 안에 존재해야 할 이유가 있다면, 우리는 기꺼이 시를 받아들일 것이다. 시가 즐거움을 줄 뿐만 아니라 국가와 인간 생활에 이로운 것임이 밝혀진다면 우리에게도 분명 이득이 될 것이기 때문이다.

① 예술을 위한 예술이 참된 예술이다.
② 예술의 목적은 미적 가치의 구현이다.
③ 미적 가치와 윤리적 가치는 무관하다.
④ 예술은 도덕적 평가에서 자유로워야 한다.
⑤ 예술은 사회의 도덕적 성숙에 도움이 되어야 한다.

최고난도

02 갑의 입장에서 을에게 제기할 수 있는 비판으로 가장 적절한 것은?

> 갑: 미술 전체가 거대한 투기사업이 되었다. 진정으로 그림을 좋아하는 사람은 많지 않다. 대부분 속물적인 의도로 그림을 구매해 미술관에 맡겨 둔다. 사람들은 확신이 없어서 가장 비싼 것만 구입한다. 감상은커녕 창고에 넣어 두고 최종가를 알기 위해 매일 화랑에 전화를 거는 사람들도 있다.
> 을: 나는 상업 미술가로 출발했지만, 사업 미술가로 마감하고 싶다. 나는 미술 사업가 또는 사업 미술가이기를 원했다. 사업에서 성공하는 것은 가장 환상적인 예술이다. 돈 버는 일은 예술이고, 일하는 것도 예술이며, 잘 되는 사업은 최고의 예술이다.

① 예술의 경제적 가치와 윤리적 가치를 간과하고 있다.
② 예술 작품의 인문 교양적 가치에 지나치게 집중하고 있다.
③ 예술을 대중이 아닌 부유한 일부 계층만 누리는 것으로 여기고 있다.
④ 미적 가치를 구현하고자 하는 예술의 본래 목적과 윤리적 가치를 간과하고 있다.
⑤ 재능 있는 사람들의 예술계 유입을 제한함으로써 다양한 예술 분야가 발전하지 못할 수 있다.

03 밑줄 친 A씨의 주장을 뒷받침할 수 있는 적절한 의견을 〈보기〉에서 고른 것은?

> TV 예능 프로그램이나 드라마에서 폭력과 욕설이 심심찮게 등장하고 있다. 한 시청자 A씨는 "폭력 장면이 극의 흐름상 꼭 필요한 것도 아닌데, 청소년들이 시청하는 시간대에 여과 없이 방송에 내보내는 이유가 뭐냐?"라며 TV 프로그램의 폭력적인 장면에 대해 지적했다.

보기

ㄱ. 대리 경험을 통해 일탈 행위를 줄일 수 있다.
ㄴ. 개인의 표현 욕구나 분노와 같은 감정을 해소시켜 준다.
ㄷ. 폭력적인 장면을 학습하여 더 많은 폭력을 유발할 우려가 있다.
ㄹ. 폭력을 지나치게 미화하거나 악을 응징하는 수단으로 정당화하여 그릇된 인식을 지니게 한다.

① ㄱ, ㄴ   ② ㄱ, ㄷ   ③ ㄴ, ㄷ
④ ㄴ, ㄹ   ⑤ ㄷ, ㄹ

서술형문제

04 다음 대화를 읽고 물음에 답하시오.

> 갑: 영화관에서 A영화가 상영관 전부를 차지하고 있어서 내가 보고 싶은 영화를 볼 수가 없어.
> 을: 간접 광고가 방송의 흐름을 끊을 정도로 심해. 가끔 드라마가 광고인 것 같아.
> 병: 내가 좋아하는 가수는 음원 순위에서 보기 어려워.
> 정: 대규모 기획사에 소속된 가수가 방송을 휩쓸고 있어.

(1) 위와 같은 사례들의 공통적인 원인을 서술하시오.

(2) (1)의 문제가 발생했을 때 나타날 수 있는 문제점을 세 가지 이상 서술하시오.

02 의식주 윤리와 윤리적 소비

★ 표시는 시험 전에 확인해 주세요.

A 의식주와 관련된 윤리적 문제

1. 의복과 관련된 윤리적 문제

의복의 윤리적 의미	• 개성을 표현하고, 자아와 가치관의 형성에 영향을 줌 • 개인이나 공동체의 정체성과 유대감을 표출함 • 때와 장소에 맞는 의복 착용을 통해 예의를 표현함
의복 문화의 윤리적 문제	• 유행 추구 현상: 맹목적인 모방과 동조 현상으로 몰개성화·획일화·비합리적 소비를 조장함 • 명품 추구 현상: 과시적 소비(베블런 효과), 사치 풍조를 조장하고 사회적 위화감을 조성함 • 생태·환경 문제: 패스트 패션으로 유해 물질 발생, 동물에게 과도한 고통 유발
바람직한 의복 문화 확립을 위한 노력	• 패스트 패션 기업은 사회적 책임 의식을 지니고 윤리 경영을 실천해야 함 • 소비자는 인권과 생태 환경을 고려하는 윤리적 소비를 해야 함 _{소비자의 기호를 바로 파악해 유행에 따라 신제품을 출시하여 제품 수명이 짧은 의류}

★ 2. 음식과 관련된 윤리적 문제
└ 아리스토텔레스, 에피쿠로스, 공자, 불교 사상 모두 절제를 통해 먹는 행위를 적절히 조절해야 함을 주장하였다.

음식의 윤리적 의미	• 음식 섭취를 통해 생명과 건강을 유지함 • 사회의 도덕성과 건강한 생태계 유지에 영향을 줌 • 음식을 먹는 행위는 생물학적 차원 이외에도 다양한 문화적 의미를 지님 _{식품 생산성과 질을 높이기 위해 본래의 유전자를 새롭게 조작하고 변형해 만든 식품}
음식 문화의 윤리적 문제	• 식품의 안전성 문제: 화학 첨가제가 들어간 식품, 유전자 변형 식품(GMO), 패스트푸드와 정크 푸드 등 • 환경 문제: 화학 비료로 토양·수질 오염, 음식물 쓰레기 증가, 식품 운송에 따른 탄소 배출량 증가 등 • 동물 복지 문제: 육류 소비 증가, 대규모 공장식 사육 등 • 음식 불평등 문제: 국가 간 빈부 격차 심화 등으로 발생함
바람직한 음식 문화 확립을 위한 노력	• 개인적 노력: 타인과 생태계를 고려하는 음식 문화를 형성함 예 로컬 푸드·슬로푸드 운동 참여, 육류 소비 절제 • 사회적 노력: 바람직한 음식 문화 확립을 위한 제도적 기반을 마련함 예 안전한 먹거리 인증과 성분 표시 의무화, 동물의 고통을 최소화하는 제도 마련

3. 주거와 관련된 윤리적 문제
└ 볼노브는 자신의 공간을 자기 삶의 중심으로 형성해야 할 공간 책임론을 제시하며, 집은 자기 존재의 뿌리가 되는 곳이라고 하였다.

주거의 윤리적 의미	• 개인적 차원: 심리적 안정과 휴식을 제공하고, 외부의 위험으로부터 신체를 보호함 • 공동체적 차원: 가족·이웃과 함께 생활하는 과정에서 공동체의 유대감과 소속감을 형성함
주거의 본질	• 볼노브: "인간은 어떤 특정한 자리에 정착하여 거주할 공간인 집을 필요로 한다." • 하이데거: "인간은 집에서 비로소 평화를 누리게 된다."
주거 문화의 윤리적 문제	• 공동 주택의 폐쇄성으로 소통 단절 → 이웃 간의 갈등과 분쟁이 발생함 • 도시의 주거 밀집으로 환경 오염, 교통 혼잡, 녹지 공간 부족 등의 문제가 발생함 → 삶의 질 하락 • 집을 경제적 가치의 관점에서만 인식함
바람직한 주거 문화 확립을 위한 노력	• 주거의 본질적 가치를 회복해야 함 _{집을 부의 축적 수단으로만 여기지 말아야 한다.} • 공동체를 고려하는 주거 문화를 형성해야 함 • 기반 시설 등에 대한 지역 간 격차를 해소하여 주거 환경의 균형적 발전과 주거 정의(正義)를 추구해야 함

B 윤리적 소비문화

1. 현대 사회의 소비문화의 특징

(1) 대량 소비와 과소비가 나타나면서 경제 규모가 확대됨

(2) 사회적 욕구나 자아실현의 욕구를 충족하려는 소비가 확대됨 예 기호 소비 ┌ 물건의 기능이나 용도 때문이 아니라 기호에 따라 소비하는 것

(3) 물질주의 추구 소비, 과시적 소비, 동조 소비 등이 나타남 ┌ 소속 욕구에 따른 소비 행위로 유행에 민감하게 반응하는 소비 형태로 나타난다.

(4) 문제점: 자원 고갈, 생태계 파괴 등

2. 합리적 소비

의미	자신의 경제력 내에서 가장 큰 만족을 추구하는 소비
특징	경제적 합리성이 상품 선택의 기준이 되며, 소비자 개인의 경제적 이익이나 만족감을 중시함
문제점	소비자가 합리적 소비만을 중시한다면 생산자가 원가 절감을 위해 다양한 방법을 사용함으로써 여러 가지 문제를 일으킬 수 있음 예 부적절한 원료를 이용한 상품 생산, 환경 오염에 관한 대책 외면, 열악한 노동 환경 제공, 저임금 강요 등

★ 3. 윤리적 소비
┌ 선진국과 개발 도상국 간의 불공정한 무역 구조에서 발생하는 부의 편중, 노동력 착취 등의 문제를 해결하기 위해 등장한 무역 형태

등장 배경	• 합리적 소비의 문제를 보완하기 위해 등장함 • 환경 문제, 인체 유해 식품 문제, 노동자의 인권 억압과 아동을 대상으로 하는 노동 착취 등의 문제가 발생하여 등장함
의미	• 윤리적인 가치 판단에 따라 상품이나 서비스를 구매하고 사용하는 것 • 소비 행위가 타인과 사회는 물론 생태계 전체에 어떤 결과를 가져올지를 고려하여 바람직한 방향으로 소비를 실천하는 것
특징	• 소비자의 이익을 넘어 노동자의 인권, 환경 문제 등을 적극적으로 고려함 • 원료의 재배, 제품의 생산과 유통에 이르는 전 과정이 윤리적인지에 대해 관심을 가짐
유형	• 인권과 정의 고려: 노동자의 인권과 복지를 생각하는 기업의 상품이나 공정 무역 상품을 구매하는 것 • 공동체적 가치 추구: 지역에서 생산된 농산물을 지역에서 소비하는 로컬 푸드 운동 ┘ 지역 공동체의 지속 가능한 발전을 도모할 수 있다. • 동물 복지 고려: 동물의 생명을 존중하고, 동물의 고통을 최소화하는 방식으로 생산된 상품을 소비하는 것 • 환경 보전 추구: 생태계의 보존과 지속 가능한 소비가 가능하도록 하는 친환경적 소비
실천 방법	• 개인적 차원: 윤리적 소비의 실천 의지 함양, 불매 운동, 윤리적 등급에 따른 상품의 비교 구매, 공정 무역 제품이나 친환경 농산물 등 바람직한 윤리적 상품 구매, 재사용과 재활용 등 • 사회적 차원: 친환경 제품 인증과 환경 마크, 기업의 윤리 경영을 촉진하기 위한 제도 마련, 사회적 기업의 활동을 지원하는 법률 제정 등 _{취약 계층의 고용과 복지 문제를 해결하는 과정에서 등장하였다.}
사회적 기업	• 사회적 가치를 우위에 두고 재화와 서비스를 생산하고 판매하는 활동을 수행하는 기업 • 공공성을 기반으로 사회적 목적을 우선적으로 추구함 • 자립적 운영을 위해 이익을 추구하지만 발생한 이익을 공익을 위한 일이나 지역 사회에 재투자함

┌ 소비자가 특정 목적을 관철하기 위해 특정 상품의 구매를 거부하는 운동

01 다음 설명이 맞으면 ○표, 틀리면 ×표를 하시오.

(1) 주거는 인간 삶의 기본 바탕이자 정신적 평화와 안정을 제공하는 공간이다. ( )

(2) 최신 유행을 반영하여 짧은 주기로 대량 생산하여 판매하는 의류를 패스트 패션이라고 한다. ( )

(3) 과시적 소비는 소득 범위 내에서 최소의 비용으로 최대의 만족을 얻으려는 소비를 의미한다. ( )

02 음식과 관련된 여러 가지 윤리적 문제와 관련된 사례를 옳게 연결하시오.

(1) 환경 문제 •

(2) 음식 불평등 문제 •

(3) 식품의 안전성 문제 •

• ㉠ 유전자 변형 식품의 유해성 논란

• ㉡ 국가 간 빈부 격차 심화

• ㉢ 음식의 대량 생산과 대량 소비

03 다음 주장을 한 사상가를 쓰시오.

인간은 체험을 통해 자신이 위치한 공간을 삶의 중심으로 형성할 수 있다. 체험된 공간은 가치를 지향하는 삶의 관계들을 통해서 사람과 관계된다. 체험된 모든 공간은 그것을 체험한 인간과 서로 분리될 수 없다.

인간과 집의 관계는 집을 짓고 그 안에 살면서 자기 집 같고, 마음 편하며, 믿을 만한 친숙함이 있다고 이해될 수 있다. 인간은 이성적 노력을 통해 자신의 집을 지어야 하며, 그 집에서 자기 삶의 질서를 만들어 나가야 하고, 혼란을 일으키는 외부 세계와 끊임없는 투쟁 속에서 이러한 질서를 지켜내야 할 책임을 갖는다.

04 다음 설명에 해당하는 내용을 각각 쓰시오.

(1) 도덕적 가치 실현을 중시하고 경제 활동 전반의 윤리성에 관심을 가지는 소비이다. ( )

(2) 사회적 가치를 우위에 두고 재화와 서비스를 생산하고 판매하는 활동을 수행하는 기업이다. ( )

(3) 자신의 경제력 내에서 가장 큰 만족을 추구하는 소비로, 경제적 합리성을 상품 선택의 기준으로 두는 소비이다. ( )

A 의식주와 관련된 윤리적 문제

01 의복의 윤리적 의미에 대한 설명으로 옳지 않은 것은?

① 예의에 관한 사회적 기준을 반영한다.

② 타인과의 관계에서 예절을 표현할 수 있다.

③ 개인이나 공동체의 정체성과 유대감을 표출한다.

④ 명품을 착용하여 올바른 자아와 가치관을 형성한다.

⑤ 때와 장소에 맞는 의복을 착용하여 예의를 표현한다.

02 갑, 을 사상가들이 공통으로 강조하고 있는 태도로 가장 적절한 것은?

갑: 음식물에 대한 욕망은 자연적이다. 그러므로 결핍되면 채우려고 한다. 하지만 지나칠 정도로 먹고 마시는 것은 자연의 한도를 넘어서는 것이다. 이런 사람은 노예나 다름없는 사람이다.

을: 소박한 식사와 물만으로 만족하고 호사스러운 삶의 쾌락을 멀리할 때 나의 몸은 상쾌하기 그지없다네. 내가 무절제하고 향락적인 삶을 멀리하는 까닭은 그러한 삶 자체가 나쁘기 때문이라기보다는 그러한 삶 뒤에 찾아오는 해악 때문이라네.

① 먹는 행위를 통해 개인의 개성을 표현해야 한다.

② 절제의 미덕을 살려 적당한 섭취를 생활화해야 한다.

③ 먹는 행위를 통해 유대감과 소속감을 형성해야 한다.

④ 먹는 행위의 생물학적 차원보다 문화적 의미를 강조해야 한다.

⑤ 음식은 인간의 생존을 위한 수단이므로 중용이 적용되지 않는다.

03 다음 글과 관계 깊은 예시를 〈보기〉에서 고른 것은?

> 믿을 수 있는 음식의 생산과 유통은 사회의 도덕성을 구현하며, 올바른 방법으로 음식 재료를 획득하고 가공할 때 생태계가 건강하게 보존될 수 있다.

> **보기**
> ㄱ. 정크 푸드　　　　　ㄴ. 유전자 변형 식품
> ㄷ. 슬로푸드(slow food)　ㄹ. 로컬 푸드(local food)

① ㄱ, ㄴ　　　② ㄱ, ㄷ　　　③ ㄴ, ㄷ
④ ㄴ, ㄹ　　　⑤ ㄷ, ㄹ

출제가능성 **90%**
04 다음 사상가의 입장으로 가장 적절한 것은?

> 인간은 체험을 통해 자신이 위치한 공간을 삶의 중심으로 형성할 수 있다. …… 인간은 이성적 노력을 통해 자신의 집을 지어야 하며, 그 집에서 자기 삶의 질서를 만들어 나가야 하고, 혼란을 일으키는 외부 세계와 끊임없는 투쟁 속에서 이러한 질서를 지켜내야 할 책임을 갖는다.

① 진정한 거주는 단순히 공간을 점유하는 행위로 국한된다.
② 외부 세계는 위험과 희생이 아닌 안정과 평화의 공간이다.
③ 주거는 투자와 효율성의 경제적 측면에서 가장 큰 의미를 가진다.
④ 체험된 모든 공간은 그것을 체험한 인간과 서로 분리되어 존재한다.
⑤ 집이라는 공간은 자기 존재의 뿌리가 되는 곳이며, 인간과의 관계 속에서 의미를 지닌다.

B 윤리적 소비문화

05 현대 사회의 소비 문화의 특징으로 적절하지 <u>않은</u> 것은?

① 대량 소비와 과소비로 경제 규모가 축소되었다.
② 기호 소비로 개성 있는 소비가 가능해졌지만 과시적 소비로 나타나기도 한다.
③ 생존을 위한 욕구보다는 자아실현을 위한 욕구를 충족하려는 소비가 확대되었다.
④ 소비자가 소비를 통해 생산자와 관련 집단에 영향력을 행사하는 경우가 증가하였다.
⑤ 물질의 소유와 행복을 같게 여겨 재화의 본질적 가치와 상관없이 소비하는 물질주의 추구 소비가 나타났다.

출제가능성 **90%**
06 다음 중 소비의 성격이 나머지 넷과 <u>다른</u> 하나는?

① 지속 가능한 환경을 위한 소비 활동을 지지한다.
② 최소의 비용으로 최대의 만족을 얻는 소비를 강조한다.
③ 노동자의 인권과 복지를 생각하는 기업의 상품을 구매한다.
④ 동물에게 큰 고통을 주는 방식으로 생산된 상품은 이용하지 않는다.
⑤ 환경 오염과 생태계 파괴를 일으키지 않는 방식으로 생산된 친환경 상품을 소비한다.

07 공정 무역에 대한 설명으로 옳지 <u>않은</u> 것은?

① 개발 도상국 노동자들의 인권 향상에 기여할 수 있다.
② 생산자에게 최저 구매 가격을 보장하는 등 공정한 가격을 지불한다.
③ 단기 계약보다는 장기 계약을 통해 안정적인 노동 환경을 추구한다.
④ 아동 노동 착취를 근절하고 환경 보호를 위해 노력할 것을 요구한다.
⑤ 합리적 소비에 관심을 가지며, 선진국에서 개발 도상국으로 수출되는 상품에 초점을 맞춘다.

08 다음 글과 관계 깊은 기업의 유형에 대한 설명으로 옳지 <u>않</u>은 것은?

> '아름다운 가게'는 기부 받은 중고품을 판매하며, '행복 도시락'은 도시락을 만들어 결식아동에게 무료로 배달하고, 취약 계층에게는 조리와 배송 등의 과정에 참여하게 하여 일자리를 제공한다.

① 사회적 목적을 우선적으로 추구한다.
② 민주적으로 운영되며 공익을 위한 일에 투자한다.
③ 공공성을 기반으로 하므로 영리적인 기업 활동을 하지 않는다.
④ 취약 계층의 고용과 복지 문제를 해결하는 과정에서 등장하였다.
⑤ 개인은 윤리적 소비를 통해 이러한 기업의 활동을 간접적으로 지원할 수 있다.

★★★최고난도
01 다음 글을 분석한 내용으로 옳지 <u>않은</u> 것은?

> 고도로 산업화된 사회에서 명성을 획득할 수 있는 근거는 다름 아닌 재력이다. 재력을 과시하는 방편인 동시에 명성을 획득하고 유지하는 방편은 과시적 여가와 과시적 소비이다. 그 과정에서 두 가지 방편은 모두 그런 여가나 소비의 가능성을 지닌 중하류 계급에서도 유행하기에 이른다. 이는 시간과 노력 및 재화의 낭비로 나타난다.

① 과시적 여가와 과시적 소비에는 공통으로 낭비라는 요소가 작용하고 있다.

② 과시적 소비는 명성 획득을 위한 수단뿐만 아니라 체면 유지를 위해서도 이루어진다.

③ 가격이 오르고 있어도 과시욕 때문에 수요가 증가하는 현상을 '베블런 효과'라고 한다.

④ 개인의 인간적인 접촉이 적거나 인구 이동이 많지 않은 사회의 구성원들에게 주로 나타난다.

⑤ 일반 사람들과 신분이 다르다는 것을 과시하려는 부유층이나 이를 모방하려는 계층에 의해 주도된다.

02 다음 글의 입장에서 지지할 내용에만 모두 'V'를 표시한 학생은?

> '미식가'란 단순히 잘 먹는 사람 또는 잘 차려진 식탁을 선호하는 사람을 의미하는 편협한 단어가 아니다. 진정한 미식가는 먹을거리의 생산부터 소비에 이르기까지 전 과정을 이해하고, 그러한 과정에서 '좋음', '깨끗함', '공정함'이 제대로 이루어지고 있는지 감시하는 역할도 해야 한다. 나아가 이들이 '미식가 네트워크'를 형성함으로써 공동선이라는 대의명분을 수행할 수도 있을 것이다.

내용 \ 학생	갑	을	병	정	무
음식 소비는 개인뿐만 아니라 공동체에도 영향을 미친다.	V			V	V
산지에서 소비지까지 수송되는 거리가 높은 음식을 이용한다.		V		V	
음식 소비는 건강한 삶에 기여하는 방향으로 이루어져야 한다.	V		V	V	V
공정한 식량 생산 시스템을 구축하기 위해 소비자의 참여가 필요하다.		V	V		V

① 갑　　② 을　　③ 병　　④ 정　　⑤ 무

03 다음 글의 입장과 상통하는 주장을 〈보기〉에서 고른 것은?

> 소비는 자신을 넘어 사회와 환경에 이르기까지 영향을 미칩니다. 따라서 자신에게 돌아오는 직접적인 혜택만 생각하지 말고, 장기적 관점에서 사회와 자연에 미치는 영향도 고려하여 소비해야 합니다.

보기

ㄱ. 윤리적 소비를 통해 보편적 가치를 실현해야 한다.

ㄴ. 타인과 사회, 동물의 복지와 권리, 환경을 고려하는 소비를 해야 한다.

ㄷ. 단기적인 차원에서 경제적인 이익을 극대화할 수 있는 소비를 지향해야 한다.

ㄹ. 가격, 품질을 따져 가장 큰 만족을 주는 상품을 구매하는 합리적 소비를 해야 한다.

① ㄱ, ㄴ　　② ㄱ, ㄷ　　③ ㄴ, ㄷ

④ ㄴ, ㄹ　　⑤ ㄷ, ㄹ

🌸 서술형 문제

04 다음 글을 읽고 물음에 답하시오.

> 집은 생존은 물론 생활을 위해서도 필요하고 중요하다. 그러나 집이 어느 순간부터 내 집 마련의 '신화'가 되자, 집은 생존을 위한 장소가 아닌 '화폐'가 되었다. 지금 많은 사람들은 ㉠ 집이 가지고 있는 윤리적인 의미에 대해 고려하지 않고, 어떻게 살 것인가를 생각해서 집을 찾지 않는다.

(1) ㉠을 <u>두 가지</u> 서술하시오.

(2) (1)을 바탕으로 주거와 관련된 윤리적 문제를 해결하기 위한 방안을 서술하시오.

03 다문화 사회의 윤리

★ 표시는 시험 전에 확인해 주세요.

A 다문화 사회와 다문화 이론

1. 다문화 사회의 특징
(1) 긍정적 측면: 사회 구성원의 문화 선택의 폭이 넓어지고 문화가 발전할 수 있는 기회가 확대되며, 다양성과 다원성, 차이를 강조함
> 들뢰즈와 레비나스는 개인 간의 차이와 다양성을 강조하였다.
(2) 부정적 측면: 다양한 문화적 요소의 충돌로 갈등이 발생함

★ 2. 다문화를 바라보는 관점
> 국가가 원치 않는 이민자의 정착을 원천적으로 차단하려는 정책 유형이다.

차별적 배제 모형	• 이주민을 특정 목적으로만 받아들이고, 내국인과 동등한 권리를 인정하지 않는 관점 • 인간 존엄성과 평등이라는 보편 윤리에 어긋남
동화주의	• 의미: 이주민의 문화와 같은 소수 문화를 주류 문화에 적응시키고 통합시키려는 관점 • 장점: 문화적 충돌에 따른 사회 혼란과 갈등을 방지하고, 사회적 연대감과 결속력을 강화할 수 있음 • 단점: 다양한 문화가 사라져 문화적 역동성과 문화 다양성을 파괴할 수 있음 • 용광로 모형: 다양한 문화를 섞어서 하나의 새로운 문화로 만듦 ▷ 이주민이 출신국의 언어·문화·사회적 특성을 포기하고 주류 사회의 일원이 되게 한다.
다문화 주의	• 의미: 이주민의 고유한 문화와 자율성을 존중하여 문화 다양성을 실현하려는 관점 • 장점: 소수 문화를 존중하여 문화적 갈등 발생이 적음 • 단점: 사회적 연대감이나 결속력 부족으로 사회 통합을 이루기 어려움 • 샐러드 볼 모형: 각 재료의 특성이 살아 있는 샐러드처럼 여러 민족의 문화가 조화롭게 공존한다는 입장 • 모자이크 모형: 다양한 조각들이 모여 하나의 모자이크가 되듯이, 여러 이주민의 문화가 모여 하나의 문화를 이룬다는 입장 ▷ 문화의 다양성을 인정하는 측면에서는 다문화주의와 같지만, 주류 문화를 위에 둔다는 점에서 동화주의와 같다.
문화 다원주의	• 의미: 문화의 다양성을 인정하면서 주류 문화의 역할을 강조하는 관점 • 국수 대접 모형: 주류 문화는 국수와 국물처럼 중심 역할을 하고, 이주민의 문화는 고명이 되어 자신의 문화적 정체성을 유지하면서 조화롭게 공존할 수 있다는 입장

B 다문화 사회의 윤리적 자세

★ 1. 문화의 다양성과 보편 윤리

문화 상대주의	• 의미: 다른 나라의 문화를 상대의 관점에서 인정하고 존중하는 태도 • 문화적 차이로 인한 갈등을 예방하고 다양한 문화의 공존을 도모함 • 유의점: 극단적 문화 상대주의의 경우 윤리적 상대주의의 관점을 가질 수 있음
윤리적 상대주의	• 의미: 윤리는 문화에 포함되므로 옳고 그름은 사회에 따라 다양하며, 보편적인 도덕적 기준은 존재하지 않는다고 보는 태도 ▷ 노예 제도, 인종 차별도 하나의 문화로 인정하는 모순이 생긴다. • 문제점: 보편 윤리를 위배하는 문화까지 무조건 인정하며, 자문화와 타 문화에 대한 비판적인 성찰이 불가능함

> 시대와 지역을 초월하여 누구나 인정할 수 있으며 언제 어디서나 지켜야 하는 가치

★ 2. 관용의 의미와 한계

의미	• 소극적 의미: 다른 문화를 접할 때 반대나 간섭, 배타적인 태도를 보이지 않는 것 • 적극적 의미: 받아들일 수 없는 상대방의 주장이나 가치관을 이해하려고 노력하는 것
한계	• 관용을 무제한으로 허용함으로써 관용 자체를 부정하는 사상이나 태도까지 인정하게 되어 인권을 침해하고, 사회 질서가 무너지게 되는 '관용의 역설'을 경계해야 함 • 타인의 인권과 자유를 침해하지 않는 범위 내에서 관용해야 함 • 사회 질서를 훼손하지 않는 범위 내에서 관용해야 함

> 인종을 차별하거나 다른 종교를 인정하지 않는 문화는 인권, 자유와 같은 보편적 가치를 훼손하므로 관용의 대상이 될 수 없다.

C 종교와 윤리의 관계

1. 종교의 본질
(1) 종교의 발생: 인간이 삶의 유한성과 불완전성을 극복하고자 하면서 발생함 → 인간을 종교적 존재로 규정하기도 함
(2) 종교의 역할
> 엘리아데: "종교는 인간의 의식 구조에 내재된 것이며, 모든 종교는 근원적으로 일치한다."
① 개인의 불안감을 극복하고 마음의 안정을 얻게 함
② 삶의 바람직한 방향을 모색할 수 있게 함
③ 인류의 보편적 가치를 추구하는 등 사회 통합을 이루는 계기가 되기도 함
> 독일의 신학자 오토는 종교를 '엄청나고도 매혹적인 신비의 감정'이라고 정의하며, 합리적으로 이해하기 어렵고 직관과 감정, 체험 등을 통해 파악할 수 있다고 주장하였다.
(3) 종교의 구성 요소
① 내용적 측면: 성스럽고 거룩한 것에 관한 체험과 믿음
② 형식적 측면: 경전과 교리, 의례와 형식, 교단

★ 2. 종교와 윤리의 관계

구분	종교	윤리
차이점	초월적 세계, 궁극적 존재에 근거한 종교적 신념과 교리를 제시함	인간의 이성, 상식, 양심에 근거하여 현실에서 지켜야 할 규범을 제시함
공통점	인간의 존엄성을 실현하는 윤리적 계율과 덕목, 즉 도덕성을 중시하고, 정의로운 사회를 지향함	
바람직한 관계	종교는 윤리적 삶을 고양하는 데 도움을 줄 수 있고, 윤리는 종교가 올바른 방향으로 나아가는 데 도움을 줄 수 있음	

D 종교의 갈등과 공존

1. 종교 갈등의 원인과 극복 방안

원인	타 종교에 대한 배타적인 태도, 무지와 편견
문제점	• 인간의 생명과 존엄성을 훼손함 • 평화로운 삶을 위협하고 공동체의 발전을 저해함
극복 방안	• 종교의 자유 인정, 타 종교에 대한 관용의 태도 • 종교 간의 적극적인 대화와 협력: 큉 – "종교 간의 대화 없이 종교 간의 평화 없고, 종교 평화 없이는 세계 평화도 없다."

01 다음 설명이 맞으면 ○표, 틀리면 ×표를 하시오.

(1) 동화주의 관점을 취하면 사회적 연대감이나 결속력이 부족하여 사회적 통합을 이루기 어렵다. (　　)

(2) 윤리적 상대주의는 보편적인 도덕적 기준을 따라야 한다고 본다. (　　)

(3) 소극적 의미의 관용은 다른 문화를 접할 때 반대나 간섭, 배타적인 태도를 보이지 않는 것을 의미한다. (　　)

02 빈칸에 들어갈 내용을 〈보기〉에서 골라 기호를 쓰시오.

> **보기**
> ㄱ. 대화　　　　　ㄴ. 평화
> ㄷ. 동화주의　　　ㄹ. 다문화주의

(1) 이주민의 고유한 문화와 자율성을 존중하여 문화 다양성을 실현하려는 입장을 (　　　)(이)라고 한다.

(2) 신학자 큉은 "종교 간의 (　　　) 없이 종교 간의 (　　　)은/는 있을 수 없다."라고 주장하면서 종교 간 화합과 공존의 필요성을 강조하였다.

03 다문화 모형과 그에 대한 설명을 옳게 연결하시오.

(1) 용광로　　•
　　모형

(2) 샐러드 볼　•
　　모형

(3) 국수 대접　•
　　모형

• ㉠ 문화의 다양성을 인정하면서 주류 문화의 역할을 강조하는 관점

• ㉡ 다양한 이주민의 문화를 주류 사회에 융합하여 편입시키려는 관점

• ㉢ 한 국가 또는 사회 안에 있는 다양한 문화를 평등하게 인정하는 관점

04 다음 설명에 해당하는 내용을 쓰시오.

> 관용을 무제한으로 허용한 결과 관용 자체를 부정하는 사상이나 태도까지 인정하게 되어 인권을 침해하고, 사회 질서가 무너지는 현상이다.

A 다문화 사회와 다문화 이론

출제가능성 90%

01 다음 글과 관계 깊은 다문화를 바라보는 관점으로 적절한 것은?

> 이민자들이 그들의 고유한 문화를 유지하면서도 우리나라의 일원으로 살아갈 수 있도록 해야 한다. 이는 주류나 비주류의 구분 없이 각자의 색깔을 지니면서도 서로 인정하고 공존을 지향해야 한다는 것을 의미한다.

① 동화주의
② 용광로 모형
③ 문화 사대주의
④ 샐러드 볼 모형
⑤ 국수 대접 모형

02 갑과 을이 공통적으로 강조하는 내용으로 가장 적절한 것은?

> 갑: 오늘날의 사회에서는 뿌리줄기 식물인 리좀(Rhyzome)의 사유 방식이 필요하다. 나무는 뿌리라는 한 가지 중심에서 가지와 잎 등의 많은 부수적인 요소들이 나오지만, 뿌리줄기 식물은 중심이 존재하지 않기 때문에 어디든 중심이 될 수 있다.
>
> 을: 이성에 근거한 동일성의 관점에서 상대방을 인식하고 규정하는 것은 일종의 폭력이다. 타자를 인식하려고 하지 말고, 있는 그대로 받아들이는 자세가 중요하다.

① 다원성보다는 단일성을 추구해야 한다.
② 개인 간의 차이와 다양성을 인정해야 한다.
③ 상대방과의 공통점을 삶의 중심으로 삼아야 한다.
④ 자신의 관점에서 상대방의 입장을 이해하려고 노력해야 한다.
⑤ 다른 문화를 기준으로 자신의 문화를 비판적으로 바라보아야 한다.

B 다문화 사회의 윤리적 자세

출제가능성 90%

03 윤리적 상대주의의 입장으로 적절하지 <u>않은</u> 것은?

① 윤리는 문화의 산물이다.
② 윤리는 시대와 장소에 따라 다양할 수 있다.
③ 옳고 그름에 대한 절대적 기준은 존재하지 않는다.
④ 각 사회마다 마땅히 따라야 할 규범이 다를 수 있다.
⑤ 역사적 상황을 존중하되 보편 윤리를 바탕으로 문화를 바라보아야 한다.

04 관용에 대한 옳은 설명만을 〈보기〉에서 있는 대로 고른 것은?

> **보기**
> ㄱ. 상대주의적 관점에서 무조건적인 관용이 필요하다.
> ㄴ. 사회 질서를 훼손하지 않는 범위 내에서 관용해야 한다.
> ㄷ. 타인의 생각과 문화가 자신과 다를지라도 존중하는 태도이다.
> ㄹ. 인간으로서 의무와 양심에 어긋나는 행위에 대해서는 불관용해야 한다.

① ㄱ, ㄴ   ② ㄴ, ㄷ   ③ ㄷ, ㄹ
④ ㄱ, ㄴ, ㄷ   ⑤ ㄴ, ㄷ, ㄹ

C 종교와 윤리의 관계

출제가능성 90%

05 종교와 윤리의 공통점으로 옳은 내용을 〈보기〉에서 고른 것은?

> **보기**
> ㄱ. 사회 정의를 실현하기 위해 노력한다.
> ㄴ. 궁극적이고 초월적인 존재를 상정한다.
> ㄷ. 인간의 존엄성을 중시하고 보편 윤리를 추구한다.
> ㄹ. 인간의 이성이나 상식, 양심에 근거하여 규범을 제시한다.

① ㄱ, ㄴ   ② ㄱ, ㄷ   ③ ㄴ, ㄷ
④ ㄴ, ㄹ   ⑤ ㄷ, ㄹ

06 다음은 종교에 대한 학생의 노트 필기 내용이다. ㉠~㉤ 중 옳지 <u>않은</u> 것은?

> (1) 종교의 발생 원인: 인간의 유한성과 불완전성 ······ ㉠
> (2) 종교의 구성 요소
>   • 내용적 측면: 합리성과 이성을 통한 관찰과 실험 ············ ㉡
>   • 형식적 측면: 경전과 교리, 의례와 형식 ········ ㉢
> (3) 종교의 역할
>   • 개인의 불안감을 극복하고 마음의 안정을 얻게 함 ·········· ㉣
>   • 인생의 궁극적 목적과 선악의 기준을 제공해 바람직한 삶의 방향을 모색할 수 있게 함 ········· ㉤

① ㉠   ② ㉡   ③ ㉢   ④ ㉣   ⑤ ㉤

D 종교의 갈등과 공존

07 종교 갈등에 대한 옳은 설명을 〈보기〉에서 고른 것은?

> **보기**
> ㄱ. 종교가 다른 두 국가 사이에서만 발생하는 문제이다.
> ㄴ. 서로 다른 종교를 믿는 사람들의 가치관이나 교리의 차이에서 발생한다.
> ㄷ. 다른 종교에 대한 무지와 편견, 혹은 자기 종교에 대한 맹신 등에서 비롯된다.
> ㄹ. 과거에는 정치·영토 분쟁과 맞물려 나타났지만, 오늘날에는 종교적 차원에서만 발생하는 양상을 보인다.

① ㄱ, ㄴ   ② ㄱ, ㄷ   ③ ㄴ, ㄷ
④ ㄴ, ㄹ   ⑤ ㄷ, ㄹ

08 종교 갈등을 극복하기 위한 방안으로 적절하지 <u>않은</u> 것은?

① 다른 종교에 대한 자율성을 인정하고 이해하는 태도를 지닌다.
② 다른 종교에 대한 편견에서 벗어나 서로 존중하는 풍토를 조성한다.
③ 보편적 가치를 바탕으로 서로 대화하고 협력하는 노력을 기울인다.
④ 종교적 진리에 대한 인간의 인식은 상대적이고 오류가 있을 수 있으므로 관용의 자세가 필요하다.
⑤ 종교는 개인의 종교적 체험을 바탕으로 한 신념 체계이므로 개인 차원의 이성적 노력으로 해결한다.

최고난도

01 (가), (나)의 입장에 대한 옳은 설명을 〈보기〉에서 고른 것은?

(가) 모자이크는 색깔 있는 유리, 돌 또는 다른 재료의 작은 조각들을 조합하고 모음으로써 조화를 이룬 이미지의 예술이다. 다양한 조각들이 모여 하나의 모자이크가 되듯이, 여러 이주민 문화가 모여 하나의 문화를 이룰 수 있다.

(나) 국수가 주된 내용물이지만 고명이 첨가됨으로써 맛이 풍성해지듯이, 이주민의 문화는 색다른 맛을 더해주는 고명이 되어 자신의 문화적 정체성을 유지할 수 있다.

보기

ㄱ. (가)는 사회 구성원이 통일된 하나의 문화를 가질 것을 강조한다.
ㄴ. (나)는 주류 문화의 정체성을 유지하면서 비주류 문화와 공존하는 것을 중시한다.
ㄷ. (가), (나)는 이주민의 고유한 문화와 자율성을 존중한다.
ㄹ. (가), (나)는 주류 문화의 역할을 강조하면서 다양한 문화의 공존을 중시한다.

① ㄱ, ㄴ　　② ㄱ, ㄷ　　③ ㄴ, ㄷ
④ ㄴ, ㄹ　　⑤ ㄷ, ㄹ

2015 평가원 응용

02 (가)의 입장에 비해 (나)의 입장이 갖는 상대적 특징을 그림의 ㉠~㉣ 중에서 고른 것은?

(가) 이질적 요소가 유입되어 구심력이 약화되면 사회는 와해된다. 이질성을 제거하고 통합성을 강화해야 사회는 발전한다. 따라서 중심 문화가 소수 문화를 흡수해야 한다.

(나) 이주민들의 문화와 기존 문화를 평등하게 인정해야 한다. 다양한 문화들이 어우러질 때 사회적 갈등이 해소된다.

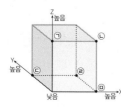

· X: 여러 문화의 공존과 화합을 강조하는 정도
· Y: 문화 간의 위계를 강조하는 정도
· Z: 소수 문화의 정체성을 존중하는 정도

① ㉠　　② ㉡　　③ ㉢　　④ ㉣　　⑤ ㉤

03 다음 사상가가 주장할 내용으로 가장 적절한 것은?

일심(一心)이란 무엇인가? 더러움과 깨끗함은 그 성품이 둘이 아니고, 참과 거짓 또한 서로 다르지 않으므로 하나라고 한다. 그러나 이 둘이 아닌 곳에서 모든 법의 진실됨이 허공과는 달라 스스로 신령스러움을 아는 성품이니 이를 마음이라고 한다. 이미 둘이 없는데 어찌 하나가 있으며 하나가 없는데 무엇을 두고 마음이라 하겠는가? 일체의 모든 이론도 결국 그 깨우침의 바탕인 일심일 뿐이다.

① 과학이 종교보다 우월함을 인정해야 한다.
② 종교의 단일화를 위해 강제력이 필요함을 알아야 한다.
③ 자신이 믿는 종교적 진리가 절대적임을 깨달아야 한다.
④ 초월적 존재로부터 벗어나 인간의 주체성을 회복해야 한다.
⑤ 종교 간의 배타적인 태도를 지양하고 공존을 모색해야 한다.

서술형 문제

04 다음 글을 읽고 물음에 답하시오.

문화 상대주의는 고유한 사회적 맥락 속에서 각각의 문화를 이해하고 존중해야 한다고 보는 관점이다. 문화 상대주의 관점을 가진 일부 사람들은 윤리도 상대적이라고 주장하며 "옳고 그름에 대한 보편적 기준은 없다."라는 극단적인 ㉠ 윤리적 상대주의를 제시한다.

(1) ㉠의 입장을 받아들일 때 발생할 수 있는 문제는 무엇인지 서술하시오.

(2) ㉠의 문제를 해결하기 위한 방안을 관용의 한계와 연관 지어 서술하시오.

01 갈등 해결과 소통의 윤리

★ 표시는 시험 전에 확인해 주세요.

A 사회 갈등과 사회 통합

1. 현대 사회와 다양한 갈등

(1) 사회 갈등의 원인

생각·가치관의 차이	자신만의 생각과 가치 판단을 절대시하거나 다른 사람의 생각이나 가치관을 무시할 때 갈등이 발생함
이해관계의 대립	• 한정된 사회적 자원을 놓고 집단 간의 이해관계가 충돌할 때 갈등이 발생함 • 특정 지역에 사회적 자원이 불공정하게 분배되어 지역 간 격차가 벌어지는 경우 갈등이 더욱 심화됨
원활한 소통의 부재	첨예하게 의견이 대립되는 주제를 두고 소통이 부족하거나 한쪽에게만 유리하게 결론이 나면 갈등이 발생함

(2) 사회 갈등의 유형

세대 갈등	• 기술이나 규범의 변화에 빠르게 적응하는 신세대와 그렇지 못한 기성세대의 갈등 예 일자리나 노인 부양 문제 등 • 어느 사회에나 존재하는 일반적인 현상으로, 각 세대가 서로의 차이를 이해하지 못해 발생함
이념 갈등	• 이상적인 것으로 여기는 생각이나 견해의 차이에 따른 갈등 예 보수와 진보의 갈등 • 이념의 차이를 흑백 논리의 이분법적 사고로 구분할 경우 갈등이 더욱 심화됨
지역 갈등	• 지역 발전을 위한 시설이나 투자를 자신의 지역에 유치하려는 과정, 혹은 타지역에 대한 편견에서 비롯됨 • 지역의 역사적·지리적 상황과 결부하여 지역감정으로 드러나기도 함 ●─ 특정한 지역에 살고 있거나 그 지역 출신인 사람에게 다른 지역 사람이 갖는 좋지 않은 생각이나 편견
빈부 갈등	사회적 자원의 분배를 둘러싸고 소득 불평등 현상의 심화로 발생하는 갈등
노사 갈등	생산 효율성을 극대화하려는 기업가와 임금과 복지 개선을 요구하는 노동자 간의 갈등

★ 2. 사회 통합의 필요성과 실현 방안 ●─ 뒤르켐은 유기적 연대를 바탕으로 한 사회 통합을 강조하였다.

(1) 사회 통합의 의미: 사회 내 개인이나 집단이 상호 작용을 통해 하나로 통합되는 과정 ●─ 사회 구성원의 소속감과 연대감은 국가 경쟁력과 깊은 관련이 있다.

(2) 사회 통합의 필요성: 개인의 행복한 삶뿐만 아니라 사회 발전과 국가 경쟁력의 강화를 위해 필요함

(3) 사회 통합의 실현 방안 ●─ 사회 통합을 위해 사회 윤리의 기본 원리인 연대성, 공익성, 보조성을 고려해야 한다.

① 상호 존중과 신뢰에 바탕을 둔 소통 ●─ 관용과 역지사지의 자세

② 다양성을 인정하면서도 대화와 토론으로 의사 결정을 하는 성숙한 민주 시민의 자세가 필요함

③ 개인의 이익과 공동선의 조화 추구: 자신의 이익과 권리만을 우선시하면 개인의 도덕적 해이와 사회적 갈등을 초래함 ●─ 국회나 행정 기관에서 일의 관련자에게 의견을 들어 보는 공개적인 모임

④ 사회 통합을 위한 제도와 정책 마련: 공청회, 설명회 등을 법제화하고, 지방 분권, 지역 균형 발전, 복지 정책 등을 확대하여 불평등이나 격차의 완화를 추구함

B 소통과 담론의 윤리

1. 사회 통합을 위한 소통과 담론의 필요성

(1) 담론의 의미: 갈등이나 문제를 해결하기 위한 이성적 의사소통 행위로 주로 토론의 형태로 이루어짐

(2) 소통과 담론이 필요한 이유

① 사회 구성원의 자발적이고 적극적인 참여를 이끌어 낼 수 있음: 소통과 담론은 사회 구성원의 참여를 바탕으로 사회 통합에 이바지함

② 도덕적 권위를 갖춘 합의를 도출할 수 있음: 소통을 통해 이루어진 합의는 도덕적 정당성과 설득력을 가짐

★ 2. 동서양의 소통과 담론의 윤리 ●─ 남과 화목하게 지내지만 자신의 중심과 원칙을 잃지 않는다는 뜻

공자의 화이부동 (和而不同)	• 자신의 도덕 원칙을 지키면서 주변과 조화를 추구함 • 자신의 원칙을 버리고 남과 같아지는 것을 경계함
장자의 도 (道)	"삶이 있기에 죽음이 있으며, 옳음이 있기에 그름이 있다. 옳고 그름을 도(道)의 입장에서 바라본다면 서로 다른 것이 아니라 똑같은 것이다." → 서로 다름을 인정하고 그것의 상호 의존 관계를 이해해야 함
원효의 화쟁(和諍) 사상	• 불교의 여러 교설 간의 대립을 해소하기 위해 화쟁을 제시함 ●─ 서로 다른 종파들 간의 다툼을 더 높은 차원에서 조화시켜야 한다는 뜻 • 여러 교설은 모두 부처의 가르침에서 비롯된 것이며, 그것은 모두 깨달음을 지향하므로 한마음[一心]임 • 집착과 편견을 버려야 화해와 포용이 가능함
하버마스의 담론 윤리	• 합리적인 대화가 이루어지는 과정을 중시함 • 이상적 담화 조건: 이해 가능성, 정당성, 진리성, 진실성 • 담론의 원칙: 실천적 담론 원칙(모든 당사자들의 동의를 얻을 수 있는 규범만이 타당함), 보편화 원칙(모든 당사자들은 타당한 규범을 따를 때 나타날 수 있는 결과와 부작용을 알고 받아들여야 함) • 사회를 통합할 수 있는 가능성을 의사소통 영역인 공론장에서 찾음 ●─ 시민 사회 내부에서 작동하는 의사소통 망
아펠의 담론 윤리적 책임	• '인격의 상호 인정'은 진정한 소통을 위한 기본 전제임 • 의사소통 공동체의 모든 구성원이 져야 하는 숙고적인 책임을 강조함 • 합의를 하기 위한 담론에 참여해야 할 책임과 의사소통 공동체를 유지해야 할 책임을 제시함 → 이러한 연대적 책임을 바탕으로 의사소통 공동체의 구성원으로서 개인은 사회·문화적인 조건을 개선하는 데 협력할 의무를 지님

3. 바람직한 의사소통의 자세

(1) 편견과 독선의 탈피: 자기 생각만이 옳다는 독선주의를 경계하고, 관용의 태도를 지녀야 함 ●─ 사회 통합을 이루는 바탕이 된다.

(2) 이성적 대화와 합의: 다수결의 한계를 보완하기 위해 사회 구성원 간의 심의와 합의가 필요하고, 서로 이해 가능한 언어를 통해 자유롭고 평등하게 발언할 기회를 보장해야 함 ●─ 심사하고 토의하는 것

1단계 개념 짚어 보기

01 다음 설명이 맞으면 ○표, 틀리면 ×표를 하시오.

(1) 사회 갈등의 유형에는 지역 갈등, 세대 갈등, 이념 갈등 등이 있다. ( )

(2) 사회 현상에 대한 생각이나 가치 판단은 사람마다 같기 때문에 자신의 생각이나 가치관만을 절대시해야 한다. ( )

(3) 수단과 방법을 가리지 않고 자신의 이익과 권리만을 우선시하면 개인의 도덕적 해이와 사회적 갈등을 초래한다. ( )

02 사회 통합은 사회 내 개인이나 집단이 상호 작용을 통해 하나로 통합되는 과정이다. 이러한 사회 통합은 개인의 (㉠) 삶을 위해 필요하며, 사회 발전과 (㉡)의 강화를 위해 요구된다.

03 ㉠~㉺에 들어갈 내용을 각각 쓰시오.

구분	화이부동	화쟁 사상
의미	남과 (㉠)하게 지내지만 자신의 중심과 원칙을 잃지 않는다는 뜻	서로 다른 종파들 간의 다툼을 더 높은 차원에서 (㉡)시켜야 한다는 뜻
특징	• (㉢)이/가 주장함 • 자신의 도덕 원칙을 지키면서 주변과 (㉣)을/를 추구함	• 원효가 주장함 • 모든 이론과 종파의 특수성과 (㉤) 가치를 인정하면서 전체로서 조화를 이루고자 함

04 하버마스가 주장한 이상적인 담화의 조건을 〈보기〉에서 골라 기호를 쓰시오.

〈보기〉
ㄱ. 진리성　　ㄴ. 정당성　　ㄷ. 오류성
ㄹ. 실천성　　ㅁ. 진실성　　ㅂ. 이해 가능성

05 독일의 사회학자인 아펠은 의사소통 공동체의 모든 구성원이 져야 하는 (㉠)을/를 강조한다. 그는 의사소통 공동체의 구성원들은 합의를 하기 위한 담론에 (㉡)해야 할 책임과 의사소통 공동체를 (㉢)해야 할 책임을 동시에 지닌다고 본다.

2단계 내신 다지기

정답과 해설 29쪽

A 사회 갈등과 사회 통합

출제가능성 90%

01 다음 대화를 통해 알 수 있는 사회 갈등의 유형으로 가장 적절한 것은?

> 갑: 그동안 우리 지역은 근처에 고속 도로가 없어서 많은 불편을 겪어 왔습니다. 신설되는 ○○ 고속 도로는 꼭 우리 □□시를 경유해야 합니다.
> 을: ○○ 고속 도로가 우리 △△시를 경유하면 환경 훼손이 최소화되며, 도로의 직선화가 가능하여 경제적 효과가 극대화됩니다.

① 사회적 쟁점을 둘러싼 세대 갈등에 해당한다.
② 기피 시설 건설과 관련된 이념 갈등에 해당한다.
③ 복지 제도 개선과 관련된 노사 갈등에 해당한다.
④ 보수와 진보의 대립 구도인 지역 갈등에 해당한다.
⑤ 지역 발전 시설 유치와 관련된 지역 갈등에 해당한다.

02 다음 토론의 내용에 대한 옳은 설명을 〈보기〉에서 고른 것은?

무상 급식에 대해 자신의 주장을 말해 볼까요?

민수: 국가는 모든 학생에게 급식을 제공할 책임이 있습니다. 정부는 복지 예산을 대폭 확충하여 전국의 모든 학생에게 무상 급식을 시행해야 한다고 생각합니다.

지원: 급식비를 낼 수 있는 학생에게까지 무상 급식을 시행하는 것은 세금 낭비입니다. 어려운 가정의 학생들을 선별해 무상 급식뿐만 아니라 더욱 많은 지원을 해야 한다고 생각합니다.

〈보기〉
ㄱ. 민수는 보편적 복지를 시행해야 한다고 주장한다.
ㄴ. 지원이는 선별적 복지가 더욱 적절하다고 주장한다.
ㄷ. 무상 급식에 대한 민수와 지원이의 가치관은 차이가 없다.
ㄹ. 민수와 지원이는 복지보다 경제 성장과 효율성을 더욱 중시한다.

① ㄱ, ㄴ　　② ㄱ, ㄷ　　③ ㄴ, ㄷ
④ ㄴ, ㄹ　　⑤ ㄷ, ㄹ

03 다음 글에서 강조하는 사회 통합 방안으로 옳은 것은?

> 사회 응집을 유지하기 위해 모두가 똑같은 사람이 되기를 요구한다. 우리의 개성은 사라지고, 우리는 집합적인 생명체가 된다. 그렇게 뭉친 사회적 분자들은 마치 무기체의 분자들처럼 자체의 행동이 없을 때만 함께 행동할 수 있다. 이러한 형태의 연대를 기계적 연대라고 부른다. … (중략) … 이와 반대로 유기적 연대는 분업의 진전과 함께 나타난다. 기계적 연대는 개인들이 서로 유사할 것을 전제로 하지만, 분업에 의한 유기적 연대는 개인들이 서로 다를 것을 전제로 한다. 기계적 연대는 개인이 집단에 흡수될 때 가능하지만, 유기적 연대는 각 개인이 그 고유한 행동의 영역을 가지고 있을 때만 가능하다. 그러므로 집단이 규제할 수 없는 특수한 기능들을 위해서 개인이 지닌 지적 의식 등을 통제해서는 안 된다. 그 영역이 확장될수록 연대를 기반으로 하는 응집은 강해진다.

① 경제 성장과 복지를 함께 추구해야 한다.
② 구성원들이 동일한 가치와 규범을 공유해야 한다.
③ 유기적 연대보다 기계적 연대를 위해 노력해야 한다.
④ 개인들의 개별성과 상호 의존적 결속이 모두 필요하다.
⑤ 사익이 아니라 공익만을 존중하여 사회 응집을 강화해야 한다.

B 소통과 담론의 윤리

04 소통과 담론의 필요성으로 옳은 것은?

① 일방적 통보로 결론을 쉽게 내릴 수 있기 때문이다.
② 도덕적 권위를 갖춘 합의를 도출할 수 있기 때문이다.
③ 충돌과 대립을 통해 사람들 간의 경쟁을 유발하기 때문이다.
④ 폐쇄적인 결정으로 공동체의 단합을 강조할 수 있기 때문이다.
⑤ 통제와 지시로 사회를 일사분란하게 운영할 수 있기 때문이다.

05 소통과 담론 과정에서 필요한 윤리적 자세로 옳은 것은?

① 편견과 독선의 자세를 일관되게 유지한다.
② 공적 의사 결정 과정에 적극적으로 참여한다.
③ 자신의 오류 가능성을 무시하는 태도를 지닌다.
④ 이성적으로 대화하기보다 감정적으로 토론한다.
⑤ 소통의 참여 자격을 사회·경제적 지위로 결정한다.

06 다음 사상가가 소통과 관련하여 강조할 내용으로 가장 적절한 것은?

> 사물에는 저것이 아닌 것이 없고, 동시에 이것이 아닌 것이 없다. 저것은 이것 때문에 생겨나고 이것은 저것 때문에 생겨난다. 또한 삶이 있기에 죽음이 있으며 옳음이 있기에 그름이 있다. 옳고 그름을 도(道)의 입장에서 바라본다면 서로 다른 것이 아니라 똑같은 것이다.

① 서로에 대한 상호 의존 관계를 이해해야 한다.
② 자신의 원칙을 버리고 남의 의견에 동조해야 한다.
③ 자신보다 타인의 약점을 부각시키려고 노력해야 한다.
④ 타인의 의견을 나와 똑같이 만들려고 노력해야 한다.
⑤ 내 견해를 흑백 사고를 토대로 일관되게 주장해야 한다.

07 원효의 사상에 대한 설명으로 옳지 <u>않은</u> 것은?

① 여러 교설 간의 대립을 해소하기 위해 화쟁 사상을 제시하였다.
② 나와 다른 사람을 구분하여 자신만의 입장을 정당화할 것을 주장하였다.
③ 각 종파의 서로 다른 이론을 인정하면서도 더 높은 차원의 깨달음을 강조하였다.
④ 특수하고 상대적인 각자의 입장에서 벗어나 대승적으로 융합해야 한다고 강조하였다.
⑤ 자신에 대한 집착과 상대방에 대한 편견을 버려야 서로 화해하고 포용할 수 있다고 보았다.

☆출제가능성 90%
08 밑줄 친 '그'의 견해로 가장 적절한 것은?

> 담론 윤리의 대표자인 그는 개인의 주관적인 도덕 판단만으로는 규범이 성립될 수 없으므로 대화가 필요하다고 주장한다. 즉, 대화의 당사자들이 합의 결과를 수용하고 그것을 의무로 받아들이기 위해서는 대화가 합리적인 의사소통의 과정을 거쳐야만 한다는 것이다. 그래서 그는 합리적인 대화가 이루어지기 위한 과정을 중요시한다.

① 상대방의 말을 자유롭게 왜곡할 수 있어야 한다.
② 일부 사람에게만 담론에 참여할 기회가 주어져야 한다.
③ 합리적 의사소통을 위해 권력에 의한 억압이 필요하다.
④ 거짓을 진실인 것처럼 꾸밀 수 있는 말솜씨가 필요하다.
⑤ 담론에 참여하는 사람 모두 평등하게 말할 수 있어야 한다.

01 ㉠과 같은 사회 현상을 실현하기 위한 방안과 관련된 질문에 모두 옳게 표시한 학생은?

> 2007년 ○○남도 △△군 앞바다에서 유조선과 예인선이 충돌하여 원유가 유출되는 사고가 발생하여 △△군과 □□시 양식장, 어장 등 8,000여 헥타르가 원유에 오염되었다. ㉠ 전국에서 130만여 명의 자원봉사자와 정부가 한마음으로 힘을 합쳐 기름 제거 작업을 하였고, 사고 발생 2년 만에 △△ 국립 공원의 해양 수질과 어종은 기름 유출 사고 전과 유사한 수준으로 회복되었다.

질문＼학생	갑	을	병	정	무
사익과 공익 모두 존중해야 하는가?	○	○	○	×	×
사회 구성원 간의 연대 의식이 필요한가?	×	○	○	○	×
국가는 개인이나 공동체의 권리를 침해하지 않으면서 보조적으로 도와야 하는가?	×	×	○	○	○

① 갑　② 을　③ 병　④ 정　⑤ 무

2018 평가원 응용

02 다음 사상가의 이상적 담화 조건으로 옳은 내용만을 〈보기〉에서 있는 대로 고른 것은?

> 오늘날 시민들은 공적 장소에서 토론할 기회를 제대로 가질 수 없을 뿐만 아니라, 그러한 공적 토론이 시민들에게 권장되지도 않는다. 시민들 간의 합리적 의사소통이 없으면 건강한 민주 사회를 유지할 수 없게 된다. 이러한 문제를 극복하기 위해서는 자유롭고 평등한 시민들에 의해 공적 문제에 대한 문제 제기와 토론이 활성화되어야 한다.

보기

ㄱ. 대화 당사자들이 말하는 내용은 참이어야 한다.
ㄴ. 대화 당사자들이 말하는 내용을 서로 이해할 수 있어야 한다.
ㄷ. 대화 당사자들이 말하는 내용은 정당한 규범에 근거해야 한다.
ㄹ. 대화 당사자들은 자신이 말한 의도를 상대방이 믿도록 과장되게 표현해야 한다.

① ㄱ, ㄷ　② ㄱ, ㄹ　③ ㄴ, ㄹ
④ ㄱ, ㄴ, ㄷ　⑤ ㄴ, ㄷ, ㄹ

최고난도

03 ㉠에 대한 설명으로 옳은 것은?

> 전체주의 사회는 통제와 지시로 일사분란하게 운영되지만, 이를 두고 진정한 사회 통합이 이루어졌다고 하지는 않는다. 왜냐하면 사회 구성원 간의 소통과 ㉠ 이/가 배제되었기 때문이다. 그렇다면 사회 통합을 위해 소통과 ㉠ 이/가 필요한 이유는 무엇일까? 먼저 사회 구성원 간의 자발적이고 적극적 참여를 이끌어 낼 수 있다. 또한 소통과 ㉠ 을/를 통해 도덕적 권위를 갖춘 합의를 도출할 수 있다.

① 도덕규범의 구체적 내용이나 삶의 방향을 제시한다.
② 합의된 내용에 대해서 도덕적으로 옳고 그름을 평가한다.
③ 갈등이나 문제를 해결하기 위한 감정적 의사소통 행위이다.
④ 보편적인 규범을 부정함으로써 도덕적 회의주의를 지지한다.
⑤ 현대 사회의 다양한 문제를 합리적 의사소통을 통해 해결하고자 한다.

🌱 서술형 문제

04 다음 글을 읽고 물음에 답하시오.

> 공자는 ㉠ (이)라는 말을 통해 조화의 중요성을 강조한다. ㉠ 은/는 남과 사이좋게 지내되 의를 굽혀 좇지 않는다는 뜻이다. 또한 원효는 ㉡ 사상을 통해 서로 다른 종파들 간의 다툼을 더 높은 차원에서 조화시키고자 하였다.

(1) ㉠, ㉡에 해당하는 내용을 각각 쓰시오.

(2) 소통과 담론의 과정에서 ㉠, ㉡을 통해 도출할 수 있는 현대적 의미의 윤리적 자세에 대해 각각 서술하시오.

02 민족 통합의 윤리

★ 표시는 시험 전에 확인해 주세요.

A 통일 문제를 둘러싼 쟁점

★ 1. 통일에 대한 입장

찬성 논거	반대 논거
• 이산가족의 고통을 해소함 • 전쟁의 공포 해소와 평화를 실현함 • 민족 동질성 회복과 민족 공동체를 실현함 • 민족의 경제적 번영과 국제적 위상을 향상시킴 • 동북아시아의 긴장을 완화하고 세계 평화에 기여함	• 오랜 분단으로 인한 사회·문화적 이질감과 불신감이 큼 • 군사 도발로 북한에 대한 부정적 인식이 강함 • 통일 비용 때문에 조세 부담이 늘고 경제적 위기에 처할 수 있음 • 북한 주민의 이주 증가로 인한 실업과 범죄 증가가 우려됨 • 정치·군사적 혼란이 발생함

★ 2. 통일 비용과 분단 비용 문제

다양한 통일 편익으로 이어질 수 있다.

분단 비용	• 의미: 분단으로 인해 남북한이 부담하는 유·무형의 지출 비용 • 종류: 경제적 비용(군사비, 외교적 경쟁 비용), 경제 외적 비용(전쟁 가능성에 대한 공포, 이산가족의 고통, 이념적 갈등과 대립, 한반도 전역의 발전 가능성 제한) • 특징: 분단이 지속되는 한 계속 발생하는 소모적 비용
통일 비용	• 의미: 통일 과정과 통일 이후 남북한 간 격차를 해소하고 이질적인 요소를 통합하는 데 필요한 비용 • 종류: 제도 통합 비용(정치, 행정, 금융, 화폐 통합 비용), 위기 관리 비용(치안, 긴급 구호, 실업 문제 처리 비용, 사회 갈등 해결 비용), 경제적 투자 비용(생산·생활 기반 구축 비용) • 특징: 통일 과정과 통일 이후 한시적으로 발생하는 투자적 비용
통일 편익	• 의미: 통일로 얻을 수 있는 편리함과 이익이라는 뜻으로, 통일 이후 지속적으로 발생하는 보상과 혜택 • 종류: 경제적 편익(국토의 효율적 이용, 분단 비용 감소, 국가 신용도 상승), 경제 외적 편익(이산가족의 고통 해소, 남북한 주민의 인권 신장, 전쟁 위협 감소와 평화 실현, 국제 사회에서 통일 한국의 위상 제고)

└ 통일 편익은 통일 이후 지속적으로 발생하기 때문에 한시적으로 발생하는 통일 비용보다 크다고 볼 수 있다.

3. 북한 인권 문제

국제 사회와 공조하여 북한의 변화를 유도하면서 북한 주민의 인권 문제를 해결해 나가는 지혜가 요구된다.

(1) 북한의 인권 실태

① 주민의 정치 참여와 개인의 자율성, 선택권을 제한함

② 출신 성분에 따라 계층을 분류하여 교육 기회, 법적 처벌 등을 달리함
└ 북한의 주민 분류 기준으로 주민 성분이라고 불리기도 한다.

(2) 북한 인권과 관련된 쟁점: 북한 인권 문제에 대한 개입은 내정 간섭이라는 입장과 인권의 보편적 원칙에 따라 국제 사회의 개입이 필요하다는 입장 간의 갈등이 있음

4. 대북 지원 문제

└ 대북 지원에 대한 의견 차이를 극복하고, 통일을 위한 일관된 대북 지원 방향에 관한 국민적 합의 도출이 필요하다.

(1) 대북 지원의 성격: 인도적 측면(북한 주민의 생존권 보장), 민족 당위적 측면(민족 공동체 회복), 실용주의 측면(분단 상태를 평화적으로 유지하며 남북 관계 개선)

(2) 대북 지원과 관련된 쟁점: 인도주의적 입장과 상호주의 원칙(북한에 일정한 변화를 요구하며 대북 지원) 간의 갈등
└ 인도주의에 따라 정치·군사 상황과 무관하게 지원해야 한다는 입장이다.

B 통일이 지향해야 할 가치

1. 독일 통일의 사례

(1) 독일의 통일 준비 과정: 분단 상황에서 동독과 서독이 다양한 문화 교류와 협력을 활발하게 이루어 나감

(2) 독일 통일의 후유증: 동독과 서독 주민 간의 사회적 갈등 발생, 내면적·정신적 통합의 어려움

(3) 독일 통일의 교훈: 다양한 분야의 점진적이고 활발한 교류를 통해 실질적인 통일 준비가 필요함

★ 2. 남북 화해와 평화 실현을 위한 노력

개인적 차원	• 열린 마음으로 소통하고 배려를 실천해야 함 • 북한을 올바로 인식해야 하며, 통일에 대한 관심을 가져야 함 └ 북한은 경계의 대상이자 동반자라는 인식
사회·문화적 차원	• 점진적인 사회 통합 노력으로 남북한의 긴장 관계를 해소함 • 문화·예술·스포츠 교류, 이산가족 상봉, 대북 지원과 구호 등 인도적 교류의 장을 확대함 └ 사회·경제·문화 분야에서 교류·협력을 통한 신뢰 형성
국가적 차원	• 내부적 통일 기반 조성: 안보 기반의 구축과 신뢰 형성을 위한 노력, 평화적 통일을 위한 체계적인 준비, 남남 갈등 해결 • 국제적 통일 기반 구축: 국제 사회와 협력 강화 → 주변 국가의 이익과 세계 평화에 이바지함

└ 통일의 필요성, 방법, 미래상에 대한 국민적 이해와 합의 도출, 통합 과정의 혼란에 대비한 장기적인 준비가 필요하다.

3. 통일 한국이 지향해야 할 가치

남북 관계를 둘러싼 남한 내의 이념 갈등

평화	전쟁의 공포가 사라진 평화로운 국가 지향
자유	자신의 신념과 선택에 따른 자유로운 삶의 보장
인권	모든 사람의 존엄과 가치가 존중되는 인권 국가 지향
정의	모두가 합당한 대우를 받는 정의 실현

4. 통일 한국의 미래상

(1) 수준 높은 문화 국가

① 사회 발전과 국가 경쟁력의 원동력인 문화 자원 발굴·육성

② 동서양의 우수한 문화를 수용, 세계적인 문화 국가를 추구함

(2) 자주적인 민족 국가
└ 배타적인 폐쇄적 민족주의가 아니라 열린 민족주의를 지향해야 한다.

① 외세 의존적이 아니라 우리의 힘으로 통일 국가를 이룩함

② 정치·군사·경제·문화적 측면에서 자주성을 실현함

(3) 정의로운 복지 국가

① 사회 구성원들의 삶의 질을 향상시킴

② 불공정한 부의 분배, 집단·계층 간의 사회적 갈등을 해소함

(4) 자유로운 민주 국가
└ 정치에서 이해관계에 따라 따로따로 모인 무리

① 특정 계급이나 정파가 아닌 국민의 의사에 따라 국가의 정책을 결정하고, 국민을 위한 정치를 추구함

② 인간 존엄성을 최고로 여기며, 자유와 평등, 인권 등 기본적 권리를 보장함

01 다음 설명이 맞으면 ○표, 틀리면 ×표를 하시오.

(1) 통일 편익은 통일 이후 일시적으로 발생하는 경제적 편익을 말한다. ( )

(2) 분단 비용에는 군사비, 전쟁 가능성에 대한 공포, 이산가족의 고통 등이 포함된다. ( )

(3) 북한의 정치범 수용소에서 이루어지는 강제 노동, 구금 등을 해결하기 위해 통일 한국은 인권의 가치를 지향해야 한다. ( )

02 (㉠)은/는 분단으로 인해 남북한이 부담하는 유·무형의 지출 비용을 말한다. 반면, (㉡)은/는 통일 과정과 통일 이후 남북한 간의 격차를 해소하고 이질적인 요소를 통합하는 데 부담해야 할 정치·경제·사회·문화의 비용을 말한다.

03 대북 지원은 북한 주민의 생존권을 보장하는 (㉠) 측면, 동포애를 전함으로써 민족 공동체 회복에 기여하는 (㉡) 측면, 분단 상태를 평화적으로 유지하면서 남북 관계를 개선하려는 (㉢) 측면을 지닌다.

04 통일 한국이 지향해야 할 가치를 〈보기〉에서 골라 기호를 쓰시오.

보기
ㄱ. 평화   ㄴ. 자유   ㄷ. 배척
ㄹ. 정의   ㅁ. 방임   ㅂ. 인권

05 ㉠~㉢에 들어갈 내용을 각각 쓰시오.

통일 한국의 미래상	내용
(㉠)	사회 발전과 국가 경쟁력의 원동력인 문화 자원 발굴·육성 노력
(㉡)	정치·군사·경제·문화적 측면의 자주성 실현 노력
(㉢)	국민의 의사에 따른 정책 결정 노력
(㉣)	불공정한 부의 분배나 사회적 갈등의 해소 노력

A 통일 문제를 둘러싼 쟁점

출제가능성 90%

01 다음 대화의 (가)에 들어갈 적절한 논거를 〈보기〉에서 고른 것은?

갑: 통일을 하려면 남북한 간의 격차를 줄이기 위해 들어가는 비용이 너무 많아. 그래서 통일을 하지 않았으면 좋겠어.
을: 아니야. 통일은 꼭 해야 해. 왜냐하면, (가) 때문이야.

보기
ㄱ. 막대한 통일 비용 때문에 조세 부담이 늘어나기
ㄴ. 전쟁의 공포를 해소하여 평화를 실현할 수 있기
ㄷ. 통합 과정에서 정치·군사적 혼란이 발생할 수 있기
ㄹ. 민족 동질성을 회복하고 민족 공동체를 실현할 수 있기

① ㄱ, ㄴ   ② ㄱ, ㄷ   ③ ㄴ, ㄷ
④ ㄴ, ㄹ   ⑤ ㄷ, ㄹ

출제가능성 90%

02 ㉠, ㉡에 대한 설명으로 가장 적절한 것은?

㉠ (이)란 통일 과정과 통일 이후 남북한 간 격차를 해소하고 이질적인 요소를 통합하는 데 필요한 비용을 말한다. 반면 ㉡ (이)란 분단으로 인해 남북한이 부담하는 유·무형의 모든 비용을 말한다. 통일을 찬성하는 논거 중의 하나는 통일이 이러한 ㉡ 을/를 해소해 준다는 것이다.

① ㉠은 분단 비용이다.
② ㉠은 통일 과정과 통일 이후에 한시적으로 발생한다.
③ ㉡은 통일 편익이다.
④ ㉡은 통일 한국의 번영을 위한 투자적인 성격의 비용이다.
⑤ ㉠, ㉡은 분단이 계속되는 한 지속적으로 발생하는 비용이다.

03 북한의 인권 문제에 대한 접근 방식이 <u>다른</u> 하나는?

① 인권 문제는 개별 국가의 책임이다.
② 북한 스스로 인권 문제를 해결할 수 있게 해야 한다.
③ 주권 국가는 다른 나라로부터 간섭받지 않을 권리가 있다.
④ 북한 인권 문제에 다른 나라가 개입하는 것은 내정 간섭이다.
⑤ 국제 사회가 인도적 차원에서 북한 인권 문제에 개입해야 한다.

04 갑, 을의 입장에 대한 설명으로 옳은 것은?

> 갑: 대북 지원이 남북 관계의 평화를 유지해 준다고 주장하지만, 북한은 끊임없는 도발 행위로 남북한의 긴장 관계를 만들고 있어. 북한의 변화 없이 남한의 일방적인 대북 지원은 곤란해.
> 을: 북한 지도부의 잘못에 대한 우리 정부의 대응은 대북 지원과는 별개로 이루어져야 해. 대북 지원은 북한 주민들의 식량 사정과 영양 상태를 개선하는 데 도움을 주고 있어.

① 갑은 상호주의 원칙에 따른 대북 지원을 주장하고 있다.
② 갑은 정치·군사 상황과는 무관한 대북 지원의 필요성을 강조한다.
③ 을은 북한에 일정한 변화를 요구하고 있다.
④ 을은 대북 지원에 대한 부정적 입장을 갖고 있다.
⑤ 갑, 을은 대북 지원에 대한 인도주의 관점을 갖고 있다.

B 통일이 지향해야 할 가치

05 남북한 사회 통합을 위한 고려 사항으로 적절하지 <u>않은</u> 것은?

① 사회·문화적 동질성의 회복을 모색한다.
② '우리'라는 공동체 의식에 대한 탐색이 필요하다.
③ 열린 마음으로 소통하고 북한을 올바르게 인식한다.
④ 친밀감을 가질 수 있는 비정치적 교류부터 시작한다.
⑤ 통일 이후의 내부적 저항을 최소화하기 위해 교류를 일시적으로만 시행한다.

출제가능성 90%
06 다음 사례를 통해 알 수 있는 남북 화해와 평화 실현을 위한 개인적 차원의 노력으로 가장 적절한 것은?

> 독일에서는 통일이 이루어지던 순간에는 '우리는 하나의 독일'이라는 동류의식이 지배적이었다. 그러나 통합이 진척되면서 동·서독 주민 간에 편견과 차별 의식, 그리고 갈등이 나타났다. 서독인이 동독인을 비하하는 '게으른 동쪽 것(ossi)', 그리고 동독인이 서독인을 비하하는 '거만한 서쪽 것(wessi)'이라는 용어는 동·서독 주민 간 편견과 갈등을 보여주는 대표적 사례이다. 동독 출신 주민들은 새로운 가치와 생활 양식을 접하며 정신적 혼란을 경험하였고, 오히려 과거를 그리워하는 오스탈기(Ostalgi) 현상도 나타났다. 서독 출신 주민들은 조세 부담이 증가하고 물가가 상승함에 따라 많은 불만이 생겨났다.

① 국제 사회와 협력을 강화한다.
② 동북아시아와 세계 평화에 기여한다.
③ 열린 마음으로 소통하고 배려를 실천한다.
④ 안보 기반을 구축하여 튼튼한 국방력을 갖춘다.
⑤ 통일의 방법에 대해 국민적 이해와 합의를 도출한다.

07 통일 한국을 이룩하기 위한 방안으로 적절하지 <u>않은</u> 것은?

① 평화적인 방법을 통해 점진적으로 이루어 나간다.
② 주변국들의 통일에 대한 동의와 협력을 강화한다.
③ 민족 공동체 의식을 기반으로 지속적으로 협력한다.
④ 통일에 이르는 과정을 민주적 절차에 따라 추진한다.
⑤ 통일은 국제적 문제가 아닌 우리 민족만의 문제로 인식한다.

출제가능성 90%
08 (가), (나)와 관계 깊은 통일 한국의 미래상을 옳게 연결한 것은?

> (가) 통일 한국은 불공정한 부의 분배나 집단과 계층 간의 사회적 갈등을 해소하기 위해 노력해야 한다.
> (나) 남북한은 통일의 과정에서 비민주적인 사회 구조나 제도를 개선하려는 노력이 필요하다.

	(가)	(나)
①	자주적인 민족 국가	자유로운 민주 국가
②	자주적인 민족 국가	정의로운 복지 국가
③	정의로운 복지 국가	자주적인 민족 국가
④	정의로운 복지 국가	자유로운 민주 국가
⑤	자유로운 민주 국가	수준 높은 문화 국가

01 다음은 통일 관련 개념에 대한 학생의 노트 필기 내용이다. ㉠~㉤ 중 옳지 <u>않은</u> 것은?

---

(1) 통일 비용
 • 의미: 남북통일에 소요되는 비용
 • 유형: 제도 통합 비용, 위기관리 비용, 경제적 투자 비용
 • 특징: 통일 과정과 통일 이후에 한시적으로 발생하는 투자적 성격의 비용 ········· ㉠
(2) 분단 비용
 • 의미: 분단으로 인해 남북한이 부담하는 유·무형의 지출 비용 ········· ㉡
 • 유형: 경제적 비용, 경제 외적 비용
 • 특징: 분단이 계속되는 한 지속적으로 발생하는 생산적 성격의 비용 ········· ㉢
(3) 통일 편익
 • 의미: 통일로 얻을 수 있는 이익과 혜택 ········· ㉣
 • 특징: 통일 시점에 따라 산출 결과가 달라지고, 계량하기 어려운 항목이 많아 이를 산출하기가 어려움 ········· ㉤

---

① ㉠ ② ㉡ ③ ㉢ ④ ㉣ ⑤ ㉤

03 다음 내용을 통해 도출할 수 있는 남북 간의 화해를 위한 적절한 노력을 〈보기〉에서 고른 것은?

우리는 가족 구성원끼리 서로 닮았다고 생각한다. 그러나 아버지, 어머니, 아들, 딸의 생김새가 모두 똑같지는 않다. 아버지와 아들은 눈이 닮았지만, 귀가 다르고, 어머니와 딸은 코가 닮았지만, 입이 다를 수 있다. 그들은 똑같이 닮지는 않았지만 우리는 그들이 가족임을 알 수 있다. 그것은 각각의 부분적 닮음들이 중첩하여 전체적으로 닮음의 형성을 이루기 때문이다. 여기서 닮음은 동질성이 아니다. 그것은 차이가 있는 닮음이다.

보기

ㄱ. 남북 간 국익을 위해 상호 경쟁적 관계로 바라본다.
ㄴ. 민족 동질성 형성을 위해 서로의 이질성을 제거한다.
ㄷ. 남북한은 언어, 문화 등 닮음의 끈이 있다는 것을 인식한다.
ㄹ. 남북의 차이를 서로 인정하고 공존하기 위한 자세를 가진다.

① ㄱ, ㄴ ② ㄱ, ㄷ ③ ㄴ, ㄷ
④ ㄴ, ㄹ ⑤ ㄷ, ㄹ

02 다음 사례와 같은 문제점을 최소화하기 위해 통일 한국이 지향해야 할 적절한 태도를 〈보기〉에서 고른 것은?

갑작스럽게 통일이 이루어진 이후, 동·서독 주민들은 통일 이전의 상이한 체제에서 비롯된 사고방식과 정서의 차이로 심각한 갈등을 겪었다. 서독인은 동독인을 가난하고 게으르다는 의미인 '오씨(ossi)'로, 동독인은 서독인을 거만하고 잘났다는 의미인 '베씨(wessi)'로 부르는 현상이 나타났다.

보기

ㄱ. 남북한 간의 편견을 점진적으로 해소하려는 태도
ㄴ. 분단으로 발생한 차이를 수용하고 공존하려는 태도
ㄷ. 문화적 이질성을 배척하고 긴장 상태를 유지하려는 태도
ㄹ. 민족의 번영을 위해 배타적 민족주의를 지향하려는 태도

① ㄱ, ㄴ ② ㄱ, ㄷ ③ ㄴ, ㄷ
④ ㄴ, ㄹ ⑤ ㄷ, ㄹ

◎ 서술형 문제

04 다음 글을 읽고 물음에 답하시오.

㉠ 통일 비용이란 통일 과정과 통일 이후 남북한 간 격차를 해소하고 이질적인 요소를 통합하는 데 필요한 비용을 말한다. ㉡ 분단 비용이란 분단으로 인해 남북한이 부담하는 유·무형의 모든 비용을 말한다. ㉢ 은/는 통일에 따른 보상과 혜택으로 통일 이후 지속적으로 발생한다.

---

(1) ㉢에 들어갈 내용을 쓰시오.

(2) ㉠, ㉡의 성격을 비교하여 서술하시오.

03 지구촌 평화의 윤리

★ 표시는 시험 전에 확인해 주세요.

A 국제 분쟁의 해결과 평화

1. 지구촌 시대의 국제 분쟁

(1) 국제 분쟁의 원인: 문화와 종교의 차이로 생기는 갈등, 영역·자원을 둘러싼 갈등, 인종·민족 간의 갈등

(2) 국제 분쟁의 윤리적 문제: 지구촌의 평화를 위협하고, 인간의 존엄성과 정의를 훼손함 ┗예 무차별적인 테러 증가

★ 2. 국제 분쟁 해결의 다양한 입장

(1) 국제 관계를 바라보는 관점 ┏다양한 주체의 협력 관계를 설명하지 못한다는 한계가 있다.

현실주의	• 국가의 이익이 도덕성과 충돌할 때 도덕성보다 국가의 이익을 우선시함 ┗국익을 지키는 것이 국가의 의무라고 본다. • 국가 간의 갈등 해결은 세력 균형을 통해 가능하다고 봄 • 모겐소: "국제 정치는 국가 이익의 관점에서 정의된 권력을 위한 투쟁이다." ┗특정한 집단이 다른 집단을 압도할 만큼 강대해지지 않도록 견제하여 균형을 유지하는 것
이상주의	• 국가는 분쟁 관계에서 도덕성을 고려해야 하며, 국가의 이익보다 보편적 가치를 우선하여 달성해야 함 • 국제기구, 국제법, 국제 규범 등 제도의 개선으로 집단 안보가 형성되면 국제 분쟁을 해결할 수 있다고 봄 • 칸트: "국제 분쟁은 국가 간 도덕성을 확보해야 해결된다."
구성주의	• 국가는 상대국과 상호 작용을 통해 정체성을 형성하고 관계를 정립함 ┗현실과 낙관적 전망 사이에 괴리가 있다는 한계가 있다. • 자국과 상대국의 긍정적인 상호 작용을 통해 분쟁을 해결할 수 있다고 봄 • 웬트: "국제 관계는 국가 간 상호 작용을 통해서 구성된다."

(2) 헌팅턴의 문명의 충돌: 문명 간의 충돌이 국제 분쟁의 주된 원인이라고 보고, 문명의 조화에 근거한 국제 질서를 구축하여 갈등을 극복할 수 있다고 봄

★ 3. 국제 평화의 중요성

〈칸트의 국가 간 영구 평화 조항〉
• 모든 국가의 시민적 정치 체제는 공화 정체이어야 한다.
• 국제법은 자유로운 국가들의 연맹 조직을 토대로 한다.
• 세계 시민법은 보편적인 우호를 위한 제반 조건에 국한되어야 한다.

(1) 평화의 의미

칸트의 영구 평화	• 평화에 이르기 위해서는 전쟁을 없애야 함 • 직접적인 폭력과 전쟁에서 벗어날 수 있도록 각국이 국제법의 적용을 받는 평화 연맹을 구성할 것을 요구함 • 국제 평화 유지를 목적으로 하는 국제기구들이 창설되는 데 큰 영향을 줌
갈퉁의 적극적 평화	• 소극적 평화: 직접적 폭력과 전쟁, 테러, 범죄 등으로부터 해방된 상태 • 적극적 평화: 직접적 폭력뿐만 아니라 사회의 구조적·문화적 폭력까지 제거되어 인간답게 살아갈 수 있는 삶의 조건이 갖추어진 상태

(2) 국제 분쟁 해결을 위한 노력 ┏갈퉁은 칸트의 영구 평화 방법은 소극적 평화를 달성하는 데 의미가 있지만, 소극적 평화만으로는 진정한 평화를 이루기 어렵다고 주장하였다.

개인적 차원	• 상호 존중과 관용의 자세 • 묵자의 겸애(兼愛) 사상 → "자국을 사랑하듯이 타국을 사랑하라."
국제적 차원	• 반인도적 범죄에 대한 처벌을 강화함 • 국제 사법 재판소, 국제 해양법 재판소 등을 통한 화해와 중재 실천, 국제 연합 평화 유지군 활동 등

┗국가 간 해양 관련 분쟁을 도맡아 국제 해양법 협약을 통해 분쟁을 중재하는 기관

B 국제 사회에 대한 책임과 기여

1. 세계화를 둘러싼 윤리적 쟁점

(1) 세계화의 영향 ┏국제 사회에서 상호 의존성이 증가하면서 세계가 단일한 사회 체계로 나아가는 현상

긍정적 측면	• 국제 사회의 상호 의존성이 더욱 심화되어 창의성과 효율성 확대를 통해 공동의 번영을 이룰 수 있게 됨 • 다양한 문화 교류를 통해 전 지구적 차원에서 문화 간 공존을 기대할 수 있게 됨
부정적 측면	• 상업화·획일화된 선진국 중심의 문화가 전 세계로 확대됨 • 강대국이 시장, 자본을 독점하여 국가 간 빈부 격차가 발생함

(2) 세계화 시대에 지녀야 할 태도: 세계 시민으로서 지구촌 문제를 함께 해결해 나가려는 인식과 노력이 필요함

2. 국제 정의

┏국제법을 통한 국가 간 분쟁 해결을 목적으로 설립된 국제 사법 기관

형사적 정의	• 의미: 범죄에 대한 정당한 처벌을 통해 실현되는 정의 • 문제: 전쟁, 테러, 학살, 납치 등 반인도주의적 범죄 • 해결 노력: 국제 형사 재판소, 국제 사법 재판소 등을 두어 반인도적 범죄 행위에 대해 처벌함
분배적 정의	• 의미: 가치나 재화의 공정한 분배를 통해 실현되는 정의 • 문제: 국가 간 빈부 격차, 절대 빈곤 • 해결 노력: 공적 개발 원조를 통해 절대 빈곤을 개선함

★ 3. 해외 원조의 윤리적 근거

의무의 관점	싱어	• 해외 원조는 공리주의 입장에서 인류 전체의 고통을 감소하는 것 → 고통받는 사람을 돕는 것은 윤리적 의무임 • 세계 시민주의 관점에서 원조의 대상을 지구촌 전체로 확대해야 함
	롤스	• 해외 원조의 목적은 고통받는 사회를 '질서 정연한 사회'가 되도록 돕는 것 → 빈곤국의 자생력을 키워 주는 것이 원조의 목적임 • 차등의 원칙을 국제 사회에 적용하는 것을 반대하고, 해외 원조를 경제적 분배의 과정으로 보지 않음 • 가난한 나라일지라도 질서 정연하다면 원조할 필요가 없음
자선의 관점	노직	• 해외 원조를 선의를 베푸는 자선으로 봄 • 정당한 과정을 거쳐 취득한 재산은 배타적 소유권을 지님 → 해외 원조에 어떤 책임이나 의무는 존재하지 않음

┗독재, 착취와 같은 불합리한 사회 구조나 제도가 개선되어 정치적 전통, 법, 규범 등의 문화가 적정한 수준에 이른 사회

4. 평화로운 지구촌 실현을 위한 방안

(1) 개인적 측면: 후원과 기부에 관심을 갖고 적극적 나눔을 실천함, 원조를 받는 나라들의 자존감과 존엄성을 배려하는 태도를 갖춤 ┏선진국 정부 또는 공공 기관이 개발 도상국에 자금을 지원하거나 기술 원조를 하는 것

(2) 국가적·국제적 측면: 공적 개발 원조(ODA) 등과 같은 제도를 더욱 확충함, 각 국가는 자신의 경제적 수준에 부합하는 해외 원조를 윤리적 차원에서 자발적으로 실천함

1단계 개념 짚어 보기

2단계 내신 다지기

01 다음 설명이 맞으면 ○표, 틀리면 ×표를 하시오.

(1) 이상주의 입장에서는 국제 분쟁의 해결을 위해 국제 기구, 국제법 등의 제도 개선이 필요하다고 본다.
( )

(2) 현실주의 입장에서는 국제 분쟁의 해결을 위해 국가 의 도덕성을 키우고, 이를 통해 세력 균형을 유지해 야 한다고 본다. ( )

(3) 헌팅턴은 문명 간의 충돌이 국제 분쟁의 주된 원인이 라고 보고, 문명의 조화에 근거한 국제 질서를 구축 하여 갈등을 극복할 수 있다고 보았다. ( )

02 (㉠   ) 평화는 직접적인 폭력과 전쟁, 테러, 범죄 등 으로부터 해방된 상태를 의미한다. 반면, 적극적 평화는 직접 적인 폭력뿐만 아니라 빈곤, 정치적 억압, 종교적 차별과 같은 사회의 (㉡   ), (㉢   ) 폭력까지 제거되어 인간 답게 살 수 있는 삶의 조건이 갖추어진 상태를 가리킨다.

03 국제 정의와 그 실현 방법을 옳게 연결하시오.

(1) 형사적 정의 •   • ㉠ 재화의 공정한 분배
(2) 분배적 정의 •   • ㉡ 범죄에 대한 정당한 처벌

04 의무론의 관점에서는 해외 원조를 어려운 처지의 국가를 돕는 행위가 사람을 (㉠   )(으)로 대우하는 것이며, 마 땅히 해야 하는 윤리적 의무라고 본다. 반면, 노직은 해외 원 조를 의무가 아닌 선의를 베푸는 (㉡   )(으)로 본다.

05 ㉠~㉣에 들어갈 내용을 각각 쓰시오.

사상가	주장
(㉠)	• 공리주의 입장에서 인류의 (㉡)을/를 감소시키는 것 • 꼭 필요하지 않은 지출을 기부하는 방식으로 소득 의 일정 부분을 적극적으로 기부할 것을 제안함
롤스	• 빈곤국이 (㉢)이/가 되도록 돕는 것 • 해외 원조를 경제적 (㉣)의 과정으로 보아서는 안 되기 때문에 차등의 원칙을 국제 사 회에 적용하는 것에 반대함

A 국제 분쟁의 해결과 평화

01 다음 사례에 나타난 분쟁의 성격과 관련 있는 내용을 〈보기〉 에서 고른 것은?

> 북극권은 영토·영해가 확정되지 않은 땅이지만 정치 적·군사적으로 중요한 곳인 만큼 강대국들 간에 각축이 벌어진다. 미국 지리학회에 따르면, 북극해에는 지구상 에서 개발되지 않은 원유의 약 25%(900억 배럴), 천연 가스의 30%(47조㎥), 액화 천연가스의 20%(440억 배 럴)가 묻혀 있다. 미국, 러시아, 캐나다, 노르웨이, 덴마 크 등 북극해 연안국의 치열한 영유권 분쟁은 북극해 아 래에 매장되어 있는 엄청난 규모의 유전과 천연가스 때 문이다.

보기
ㄱ. 타 인종에 대한 배타적인 감정 문제
ㄴ. 국가 경쟁력의 토대인 자원의 획득 문제
ㄷ. 국민 생활의 터전인 국가의 영토 선점 문제
ㄹ. 공동체의 구심점인 문화적 차이에 따른 문제

① ㄱ, ㄴ   ② ㄱ, ㄷ   ③ ㄴ, ㄷ
④ ㄴ, ㄹ   ⑤ ㄷ, ㄹ

출제가능성 90%
02 국제 관계를 바라보는 관점 (가)~(다)에 대한 설명으로 옳은 가장 적절한 것은?

> (가) 국제 분쟁은 국가 간 도덕성을 확보해야 해결된다.
> (나) 국제 관계는 국가 간 상호 작용을 통해서 구성된다.
> (다) 국제 정치는 국가 이익의 관점에서 정의된 권력을 위 한 투쟁이다.

① (가)는 국제 관계에 대한 구성주의 입장이다.
② (나)는 국가 간의 세력 균형을 중시한다.
③ (다)는 국가 간의 이성적 대화와 협력을 강조한다.
④ (나)는 (다)에 비해 긍정적 상호 작용을 통한 분쟁 해결 을 더 중시한다.
⑤ (다)는 (가)에 비해 국가의 이익보다 보편적 가치를 더 중시한다.

03 다음 조항을 제시한 서양 사상가의 견해로 가장 적절한 것은?

> 제1항 모든 국가의 시민적 정치 체제는 공화 정체이어야 한다.
> 제2항 국제법은 자유로운 여러 국가의 연맹 조직을 토대로 해야 한다.
> 제3항 세계 시민법은 보편적인 우호를 위한 제반 조건에 국한되어야 한다.

① 국제 관계를 변화시켜 국익을 최대화해야 한다.
② 평화를 실현하기 위해 환대권을 방지해야 한다.
③ 국제법의 적용을 받는 평화 연맹을 구성해야 한다.
④ 국가 간의 도덕성보다 국가 안보의 가치를 중시해야 한다.
⑤ 국가 간의 세력 균형을 위해 분쟁이 필요함을 인식해야 한다.

04 평화학자인 갈퉁이 주장하는 진정한 평화의 의미로 가장 적절한 것은?

① 신체적 폭력이 제거된 상태
② 언어적 폭력이 사라진 상태
③ 테러와 범죄로부터 자유롭게 된 상태
④ 직접적 폭력과 전쟁에서 벗어난 상태
⑤ 직접적 폭력과 구조적·문화적 폭력이 제거된 상태

B 국제 사회에 대한 책임과 기여

05 세계화의 특징으로 적절하지 <u>않은</u> 것은?

① 국제 사회의 상호 의존성이 예전에 비해 크게 낮아졌다.
② 각국이 긴밀한 관계를 맺고 공동의 번영을 추구할 수 있다.
③ 강대국 중심의 자본 독점은 국가 간의 빈부 격차를 가져왔다.
④ 상업화·획일화된 선진국 중심의 문화가 전 세계로 확대되었다.
⑤ 다양한 문화의 교류를 통해 전 지구적 차원에서 문화 간 공존을 기대할 수 있다.

06 다음 사상가의 해외 원조에 대한 견해로 가장 적절한 것은?

> 이익 평등의 고려 원칙에서 보면, 고통을 덜어 주어야 할 궁극적이고 도덕적인 이유는 고통이 그 자체로 바람직하지 않기 때문이다. 인종은 이익을 고려하는 데 아무런 상관이 없다. 왜냐하면 중요한 것은 이익 자체이기 때문이다. 어떤 고통에 관하여 그것이 특별한 인종이 겪는 고통이라는 이유로 고려를 덜 한다면 이는 자의적인 차별이 될 것이다.

① 해외 원조의 목적은 빈곤국의 자생력 향상이다.
② 해외 원조는 개인의 자율에 따른 자선 행위이다.
③ 해외 원조의 목적은 절대적 평등에 이르는 것이다.
④ 굶주린 사람에게 자신의 꼭 필요하지 않은 지출을 기부해야 한다.
⑤ 해외 원조의 목적은 불리한 여건의 사회 제도나 구조를 개선하는 데 있다.

07 사상가 갑, 을에 대한 설명으로 옳은 것은?

> 갑: 해외 원조는 정의롭지 않은 사회를 질서 정연한 사회로 이행할 수 있게 돕는 의무입니다.
> 을: 아닙니다. 해외 원조는 의무가 아닌 선의를 베푸는 자선의 개념으로 봐야 합니다.

① 갑은 해외 원조를 의무로 보는 노직이다.
② 갑은 질서 정연한 사회가 구현되면 원조를 중단해야 한다고 주장한다.
③ 을은 전 지구적 차원에서 적극적인 원조가 필요하다고 본다.
④ 을은 해외 원조를 경제적 분배의 과정으로 보아서는 안 된다고 주장한다.
⑤ 갑, 을은 의무의 관점에서 해외 원조를 주장하고 있다.

08 평화로운 지구촌을 실현하기 위한 방안으로 적절하지 <u>않은</u> 것은?

① 후원과 기부에 관심을 갖고 적극적 나눔을 실천한다.
② 공적 개발 원조(ODA) 등과 같은 제도를 더욱 확충한다.
③ 원조 수혜국에게 많은 도움을 주어 자립 능력을 약화시킨다.
④ 원조를 받는 나라들의 자존감과 존엄성을 배려하는 태도를 지닌다.
⑤ 경제적 수준에 부합하는 해외 원조를 윤리적 차원에서 자발적으로 실천한다.

01 국제 관계를 바라보는 관점인 (가), (나)에 대한 설명으로 옳은 것은?

> (가) 모겐소는 국가의 이익이 도덕성과 충돌할 때 도덕성보다 국가의 이익을 우선시해야 한다고 주장한다. 왜냐하면 국민의 안녕과 국익을 지키는 것이 국가의 의무라고 생각하기 때문이다.
>
> (나) 웬트에 따르면, 국가는 상대국과 상호 작용을 통해서 정체성을 형성하고 관계를 정립한다. 즉, 자국과 상대국이 적, 친구 혹은 경쟁자 중 어떤 관계인지, 어떻게 상호 작용할 것인지에 따라서 국익이 좌우된다.

① (가)는 국제 관계에 대한 이상주의 입장이다.

② (가)는 국가의 힘을 키워서 세력 균형을 유지해야 분쟁을 해결할 수 있다고 본다.

③ (나)는 국제 관계에 대한 현실주의 입장이다.

④ (나)는 국제 규범과 같은 제도의 개선으로 국제 분쟁을 해결할 수 있다고 본다.

⑤ (가), (나)는 긍정적인 상호 작용을 분쟁 해결의 방법으로 제시한다.

2018 수능 응용 ★최고난도

02 다음 사상가에 대한 옳은 설명을 〈보기〉에서 고른 것은?

> • 전쟁이 끝난 후 잠시 평화가 찾아와도 국가들은 더욱 강화된 재무장과 적대 정책을 세운다. 이런 악순환을 막기 위해 국가 간의 항구적인 평화 조약이 요구된다.
> • 환대(歡待)란 이방인이 낯선 땅에 도착했을 때 적으로 간주되지 않는 것을 말한다. 이를 통해 지구상의 각 지역이 서로 평화적으로 관계를 맺게 되고, 인류는 세계 시민적 체제에 점차 가까이 다가설 수 있게 된다.

보기

ㄱ. 국제 분쟁 관계에서 국가는 도덕성을 고려해야 한다고 주장하였다.

ㄴ. 국제 평화는 국가 간의 세력 균형으로 실현되어야 한다고 주장하였다.

ㄷ. 국제기구, 국제법 등 제도 개선으로 국제 분쟁을 해결할 수 있다고 보았다.

ㄹ. 전쟁, 테러 등이 일어나지 않는 소극적 평화만으로는 진정한 평화를 이루기 어렵다고 주장하였다.

① ㄱ, ㄴ　　② ㄱ, ㄷ　　③ ㄴ, ㄷ
④ ㄴ, ㄹ　　⑤ ㄷ, ㄹ

03 (가) 사상가의 입장에서 (나)의 밑줄 친 배우에 대해 내릴 수 있는 평가로 가장 적절한 것은?

(가)	해외 원조는 정의롭지 않은 사회를 질서 정연한 사회로 이행할 수 있게 돕는 의무이다.
(나)	매년 아프리카의 많은 아이들은 모기장만 있으면 쉽게 예방할 수 있는 말라리아로 목숨을 잃고 있다. 이를 알게 된 미국의 한 유명 배우는 10만 개의 모기장을 무료로 아프리카로 보냈다. 그런데 무료 모기장이 보급되자 아프리카의 한 모기장 업체는 도산해 버렸고, 그 기업의 직원들은 가족을 더는 부양할 수 없게 되었다. 그래서 정부는 모기장 가격의 일부를 수요자에게 부담시켰다. 그러자 가장 빈곤한 계층의 어린이들이 모기장을 이용할 수 없게 되었다.

① 선의를 베푸는 자선을 실천하고 있다.

② 배타적 소유권인 재산을 침해하고 있다.

③ 빈곤국의 자생력 증진과 향상을 간과하고 있다.

④ 인류의 고통을 함께 나누기 위한 올바른 행동이다.

⑤ 꼭 필요하지 않은 지출을 기부하는 방식을 제안하고 있다.

📝 서술형 문제

04 다음 글을 읽고 물음에 답하시오.

> ⊙ 은/는 정치적·억압적·경제적·착취적 폭력으로 구분된다. 이러한 폭력들은 분열, 붕괴와 사회적인 소외 등에 의해 조장된다. ⓒ 은/는 종교와 사상, 언어와 예술, 법과 과학, 대중 매체와 교육 전반에 영향을 미쳐서 ⊙ 와/과 직접적 폭력을 정당화하는 역할을 한다. 따라서 폭력은 주로 ⓒ (으)로부터 ⊙ 을/를 거쳐 직접적 폭력으로 번진다.

(1) ⊙, ⓒ에 해당하는 내용을 각각 쓰시오.

(2) ⊙, ⓒ을 활용하여 윗글을 주장한 서양 사상가가 제시하는 진정한 평화에 대해 서술하시오.

memo

내공 점검

내공 점검　　Ⅰ. 현대의 삶과 실천 윤리

01 다음 글에서 강조하는 윤리학의 주요 탐구 과제만을 〈보기〉에서 있는 대로 고른 것은?

> 윤리학은 성품이나 제도, 행동 등을 이론적으로 분석하여 윤리 문제를 해결할 수 있는 이론적 근거를 제시한다. 또한 도덕 판단의 기준을 명확히 설정하는 것을 목적으로 윤리 이론을 정립하는 데 초점을 두어야 한다.

> **보기**
> ㄱ. 도덕적 추론에 대한 논리적 타당성을 검증한다.
> ㄴ. 도덕적 행위를 정당화하는 규범적 근거를 제시한다.
> ㄷ. 사회의 관습이나 규범을 조사하여 객관적으로 기술한다.
> ㄹ. 이론 윤리학에서 도출한 도덕 원리를 구체적인 삶의 문제에 적용한다.

① ㄱ　　　② ㄴ　　　③ ㄱ, ㄷ
④ ㄴ, ㄹ　　⑤ ㄱ, ㄷ, ㄹ

02 갑, 을의 입장에 대한 옳은 설명을 〈보기〉에서 고른 것은?

> 사회자: '생식 보조술과 인공 임신 중절을 허용해야 하는가?'라는 문제를 어떻게 해결해야 할까요?
> 갑: 윤리학은 생식 보조술과 인공 임신 중절과 관련된 도덕적 언어의 논리적인 타당성과 의미를 구체적으로 분석해야 합니다.
> 을: 아닙니다. 윤리학은 도덕 원리를 생식 보조술과 인공 임신 중절 문제에 적용하여, 실제 구체적인 상황에서 발생하는 윤리 문제의 해결책을 찾아야 합니다.

> **보기**
> ㄱ. 갑은 도덕 현상에 대한 경험 과학적 접근을 강조한다.
> ㄴ. 을은 현실의 도덕 문제의 구체적인 해결책 모색을 중시한다.
> ㄷ. 을이 강조하는 윤리학은 다른 여러 학문의 내용을 연계하여 탐구하는 학제적 성격을 가진다.
> ㄹ. 갑, 을은 보편적 도덕 법칙의 이론적 정립을 추구하여 문제를 해결한다.

① ㄱ, ㄴ　　② ㄱ, ㄷ　　③ ㄴ, ㄷ
④ ㄴ, ㄹ　　⑤ ㄷ, ㄹ

03 다음 대화에서 (가)에 들어갈 내용으로 가장 적절한 것은?

> 갑: 현대 사회에서 발생하는 각종 분야의 윤리 문제들을 해결하기 위해 윤리학은 어떤 노력을 해야 할까?
> 을: 윤리 문제는 도덕적 언어의 논리적 타당성과 의미 분석만으로는 해결할 수 없어.
> 갑: 나도 그렇게 생각해. 도덕적 언어의 논리적 타당성과 의미 분석만으로는 실질적인 해결책을 내세울 수 없어.
> 을: 실천적인 삶의 영역에서 발생하는 새로운 윤리 문제에 대처하기 위해 윤리학은 　(가)

① 인접 학문 영역과 분리된 윤리학의 정체성을 확립해야 해.
② 도덕의 규범적 근거로서 보편적인 도덕 원리를 정립해야 해.
③ 도덕적 행위에 대한 이론적 분석과 정당화 문제를 해결해야 해.
④ 하나의 객관적 학문으로 윤리학이 성립 가능한지를 탐구해야 해.
⑤ 삶의 구체적인 문제에 도덕규범을 적용하여 해결책을 찾아야 해.

04 갑, 을, 병의 입장에 대한 설명으로 옳은 것은?

> 갑: 천지만물의 근원은 도(道)이다. 도는 무위(無爲)할 뿐만 아니라 자연(自然)이다. 인간은 이러한 도를 깨달아야 자유롭게 살아갈 수 있다.
> 을: 모든 존재는 이것이 생(生)하면 저것이 생(生)하고, 이것이 멸(滅)하면 저것이 멸(滅)한다.
> 병: 진실한 마음으로 상대를 대하며, 자신이 원하지 않는 일을 남에게 하지 말라는 '충서(忠恕)'와 같은 덕목을 통해 타인에 대한 존중과 배려를 강조한다.

① 갑은 윤리적 존재인 하늘과 일치하는 삶을 살아야 한다고 본다.
② 을은 만물의 주체성과 독립성을 강조한다.
③ 병은 개인의 도덕적 인격 완성과 도덕적 공동체의 실현을 중시한다.
④ 갑, 을은 물아일체의 경지에서 소요와 제물을 실천하는 진인을 이상적 인간으로 제시한다.
⑤ 을, 병은 모든 인간은 불성을 가지고 태어난다고 주장한다.

05 갑, 을의 입장에 대한 옳은 설명만을 〈보기〉에서 있는 대로 고른 것은?

> 갑: 이것이 있기 때문에 저것이 있고, 이것이 생기기 때문에 저것이 생긴다. 이것이 없기 때문에 저것이 없고, 이것이 사라지기 때문에 저것이 사라진다. 비유하면 세 개의 갈대가 아무것도 없는 땅 위에 서려고 할 때 서로 의지해야 설 수 있는 것과 같다.
> 을: 윤리적 의사 결정 과정에서 중요한 것은 보편화 가능성과 인간 존엄성이다. 이성적이고 자율적인 인간은 보편적인 도덕 법칙을 의식할 수 있으며, 도덕 법칙은 정언 명령의 형식으로 제시된다.

보기

ㄱ. 갑은 진리에 대한 깨달음을 통해 고통에서 벗어나 열반에 이를 수 있다고 본다.
ㄴ. 을은 도덕 법칙이 무조건 수행해야 하는 정언 명령의 형식으로 제시되어야 한다고 주장한다.
ㄷ. 을은 행위의 동기보다 결과를 중시하여, 오로지 의무 의식에서 나온 행위만이 가치를 지닌다고 본다.
ㄹ. 갑, 을은 이상 사회의 모습으로 무위의 다스림이 이루어지는 소국 과민을 실현해야 한다고 주장한다.

① ㄱ, ㄴ   ② ㄱ, ㄷ   ③ ㄴ, ㄹ
④ ㄱ, ㄴ, ㄹ   ⑤ ㄴ, ㄷ, ㄹ

06 다음 사상가의 입장만을 〈보기〉에서 있는 대로 고른 것은?

> 의견 발표를 억압하는 것은 그 의견을 지지하거나 반대하는 사람 모두에게 손해를 끼친다. 한 사람 이외의 모든 인류가 동일한 의견이고, 한 사람만이 반대 의견을 가진다 해도, 인류에게는 그 한 사람에게 침묵을 강요할 권리가 없다.

보기

ㄱ. 자유로운 토론과 의견 교환을 통해 자신의 과오를 고칠 수 있다.
ㄴ. 도덕적 토론을 통해 더욱 명확한 이해와 생생한 인상을 가질 수 있다.
ㄷ. 소수의 의견을 통해서는 이득을 얻지 못하므로 다수의 의견에만 귀 기울여야 한다.
ㄹ. 인간의 오류 가능성에도 불구하고 인류 발전의 근원은 잘못을 시정할 수 있는 능력 때문이다.

① ㄱ, ㄴ   ② ㄴ, ㄷ   ③ ㄷ, ㄹ
④ ㄱ, ㄴ, ㄹ   ⑤ ㄴ, ㄷ, ㄹ

07 다음 윤리 사상의 관점에만 모두 'ㅇ'를 표시한 학생은?

> 품성적 덕을 획득하게 되는 것은 먼저 실천함으로써 이루어진다. 우리는 정의로운 일을 행함으로써 정의로운 사람이 되고, 절제 있는 일을 행함으로써 절제 있는 사람이 되며, 용감한 일을 행함으로써 용감한 사람이 되는 것이다.

관점 \ 학생	갑	을	병	정	무
행위자의 성품에 주목한다.	∨		∨		
행위자보다 행위 그 자체에 주목한다.		∨		∨	∨
보편타당한 규칙을 따를 것을 강조한다.				∨	∨
공동체의 역사와 전통보다는 개인의 자유와 권리를 강조한다.					∨

① 갑   ② 을   ③ 병   ④ 정   ⑤ 무

📖 주관식+서술형 문제

08 밑줄 친 '이것'에 해당하는 내용을 쓰시오.

> 윤리적 삶을 살기 위해서는 자신이 가진 인간관, 가치관, 세계관 등을 전체적으로 검토하고 반성하는 과정인 '이것'이 필요하다.

09 다음 서양 윤리 사상의 한계를 두 가지 서술하시오.

> • 옳은 행위를 결정하는 기준은 유용성의 원리이다.
> • 유용성의 원리는 행위의 결과가 모든 사람의 쾌락이나 행복을 증가 또는 감소시키는 정도에 따라 어떤 행위를 승인하거나 부인하는 원리이다.

내공 점검

II. 생명과 윤리

01 갑, 을, 병 사상가들의 입장으로 옳은 것은?

> 갑: 자신이 죽는다는 사실을 자각하는 것은 단순한 삶의 종말이 아니라 삶이 시작되는 사건이다.
> 을: 죽음은 사실 우리에게 아무것도 아니다. 우리가 살아 있는 한 죽음은 우리와 함께 있지 않으며, 죽음에 이르면 우리는 존재하지 않는다.
> 병: 망막하고 혼돈한 대도(大道) 속에 섞여 있던 것이 변해 기(氣)가 되고, 기가 변해서 형체가 되고, 형체가 변해서 생명이 되었다. 그리고 그것이 변해서 죽음이 된 것이다.

① 갑: 죽음은 또 다른 세계로 윤회하는 것이다.
② 갑: 죽음은 육체의 감옥으로부터 해방되는 것이다.
③ 을: 죽음에 대해 의식하거나 두려워할 필요가 있다.
④ 병: 삶과 죽음은 완전히 분리된 독립적인 과정이다.
⑤ 병: 죽음은 기가 흩어지는 것이므로 슬퍼할 필요가 없다.

02 그림은 수업 장면이다. ㉠에 들어갈 적절한 진술을 〈보기〉에서 고른 것은?

> 안락사에 대해 여러분은 어떻게 생각하십니까?
> 저는 안락사를 찬성합니다.
> 갑 을
> 저는 안락사를 반대합니다. 왜냐하면 _____ ㉠ _____ 입니다.

보기
ㄱ. 고통받고 있는 환자의 자율성과 삶의 질을 중시해야 하기 때문
ㄴ. 연명 치료는 환자 본인과 가족에게 심리적·경제적 부담을 주기 때문
ㄷ. 죽음을 인위적으로 앞당기는 행위는 자연의 질서에 부합하지 않기 때문
ㄹ. 인간의 생명은 존엄하며, 인간은 자신의 죽음을 인위적으로 선택할 권리가 없기 때문

① ㄱ, ㄴ ② ㄱ, ㄷ ③ ㄴ, ㄷ
④ ㄴ, ㄹ ⑤ ㄷ, ㄹ

03 다음은 서술형 평가와 학생 답안이다. 학생 답안의 ㉠~㉤ 중 옳지 않은 것은?

> **서술형 평가**
>
> ◎ 문제: 생식 세포 유전자 치료에 대한 찬반 논거를 서술하시오.
> ◎ 학생 답안
> • 찬성 논거: ㉠ 병의 유전을 막아 다음 세대의 병을 예방할 수 있고, 유전병을 퇴치하는 등 의학적으로 유용하다. ㉡ 유전 질환을 물려주지 않으려는 부모의 자율적 선택을 존중하고, ㉢ 새로운 치료법 개발을 통해 경제적 효용 가치를 산출할 수 있다. 뿐만 아니라 ㉣ 인간의 유전자를 조작하여 인간의 성향을 개선하려는 우생학을 발전시켜 인간 존엄성을 지킬 수 있다.
> • 반대 논거: 미래 세대의 동의 여부가 불확실하고, 의학적으로 불확실하며 임상적으로 위험하다. ㉤ 고가의 치료비로 그 혜택이 일부 사람에게 치중되어 분배 정의에 어긋날 수 있다.

① ㉠ ② ㉡ ③ ㉢ ④ ㉣ ⑤ ㉤

04 다음 사례를 통해 알 수 있는 내용을 〈보기〉에서 고른 것은?

> 1950년대에 동물 실험을 거쳐 시판된 탈리도마이드는 임신부의 메스꺼움을 치료하기 위해 개발된 약이다. 1962년 판매가 중단되기 전까지 이 약을 먹은 산모들에게서 1만여 명의 신생아들이 불구로 태어났다. 이에 과학자들은 다른 동물을 대상으로 실험했는데, 화이트 뉴질랜드 토끼는 인간에게 투여된 분량의 25~300배를, 원숭이는 10배를 투여한 후에 기형 새끼를 낳았다.
> – 그릭, 「탐욕과 오만의 동물 실험」

보기
ㄱ. 동물 실험은 항상 인간에게 유용한 결과를 제공해 주고 있다.
ㄴ. 신약 개발을 위해 동물 실험을 확대할 필요성이 증가하고 있다.
ㄷ. 동물 실험 결과를 그대로 인간에게 적용하는 데는 한계가 있다.
ㄹ. 인간과 동물은 생물학적으로 긴밀한 유사성을 가지지 않는다.

① ㄱ, ㄴ ② ㄱ, ㄷ ③ ㄴ, ㄷ
④ ㄴ, ㄹ ⑤ ㄷ, ㄹ

05 밑줄 친 '이것'에 대한 설명으로 옳지 <u>않은</u> 것은?

> '이것'은/는 경제적 이익을 얻고자 성 자체를 상품처럼 사고파는 것을 말한다. 여기에는 성을 직접 사고파는 것뿐만 아니라, 성적 이미지를 제품과 연계하여 성을 간접적으로 사고파는 것도 해당된다. 예를 들어 영화, 광고, 사진, 공연 등에서 성적 이미지를 과도하게 표현하여 영리를 추구하는 사례도 포함된다.

① 외모 지상주의를 조장할 우려가 있다.
② 이윤 극대화라는 자본주의 속성과는 무관하다.
③ 성의 진정한 의미와 가치를 파괴할 위험성이 있다.
④ 궁극적으로 인간의 존엄성을 훼손할 가능성이 있다.
⑤ 성의 자기 결정권을 존중한다는 측면에서 찬성하는 입장이 있다.

06 ㈎의 관점에서 ㈏의 전통 의례를 통해 맺은 인간관계에 대해 제시할 조언으로 가장 적절한 것은?

> ㈎ 하나의 사물이라도 상대에 따라 음(陰)이 되고 양(陽)이 된다. 따라서 음은 양을 품고 있고, 양은 음을 품고 있다. 음과 양은 상반되지만 서로 의존하고 통합하여 하나의 완전함을 이룬다.
> ㈏ 하나의 박을 쪼개 술을 나누어 마신 후 다시 하나로 만든다. 그리고 인연을 맺으면 죽을 때까지 지조와 절개를 지키겠다는 의미에서 기러기를 놓고 북쪽을 향해 절을 함으로써 북두칠성에 백년해로(百年偕老)를 맹세한다.

① 각자 독립적인 영역을 구축하는 데 힘써야 합니다.
② 권위주의적인 위계질서에 따라 역할을 분담해야 합니다.
③ 이해타산적 합리성을 바탕으로 평등 의식을 지녀야 합니다.
④ 서로 부족한 점을 보완하여 조화를 이루도록 노력해야 합니다.
⑤ 생물학적 차이를 고려하여 고정된 성 역할을 수행해야 합니다.

주관식+서술형 문제

07 다음은 자살에 대한 동서양 사상의 관점을 정리한 표이다. ㉠과 ㉡에 들어갈 내용을 각각 쓰시오.

유교	㉠ 이/가 효의 시작임
불교	'불살생'의 계율에 따라 자기 생명을 해치는 것을 금함
그리스도교	신으로부터 받은 생명을 스스로 끊어서는 안 됨
아퀴나스	자살은 자기 보존을 거스르는 부당한 행위임
칸트	자살은 ㉡
쇼펜하우어	자살은 문제를 해결하는 것이 아닌 회피임

08 사상가 갑, 을의 관점에서 동물을 함부로 다루지 말아야 하는 이유를 밑줄 친 부분을 근거로 서술하시오.

> 갑: 사물의 질서는 불완전한 것이 완전한 것을 위해 존재하는 방식으로 이루어져 있다. 식물은 모두 동물을 위해 존재하고, 동물은 모두 인간을 위해 존재한다. <u>인간이 동물에게 동정 어린 감정을 나타낸다면, 그는 그만큼 더 동료 인간들에게 관심을 가질 것이다.</u> - 『신학대전』
> 을: 인간은 동물과 관련해서 직접적 의무를 지지 않는다. 동물은 자의식적이지 못하므로 어떤 목적을 위한 수단일 뿐이다. 그 목적이란 인간이다. 동물에 대한 우리의 의무는 인간에 대한 간접적 의무에 불과하다. <u>우리가 동물에 대해 의무를 갖는 이유는 그렇게 함으로써 사람에 대한 의무를 계발할 수 있기 때문이다.</u> - 『윤리학 강의록』

09 다음 자료를 바탕으로 바람직한 부부간의 윤리를 <u>두 가지</u> 서술하시오.

> • 도덕성 발달에 관한 길리건의 연구에 따르면, 남성과 여성의 도덕성 발달은 서로 다른 특징을 보이며, 여성이 남성에 비해 열등하거나 덜 성숙한 존재가 아니다.
> • 전통 사회에서 강조한 부부간의 윤리로 부부상경(夫婦相敬)이 있는데, 이는 '음양론'에 바탕을 두고 있다.

내공 점검   Ⅲ. 사회와 윤리

01 다음 사상가의 입장으로 옳지 않은 것은?

> 각자가 타고난 성향과 기질에 따라 통치자, 방위자, 생산자 등 적합한 일에 배치되어야 한다. 각자 자신이 맡은 일에서 탁월함을 발휘하여 조화를 이룰 때 그 사회는 정의롭게 된다.

① 덕(德)의 실현을 위해 자유로운 직업 이동이 필수적이다.
② 사회적 역할 분담이 잘 지켜질 때 정의가 실현될 수 있다.
③ 정신노동은 육체노동에 비해 더 우월한 것으로 볼 수 있다.
④ 다른 계층의 직업 생활에 불필요한 간섭을 해서는 안 된다.
⑤ 세 계층은 각각 자신에게 맞는 올바른 덕(德)을 추구해야 한다.

02 다음 사상가의 입장으로 가장 적절한 것은?

> 우리는 신이 우리 모두에게 우리의 삶의 모든 행위를 할 때 그의 부르심에 주목할 것을 명령하고 계시다는 점을 기억해야 한다. 신은 여러 가지 삶의 계층과 삶의 양식들을 구분함으로써 각 사람이 해야 할 일의 순서를 정해 두셨다. 신은 그 같은 삶의 양식들을 소명(召命)이라 명하셨다. 그러므로 각 사람은 자기 자신의 위치를 신께서 정해 주신 초소라고 생각해야 한다.

① 직업의 궁극적인 목적은 부의 축적이다.
② 직업은 생계유지 그 이상의 의미를 지닐 수 없다.
③ 직업 생활에서 사회적 역할 분담은 적절하지 않다.
④ 직업은 신과 이웃에 대한 사랑을 실천한다는 의미를 지닌다.
⑤ 참된 행복을 위해 직업 생활에서 벗어난 삶을 추구해야 한다.

03 다음 사상가의 입장으로 옳지 않은 것은?

> 자본주의 사회에서 노동자는 자본가에 의해 착취당하면서 자신이 원하는 노동을 하기보다는 강제된 노동을 하게 될 수밖에 없다. 소외된 노동은 인간의 삶을 생활 수단으로만 간주한다.

① 인간은 노동을 통해 자기를 실현하는 존재이다.
② 자본주의적 분업 방식이 노동 소외를 심화시킨다.
③ 자본주의 사회에서 자발적 노동을 실현하는 것은 어렵다.
④ 노동자는 분업 체제에 순응하여 노동 소외를 극복해야 한다.
⑤ 능력에 따라 일하고 필요에 따라 분배받는 사회를 실현해야 한다.

04 다음 글에서 강조하는 내용으로 가장 적절한 것은?

> 전문직 종사자들은 고도의 교육과 훈련을 통해 사회적으로 승인된 자격을 취득한 사람들이다. 이들은 일반인이 모르는 전문적인 지식과 기술을 알고 있기 때문에 이를 악용하면 많은 경제적 이익이나 특권을 누릴 수 있다. 따라서 이들에게는 다른 직업 못지않은 높은 수준의 윤리 의식이 필요하다.

① 전문직 종사자는 직업을 통해 최대한의 이익과 특권을 추구해야 한다.
② 전문직 종사자는 지속적인 능력 계발을 통해 경제적 안정을 추구해야 한다.
③ 전문직 종사자는 다른 직종 사람들을 위해 자발적인 기부와 많은 세금 납부를 실천해야 한다.
④ 전문직 종사자는 일반 직종에 종사하는 사람들과는 다르게 보편적 직업 윤리만 실천하면 된다.
⑤ 전문직 종사자는 전문 지식을 이용하여 부당한 이익을 취할 수 있으므로 더 높은 청렴 의식이 요구된다.

05 다음 사상가의 입장을 〈보기〉에서 고른 것은?

> 기업들은 앞으로 점점 더 책임 있게 행동하게 될 것이다. 기업 경영자들의 공공 의식이 높아서라기보다는 훌륭한 시민이 되는 것이 경쟁 우위를 점하는 데 하나의 자원이 된다고 믿는 경영자들이 많아지기 때문이다. 책임 있게 경영하는 기업은 그렇지 못한 경쟁자들에 비해 사업상의 위험에 덜 노출될 것이다. 그런 기업들은 헌신적인 직원과 충성스러운 소비자들의 지지를 얻는 데 훨씬 더 유리하기 때문이다.

> **보기**
> ㄱ. 기업은 자선 사회봉사 단체로 전환을 모색해야 한다.
> ㄴ. 기업의 안정적 경영을 위해서라도 사회적 책임 수행에 힘써야 한다.
> ㄷ. 기업은 이윤 추구를 포기하고 사회적 책임을 수행하는 데 힘써야 한다.
> ㄹ. 기업의 사회적 책임 수행은 장기적으로 기업의 이윤 창출에 도움을 준다.

① ㄱ, ㄴ ② ㄱ, ㄷ ③ ㄴ, ㄷ
④ ㄴ, ㄹ ⑤ ㄷ, ㄹ

06 ㉠, ㉡에 대한 옳은 설명만을 〈보기〉에서 있는 대로 고른 것은?

> ㉠ 은/는 사회 문제의 원인을 개인의 이기심, 비양심에서 찾으며, 개개인의 도덕적 판단 능력, 실천 의지, 도덕적 습관 함양을 해결 방안으로 제시한다. 한편 ㉡ 은/는 사회 문제의 원인을 사회 구조와 제도에서 찾으며, 사회 구조나 제도, 정책의 개선을 해결 방안으로 제시한다.

> **보기**
> ㄱ. ㉠만으로는 복잡한 현대 사회의 문제를 해결하기 어렵다.
> ㄴ. ㉡은 법과 제도의 개선, 공공 정책의 변화, 정치적 강제력의 사용 등을 강조한다.
> ㄷ. ㉠은 개인의 이타성과 도덕성의 실현, ㉡은 공동선과 사회 정의의 실현을 강조한다.
> ㄹ. 개인의 도덕성을 강조하는 ㉠과 사회의 도덕성을 강조하는 ㉡은 서로 조화를 이룰 수 없다.

① ㄱ, ㄴ ② ㄱ, ㄷ ③ ㄷ, ㄹ
④ ㄱ, ㄴ, ㄷ ⑤ ㄴ, ㄷ, ㄹ

07 다음 글에서 강조하는 분배적 정의의 기준에 대한 평가로 옳은 것은?

> 가장 정의로운 분배는 각 사람의 필요에 따라 분배하는 것이다. 왜냐하면 각 사람의 능력이나 업적은 선천적인 영향을 배제할 수 없기 때문이다.

① 사회적 약자를 배려하는 의식이 약하다는 단점을 지닌다.
② 각 사람의 구체적인 상황을 고려하지 않는다는 비판을 받는다.
③ 능력과 업적이 항상 일치하지 않는다는 괴리가 발생할 수 있다.
④ 절대적 재화가 부족하고 효율성의 저하를 가져올 수 있다는 문제점을 지닌다.
⑤ 모든 사람에게 산술적으로 균등하고 동일한 혜택을 제공한다는 장점을 지닌다.

08 다음 사상가의 입장으로 옳은 것은?

> 정의는 일반적 정의와 특수적 정의로 나눌 수 있으며, 특수적 정의는 분배적 정의와 교정적 정의로 나눌 수 있다.

① 분배적 정의는 이익과 손해의 불균형을 교정하는 것이다.
② 일반적 정의는 법을 잘 지키는 준법으로서의 정의를 뜻한다.
③ 교정적 정의는 각 사람의 가치에 따라 재화를 분배하는 것이다.
④ 일반적 정의는 분배적 정의와 달리 반드시 실현될 필요는 없다.
⑤ 분배적 정의는 모든 사람에게 아무런 차별이 없는 산술적 균등 배분을 실현할 때 성립 가능하다.

09 다음 원칙을 제시한 사상가의 입장을 〈보기〉에서 고른 것은?

- 모든 사람은 기본적 자유에 대하여 동등한 권리를 가져야 한다.
- 사회적·경제적 불평등은 다음 두 조건을 만족하도록 조정되어야 한다. 첫째 최소 수혜자에게 최대의 이익이 되고, 둘째 공정한 기회균등의 원칙에 따라 모든 사람에게 직책과 직위가 개방되어야 한다.

보기

ㄱ. 절차의 공정성은 결과의 공정성을 보장한다.
ㄴ. 무지의 베일을 쓴 계약 당사자들은 이타적이다.
ㄷ. 원초적 입장에서 정의의 원칙이 도출되어야 한다.
ㄹ. 모든 사회적·경제적 불평등은 궁극적으로 사라져야 한다.

① ㄱ, ㄴ　　　② ㄱ, ㄷ　　　③ ㄴ, ㄷ
④ ㄴ, ㄹ　　　⑤ ㄷ, ㄹ

10 다음 사상가의 입장으로 가장 적절한 것은?

모든 사람들에게 살인범의 끝없는 비참한 상태를 보여 주는 것이 사형보다 범죄 예방에 더 효과적이다. 형벌의 강도보다 지속성이 사람들에게 더 큰 영향을 준다.

① 형벌은 오직 동등성의 원리에 따라 집행되어야 한다.
② 형벌의 지속성보다는 강도를 중요하게 고려해야 한다.
③ 자신의 생명을 양도할 사람은 없으므로 사형 제도는 폐지되어야 한다.
④ 사형 제도는 공익에 이바지하는 바가 크고 효율적이므로 유지되어야 한다.
⑤ 종신 노역형은 훨씬 더 많은 고통을 주기 때문에 사형으로 대체되어야 한다.

11 다음 사상가의 입장만을 〈보기〉에서 있는 대로 고른 것은?

사람은 누구나 고유한 생명을 보존하기 위해 자신의 생명을 걸고 위험을 무릅쓸 권리를 가진다. 사회 계약은 계약자의 생명 보존을 목적으로 한다. 목적을 달성하려고 하는 사람은 수단을 요구한다. 이 수단은 위험과 희생을 수반한다. 타인의 희생으로 자신의 생명을 보존하려고 하는 사람은 타인을 위해 필요하다면 마땅히 생명을 희생해야 한다. 범죄인에게 가해지는 사형도 이와 유사하다. 살인자가 사형을 받는 것에 동의하는 것은 자신이 살인자의 희생물이 되는 것을 피하기 위해서이다.

보기

ㄱ. 국가는 사형을 집행할 권한을 지니지 않는다.
ㄴ. 사회 방위론적 관점에서 사형 제도는 필요하다.
ㄷ. 살인자는 자신이 죽임을 당해도 좋다고 동의한 것이다.
ㄹ. 사회 계약을 맺는 것은 개개인의 생명을 보존하기 위해서이다.

① ㄱ, ㄴ　　　② ㄱ, ㄷ　　　③ ㄷ, ㄹ
④ ㄱ, ㄴ, ㄹ　　　⑤ ㄴ, ㄷ, ㄹ

12 (가)에 들어갈 내용으로 가장 적절한 것은?

국가는 국방과 치안 등 개인이 제공하기 어려운 공공재를 공급하거나, 도량형이나 교통 법규와 같은 사회적 관행을 정하고, 부정 청탁 등 잘못된 관행을 교정하는 역할을 하기도 한다. 또 국가 공동체에 소속됨으로써 시민들 간의 소속감이나 연대감 등도 얻을 수 있는 혜택이라고 볼 수 있다. 즉, _____(가)_____

① 시민들의 동의가 시민들이 국가에 복종하는 근원이다.
② 인간의 사회적·정치적 본성에 따라 국가가 자연스럽게 형성된 것이다.
③ 국가가 국민에게 제공하는 여러 가지 혜택이 있기 때문에 국가에 복종해야 한다.
④ 개인의 생명과 자유, 재산을 제대로 보장받기 위해서 계약을 통해 국가를 수립해야 한다.
⑤ 자식이 부모를 섬기듯이 국민은 국가나 군주의 권위에 복종하고 무조건적으로 따라야 한다.

13 다음 사상가의 입장을 〈보기〉에서 고른 것은?

> 태고 시절에는 백성들만이 있었을 뿐이니 어찌 지도자가 존재했겠는가. 백성은 한가로이 마을을 이루어 모여 살았다. 그들 사이에 분쟁이 일어났을 때 이를 판결할 수 없었다. 이때 한 노인이 있어 공정한 말을 잘하였기 때문에 그들은 그 노인에게 판정을 받았고, 이웃 사람들도 판정에 복종하였다. 그리하여 그들은 노인을 추대하여 이정(里正)이라 불렀다. 또한 여러 마을 사이에 분쟁이 일어나 판결하지 못하고 있을 때, 어느 노인이 있어 현명하고 지식이 많았기 때문에 모두 그에게 가서 판정을 받고 복종하였다. 이런 식으로 여러 마을이 한 사람을 추대하여서 한 지역의 임금으로 추대하고, 나아가 가장 높은 나라의 임금으로 추대하였다.

보기

> ㄱ. 통치자를 위해 백성이 존재하는 것이다.
> ㄴ. 통치자는 백성을 위한 통치를 시행해야 한다.
> ㄷ. 통치자는 청렴을 바탕으로 공정하게 분쟁을 해결해야 한다.
> ㄹ. 통치자는 백성의 뜻보다는 자신의 뜻에 따라 통치해야 한다.

① ㄱ, ㄴ   ② ㄱ, ㄷ   ③ ㄴ, ㄷ
④ ㄴ, ㄹ   ⑤ ㄷ, ㄹ

14 ㉠에 대한 설명으로 옳지 않은 것은?

> "보장된 권리 위에서 잠자는 자의 권리는 보호하지 않는다."라는 말처럼, 민주주의 사회에서 　㉠　은/는 시민의 권리를 적극적으로 행사할 기회를 제공하고 시민으로서 정치적 의무를 성실하게 수행하게 하여, 민주주의의 질을 높일 수 있게 한다.

① 주권 재민의 원리를 실천하는 구체적인 방법이 된다.
② 현대 정치에서 대의 민주주의의 한계를 극복하는 방법이다.
③ 현실 정치에 대한 혐오감이나 정치적 무관심을 높이게 한다.
④ 공청회나 주민 투표제, 주민 소환제, 주민 감사 청구제 등을 들 수 있다.
⑤ 단순한 정치적 견해나 소견 발표를 넘어서 정책을 건의하고 제도를 보완하는 구체적인 행동도 포함된다.

15 ㉠~㉢에 들어갈 내용을 각각 쓰시오.

> 동양의 유교 사상가인 공자는 자신의 지위와 신분에 맞는 책임과 역할에 충실해야 한다는 　㉠　을/를 강조하였다. 또한 맹자는 "항상 일정한 생업을 뜻하는 　㉡　이/가 없으면 항상 일정한 마음이나 도덕성을 뜻하는 　㉢　도 없게 된다."라고 주장하면서 통치자가 백성들의 생업 보장과 경제적 안정에 힘써야 한다고 강조하였다.

16 다음은 로크의 주장을 정리한 것이다. ㉠~㉤에 들어갈 내용을 각각 쓰시오.

> • 국가는 사람들의 분쟁을 해결하고 개인의 　㉠　, 　㉡　, 　㉢　을/를 사회의 침략자로부터 보호하여 평화롭고 안전하며 행복한 삶을 살게 해야 할 의무를 지님
> • 　㉣　: 인간은 비교적 평화로운 삶을 누리나 여전히 기본적인 권리를 안정적으로 보장받지 못할 수 있음
> • 정부가 국민의 기본권을 침해하고 신탁의 의무를 저버린다면 국민은 정부에 대해 　㉤　을/를 행사할 수 있음

17 다음은 왈처의 주장을 정리한 것이다. ㉠~㉢에 들어갈 내용을 각각 쓰시오.

> • 　㉠　으로서의 정의를 주장함
> • 왈처는 정의의 영역을 세분화하고, 서로 다른 사회적 가치는 　㉡　에 의해 분배되어야 한다고 봄
> • 어떤 영역에서 우월한 위치를 차지하는 사람이 　㉢

내공 점검　　Ⅳ. 과학과 윤리

01 다음 글에 나타난 문제를 해결하기 위한 자세로 가장 적절한 것은?

> 과학 기술이 발달하면서 인간은 물질적으로 풍요로운 삶을 누리게 되었고, 생활의 편리함과 효율성이 증진되었다. 하지만 자연을 개발하고 활용하는 과정에서 자연을 인간의 도구로 보는 사고방식을 낳았고, 이것은 심각한 환경 문제를 발생시켰다. 또한 생명 과학과 의료 기술의 발전은 생명을 도구화함으로써 생명의 존엄성을 훼손하는 문제를 가져왔다.

① 과학 기술의 모든 성과를 부정한다.
② 과학 기술이 사회의 모든 문제를 해결해 줄 것이라고 기대한다.
③ 과학 기술에 대해 성찰하는 비판적 자세를 가지고 활용해야 한다.
④ 과학 기술의 비윤리적인 측면을 강조하고 과학의 합리성을 의심한다.
⑤ 과학 기술의 발전에 따른 부작용도 과학 기술의 힘으로 해결할 수 있다고 믿는다.

02 다음 관점을 지닌 사람이 지지할 주장으로 가장 적절한 것은?

> 어떤 사람들은 총이 사람을 죽이는 것이 아니라, 사람이 단지 총을 사용해서 사람을 죽이는 것이라는 식으로 총의 사용을 옹호하기도 한다. 이런 사람들은 사실 총이 사람을 죽이는 용도 이외에는 사용될 확률이 거의 없다는 명백한 사실을 무시하고 있는 것이다. 마찬가지로 원자 폭탄의 '좋은 사용' 역시 상상하기 힘들다.

① 사실과 가치의 영역은 분명하게 나눌 수 있다.
② 과학 기술은 윤리적 가치에 따라 지도되어야 한다.
③ 과학 기술은 주관적 가치가 개입될 수 없는 분야이다.
④ 과학 기술자의 자유로운 연구는 윤리적 관점에서 규제되어서는 안 된다.
⑤ 과학 기술 자체에 책임이 있는 것이 아니라 그것을 사용하는 사람에게 책임이 있다.

03 ㉠에 대한 설명으로 가장 적절한 것은?

> 과학자라는 직업에는 시민이 일반적 의무에 대해 지는 책임 외에 ㉠ 특수한 책임이 따른다.
> 　　　　　　　　　　 – 세계 과학자 연맹, 「과학자 헌장」

① 과학 기술이 사회에 미치는 영향이 미미하기 때문에 발생한다.
② 과학자들이 대중도 접근하기 쉬운 지식을 다루기 때문에 생긴다.
③ 개인의 이익을 위해 타인을 수단으로 삼지 말아야 한다는 것이 이에 해당한다.
④ 연구 성과물이 인류에게 해악을 끼칠 위험성이 있다면 연구를 중단하는 것이 이에 해당한다.
⑤ 과학 기술의 사용으로 발생한 문제에 대한 책임은 과학자의 능력을 벗어난 일이므로 이에 해당하지 않는다.

04 다음 제도가 필요한 이유로 가장 적절한 것은?

> • 인공 지능 기술에 대한 기술 영향 평가
> • 유전자 변형 식품의 안전과 복제 기술에 대한 합의 회의

① 과학 기술이 끼치는 영향의 범위가 국지적이기 때문이다.
② 과학 기술이 특정 집단의 이익을 추구해야 하기 때문이다.
③ 과학 기술 개발에서 전문가의 참여로 충분히 정책 결정을 내릴 수 있기 때문이다.
④ 시민들은 자신이 원하지 않으면 과학 기술의 영향을 받지 않을 수 있기 때문이다.
⑤ 시민들의 참여로 과학 기술이 미칠 영향을 미리 확인하고 더 나은 방향으로 발전시킬 수 있기 때문이다.

05 (가)의 입장에 비해 (나)의 입장이 갖는 상대적 특징을 ㉠~㉤ 중에서 고른 것은?

> (가) 타인의 창작물을 무단으로 사용하여 창작자에게 손해를 입히거나 이로부터 이득을 취하는 행위는 명백한 불법이며, 이는 인터넷에서 정보 교환을 활발하게 하기 위해서도 금지해야 한다. 따라서 저작권을 보호해야 한다.
>
> (나) 소프트웨어의 발전은 일종의 진화 과정과 같다. 소유권자가 존재한다는 것은 이러한 종류의 진화를 방해하며, 어떤 프로그램을 개발하려 할 때 무(無)에서 시작할 수밖에 없게 만든다. 따라서 정보를 공유해야 한다.
>
>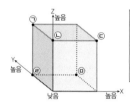
> - X: 정보 창작자의 권리를 존중해 주는 정도
> - Y: 정보가 공공의 이익에 기여해야 한다고 보는 정도
> - Z: 정보의 활발한 교류가 정보 발전에 기여한다고 믿는 정도

① ㉠   ② ㉡   ③ ㉢   ④ ㉣   ⑤ ㉤

06 선생님의 질문에 바르게 대답한 학생을 고른 것은?

> 선생님: 정보 사회에서 요구되는 정보 윤리에는 어떤 것들이 있을까요?
> 갑: 정보의 진실성과 공정성을 추구하여 정의를 실현해야 합니다.
> 을: 지적 재산권을 존중하고 타인의 창작물을 무단으로 복제하지 않습니다.
> 병: 정보는 자유롭게 이동하는 것이므로 이미 유포된 정보에 대해서는 책임지지 않아도 됩니다.
> 정: 사이버 스토킹, 사이버 폭력은 다른 사람에게는 해를 입히지만 사회에는 해를 입히지 않습니다.

① 갑, 을   ② 갑, 정   ③ 을, 병
④ 을, 정   ⑤ 병, 정

07 다음과 같은 상황을 예방하기 위한 방법을 〈보기〉에서 고른 것은?

> 독일 베를린에 사는 러시아 태생의 소녀가 등굣길에 납치되었으며 무참하게 폭행을 당했다는 뉴스가 인터넷 매체를 통해 독일과 러시아에 확산되었다. 독일 경찰은 이 뉴스가 폭행을 당했다는 소녀가 만들어 낸 일명 '거짓 뉴스'라고 밝혔다. 하지만 러시아에서는 독일이 논란을 축소하려고 한다고 비난하였고, 독일이 이에 반발하면서 외교적 갈등 상황으로까지 번졌다.

보기
ㄱ. 온라인상에 올라온 정보를 확인 절차 없이 유포한다.
ㄴ. 인터넷상에서 확인한 정보는 높은 수준으로 신뢰한다.
ㄷ. 사이버 공간에서 관심을 끌기 위한 거짓 뉴스를 만들지 않는다.
ㄹ. 사이버 공간이라도 현실 세계와 마찬가지로 기본적인 도덕 원칙을 따른다.

① ㄱ, ㄴ   ② ㄱ, ㄹ   ③ ㄴ, ㄷ
④ ㄴ, ㄹ   ⑤ ㄷ, ㄹ

08 다음 대화에서 (가)에 들어갈 말로 가장 적절한 것은?

> 갑: 대중 매체는 정보를 일시에 전달할 수 있기 때문에 사회 전반에 미치는 영향력이 매우 커. 대중 매체는 우리 삶에 많은 혜택을 주었어.
> 을: 맞아. 하지만 대중 매체의 역기능 또한 존재해. 위험 정보가 쉽게 퍼질 수 있고, 편견이 개입된 정보가 고의적으로 대중에게 전달될 수 있어. 따라서 _____(가)_____

① 정보의 주체보다는 객체의 입장에서 정보를 소비해야 해.
② 다양한 오락 프로그램을 즐기며 사회 문제에서 벗어나야 해.
③ 우리 사회의 전통과 가치, 규범을 무비판적으로 수용해야 해.
④ 대중 매체가 제공하는 모든 정보의 신뢰도에 대해 의심하고 거부해야 해.
⑤ 대중 매체 종사자들은 정보가 사회에 미치는 영향력을 생각하며 책임감을 가져야 해.

[09~10] 다음은 어느 학생의 노트 필기의 일부이다. 읽고 물음에 답하시오.

뉴 미디어 시대의 현대인에게 요구되는 윤리

1. 사회에 악영향을 끼칠 유해한 정보를 제공하거나 소비하지 않는다.
2. 정보의 생산과 소비 과정에서 ㉠ 미디어 리터러시를 발휘한다.
3. [　　　　　　　㉡　　　　　　　]

---

09 뉴 미디어 시대에 강조되는 ㉠의 의미로 가장 적절한 것은?

① 창작자의 권리와 소중한 재산에 대한 침해를 막는 것이다.
② 대중의 알 권리를 위해 개인 정보를 완전히 공개하는 것이다.
③ 매체가 만들어 낸 정보를 비판적인 사고로 받아들이는 것이다.
④ 정보에 대한 편리한 접근으로 정보 격차를 완화시켜 주는 것이다.
⑤ 개인이 다양한 콘텐츠를 직접 생산하고 공유할 수 있는 의사소통 플랫폼이다.

10 ㉡에 들어갈 적절한 내용을 〈보기〉에서 고른 것은?

보기
ㄱ. 정보를 통제하여 정치권력을 정당화한다.
ㄴ. 알 권리를 위해 인격권을 보호하지 않는다.
ㄷ. 매체가 제공하는 정보를 능동적으로 수용한다.
ㄹ. 표현의 자유에는 한계가 있다는 점을 인식한다.

① ㄱ, ㄴ　　　② ㄱ, ㄹ　　　③ ㄴ, ㄷ
④ ㄴ, ㄹ　　　⑤ ㄷ, ㄹ

11 갑, 을 사상가들이 공통적으로 긍정의 대답을 할 질문으로 옳은 것은?

갑: 쾌고 감수 능력은 다른 존재의 이익에 관심을 가질지의 여부를 판가름하는 유일한 경계가 된다. 쾌고 감수 능력은 이익 관심을 갖는 전제 조건이 된다.
을: 성장한 포유동물은 쾌락과 고통의 감정이 있을 뿐만 아니라 자기의 욕구와 목표를 위해 행동하며 자신의 정체성을 느낄 수 있는 능력을 갖춘 삶의 주체이다. 따라서 자신의 삶을 영위할 권리가 있다.

① 동물은 쾌고 감수 능력을 지니는가?
② 자연의 모든 존재들은 동등한 도덕적 가치를 지니는가?
③ 인간은 동물을 보호해야 하는 간접적인 의무를 지니는가?
④ 의무론의 관점에서 인간은 동물의 주체적 삶을 존중해야 하는가?
⑤ 인간과 동물의 이익이 충돌하는 경우 동물의 이익을 우선시해야 하는가?

12 (가)의 입장에서 (나)의 문제에 대해 가질 견해로 가장 적절한 것은?

(가)	현세대에 의한 환경 오염의 책임이 시간적으로는 먼 미래의 후손에까지 미치며, 공간적으로는 전 지구의 영역에까지 이른다. 따라서 새로운 책임 윤리가 필요하다.
(나)	산업화와 도시화로 발생한 오염 물질이 토양, 수질, 대기를 오염시키고 있으며, 무분별한 개발과 남획은 자원 고갈, 생물 종의 다양성 감소, 산림 훼손 등 생태계를 파괴시키고 있다. 이러한 각종 오염과 파괴가 심화되면서 지구 온난화, 해수면 상승, 사막화와 같은 문제가 나타나는 등 지구 환경이 심각한 위기에 직면하고 있다.

① 현세대는 자연을 얼마든지 활용할 권리가 있다.
② 경제 성장과 기술 발달을 우선시하여 자연을 개발해야 한다.
③ 인간이 의도적으로 환경을 오염시키지 않았다면 그에 대한 책임은 인간의 몫이 아니다.
④ 현세대는 미래 세대의 존재를 보장해야 할 책임이 있으므로 자연환경을 무분별하게 남용해서는 안 된다.
⑤ 환경 오염은 과거의 무분별한 개발로 일어났으므로 현재 나타나는 환경 오염은 현세대의 책임이 아니다.

13 다음 사상가의 환경 윤리에 대해 제기할 수 있는 비판으로 가장 적절한 것은?

> 모든 생명체는 동등한 목적론적 삶의 중심이자, 고유한 목적을 지닌 생명 공동체의 일원이다.

① 생태계의 안정을 위해 인간의 희생을 강요할 수 있다.
② 자연을 인간의 욕구 충족을 위한 하나의 도구로 간주한다.
③ 인간과 동물 사이의 이익이 충돌할 때 명확한 답을 내리기 어렵다.
④ 개별 생명체의 가치만을 강조하여 생태계 전반의 문제를 해결하기 어렵다.
⑤ 환경 문제에 대해 책임의 경중을 따지지 않고 모든 사람에게 동일한 책임을 묻는 것은 공정하지 않다.

14 (가)의 갑, 을, 병 사상가들의 입장을 (나) 그림으로 표현할 때, A~D에 해당하는 적절한 진술만을 〈보기〉에서 고른 것은?

(가)	갑: 생명의 신비를 두려워하고 존경하는 마음으로 모든 생명을 소중히 여겨야 한다. 을: 어떤 것이 생명 공동체의 온전성, 안정성, 아름다움에 이바지하는 경향이 있다면 옳은 것이며, 그렇지 않다면 그른 것이다. 병: '쾌고 감수 능력'은 어떤 존재를 도덕적으로 고려할지를 결정하는 유일한 기준이다. 쾌고 감수 능력은 이익 관심을 갖는 전제 조건이 된다.

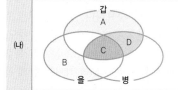

(나)

〈범례〉
A: 갑만의 입장
B: 을만의 입장
C: 갑, 을, 병의 공통 입장
D: 갑과 병만의 공통 입장

보기

ㄱ. A: 모든 생명체는 도덕적 고려의 대상이다.
ㄴ. B: 무생물을 포함한 생태계 전체를 도덕적 고려 대상으로 삼아야 한다.
ㄷ. C: 환경을 보호해야 하는 이유는 오직 인간의 이익을 위해서이다.
ㄹ. D: 개별 생명체에 초점을 맞추는 개체론의 관점을 취한다.

① ㄱ, ㄴ   ② ㄱ, ㄷ   ③ ㄴ, ㄷ
④ ㄴ, ㄹ   ⑤ ㄷ, ㄹ

15 요나스가 과학 기술 시대에 새로운 윤리의 필요성을 주장한 이유를 서술하시오.

> 책임의 범위를 현세대로 한정하는 기존의 전통적 윤리관으로는 과학 기술 시대에 발생하는 문제를 해결하는 데 한계가 있다. 새롭게 요구되는 윤리는 과학 기술로 인한 상황을 적극적으로 반성하는 책임 윤리로서 두려움, 겸손, 검소, 절제, 성스러운 것에 대한 외경심 등의 덕목이다.

16 밑줄 친 '알 권리'가 보장되어야 하는 경우를 두 가지 서술하시오.

> 사이버 공간에서 발생하는 사생활 침해는 오늘날 심각한 윤리 문제가 되고 있다. 따라서 아무리 평범하고 사소한 개인 정보일지라도 인간의 존엄성을 유지하기 위해서는 철저히 보호되어야 한다. 그러나 모든 국민의 사생활이 반드시 보호되어야 하는 것은 아니다. 국민은 정치, 사회 현실 등에 관한 정보를 자유롭게 얻을 수 있는 '알 권리'를 갖고 있기 때문이다.

17 기후 변화를 기후 정의의 관점에서 바라보아야 하는 이유를 다음에 나타난 사례를 바탕으로 서술하시오.

> 방글라데시는 기후 변화에 따른 해수면 상승으로 주요 섬들의 65%가 바닷물에 잠식되어 수많은 사람이 삶의 터전을 잃었다. 집과 토지를 잃은 농민들이 도시로 유입되어 빈민으로 살아가면서 사회적 갈등과 범죄가 증가하고 있다. 그런데 선진국은 기후 변화의 주요 원인인 온실가스를 1인당 연간 18.5톤을 배출하는 데 비해, 방글라데시는 1인당 연간 1톤도 배출하지 않는다.

내공 점검　　V. 문화와 윤리

점수 ／100점

01 갑, 을의 입장에 대한 옳은 설명만을 〈보기〉에서 있는 대로 고른 것은?

> 갑: 현대 예술의 사명은 인간의 행복이 인간 상호 간의 결합에 있다는 진리를 이성의 영역에서 감정의 영역으로 옮겨, 현재 지배하고 있는 폭력 대신 신의 세계, 즉 인간의 최고 목적으로 간주하는 사랑의 세계를 건설하는 일이다.
> 을: 대중은 아름다움의 새로운 방식을 몹시 싫어한다. 그래서 그것과 마주칠 때마다 분노하고 당혹해 하면서 언제나 바보 같은 두 가지 표현을 사용하곤 한다. 하나는 예술 작품이 도무지 이해가 안 된다는 것이고, 다른 하나는 예술 작품이 지극히 부도덕하다는 것이다.

보기

> ㄱ. 갑은 예술이 가치 있는 것은 예술이 지닌 윤리적 가치 때문이라고 주장한다.
> ㄴ. 을은 예술이 어떠한 현실적 목적을 추구해서는 안 된다고 본다.
> ㄷ. 을은 예술의 미적 체험을 통해 인간의 도덕적 감수성을 풍부하게 해야 한다고 주장한다.
> ㄹ. 갑, 을은 예술이 다른 목적을 위한 도구로 이용되는 것을 거부해야 한다고 강조한다.

① ㄱ, ㄴ　　② ㄱ, ㄷ　　③ ㄴ, ㄹ
④ ㄱ, ㄷ, ㄹ　　⑤ ㄴ, ㄷ, ㄹ

02 (가)에 들어갈 내용으로 가장 적절한 것은?

> 만약 예술이 도덕을 가르쳐 인류를 향상시키는 일을 거절한다면, 예술은 무의미하고 목적도 없는 무분별한 것이 될 것이다. 예술은 그 자체를 위한 예술이 되어서는 안 된다. 자메이카의 어떤 가수는 "의도하지 않은 것을 노래하면 그 음악은 의미가 없으며, 음악은 무엇인가를 의미해야 한다."라고 말했다. 나는 이 가수의 의견에 대해 　　　(가)　　　고 생각한다.

① 예술가의 자율성과 독창성을 침해하고 있다
② 미적 가치와 도덕적 가치의 관련성을 간과하고 있다
③ 음악이 가지는 심미적 측면을 지나치게 강조하고 있다
④ 예술을 통한 창작자과 관람자의 소통을 무시하고 있다
⑤ 사회의 도덕적 성숙에 기여하기 위한 예술의 사회 참여를 강조하고 있다

03 다음 글의 입장에서 주장하는 내용으로 가장 적절한 것은?

> 대중 사회에서 문화는 실질적으로 권력 소유자들의 비위를 맞추지 않으면 안 된다. 산업의 각 영역은 경제적으로 서로 얽혀 있는데, 방송 산업이 전기 산업에 종속되어 있다든지 영화 산업이 은행업에 매여 있다는 점들이 그 예이다. … (중략) … 문화 산업의 생산물은 여가 생활에서조차 소비가 활발하게 이루어지기를 노린다. 개개의 문화 생산물은 모든 사람을 일하는 시간과 마찬가지로 휴식 시간에도 잡아 놓는 거대한 경제 체계의 일부이다. 어떤 영화나 방송 프로그램이든 언뜻 보면 임의적인 것처럼 보이지만 사실은 사람을 각 사회에서 요구하는 규격품처럼 재생산하려는 의도를 담고 있다.

① 문화 산업은 예술의 도구적 가치를 훼손한다.
② 대중문화와 문화 산업은 서로 독립적으로 존재한다.
③ 문화 산업은 대중이 비판적으로 사고하기를 장려한다.
④ 문화와 자본의 결합으로 문화 본연의 가치가 실현된다.
⑤ 자본에 종속된 문화는 개인의 미적 체험을 획일화한다.

04 다음 글의 입장에서 긍정의 대답을 할 질문으로 가장 적절한 것은?

> 기업들은 사람들이 원하지 않는 재화나 서비스는 제공하지 않는다. 바로 이 사실이 중요하다. 중요한 것은 소비자인 우리의 동기이다. 현재 우리의 기대, 욕망, 태도, 경향 등이 미래의 인류에게 영향을 미치고 문화적 특징 요소들을 결정하기 때문이다. …… 우리 각자는 함께 공유해야 할 집단의 미래를 결정하는 데 어떤 식으로든 책임이 있다.

① 합리성과 효율성을 중시하는 소비를 해야 하는가?
② 물질의 소유와 행복을 같은 것으로 여겨야 하는가?
③ 사회적 책임은 물건을 생산하는 기업에만 요구되는가?
④ 생산자와 노동자의 인권을 고려하는 소비를 해야 하는가?
⑤ 비싼 재화를 통해 자신의 가치와 정체성을 드러내야 하는가?

05 다음 대화에서 (가)에 들어갈 적절한 대답을 〈보기〉에서 고른 것은?

> 갑: 윤리적 소비와 관련해서 최근 공정 여행이라는 새로운 방식의 여행을 추구하는데, 공정 여행이 무엇인가요?
> 을: 여행자와 여행 대상국 국민이 평등한 관계를 맺으며 현지 환경을 존중하고 현지인에게 직접 혜택이 돌아가도록 하는 여행입니다.
> 갑: 공정 여행의 구체적인 사례에는 무엇이 있나요?
> 을: ＿＿＿＿＿(가)＿＿＿＿＿

보기
> ㄱ. 동물을 혹사하는 투어에 참가하지 않는 것입니다.
> ㄴ. 시내 중심가에서 물건을 사고 비싼 가격에 식사를 하는 것입니다.
> ㄷ. 항공 교통을 이용하고 호텔에 투숙하며 유명 관광지를 둘러보는 것입니다.
> ㄹ. 현지인이 운영하는 상점에서 직접 제작한 의미 있는 물건을 공정한 가격에 구매하는 것입니다.

① ㄱ, ㄴ   ② ㄱ, ㄹ   ③ ㄴ, ㄷ
④ ㄴ, ㄹ   ⑤ ㄷ, ㄹ

06 (가)의 갑, 을, 병의 입장을 (나) 그림으로 표현할 때, A~D에 들어갈 옳은 질문을 〈보기〉에서 고른 것은?

(가)	갑: 다양한 채소와 과일이 하나의 샐러드가 되듯이 여러 민족의 문화가 조화를 이루어야 한다. 을: 다양한 물질을 용광로에 넣어 녹이듯이 다양한 문화를 섞어 새로운 문화로 재탄생해야 한다. 병: 국수가 주된 내용물이지만 고명이 첨가됨으로써 맛이 풍성해지듯이 주류 문화와 비주류 문화가 공존해야 한다.
(나)	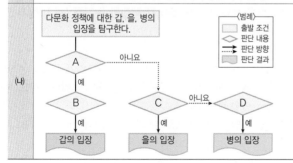

보기
> ㄱ. A: 각 문화를 대등한 관점에서 바라보는가?
> ㄴ. B: 다양한 문화가 각각의 정체성을 유지하는가?
> ㄷ. C: 소수 문화의 문화 정체성을 존중하는가?
> ㄹ. D: 단일 문화에 바탕을 둔 사회 통합을 지향하는가?

① ㄱ, ㄴ   ② ㄱ, ㄷ   ③ ㄴ, ㄷ
④ ㄴ, ㄹ   ⑤ ㄷ, ㄹ

07 다음은 서술형 평가 문제와 학생 답안이다. ㉠~㉤ 중 옳지 않은 것은?

서술형 평가

◎ 문제: 종교와 윤리의 차이점과 공통점을 바탕으로 종교와 윤리의 관계를 서술하시오.

◎ 학생 답안

㉠ 종교는 초월적인 세계, 궁극적인 존재에 근거를 둔 종교적 신념이나 교리를 제시한다. 반면 ㉡ 윤리는 인간의 이성, 상식, 양심을 근거로 현실 세계에서 지켜야 할 규범을 제시한다. ㉢ 대부분의 건전한 종교는 보편적인 인간의 존엄성을 실현하는 윤리적 계율과 덕목을 중시한다. 즉 ㉣ 종교와 윤리는 객관적인 사실을 바탕으로 검증된 도덕성을 중시한다는 공통점을 가진다. 이와 같은 공통점을 바탕으로 ㉤ 종교는 윤리적 삶을 고양하는 데 도움을 줄 수 있으며, 윤리는 종교가 올바른 방향으로 나아갈 수 있도록 기준을 제시해 줄 수 있다.

① ㉠   ② ㉡   ③ ㉢   ④ ㉣   ⑤ ㉤

주관식+서술형 문제

08 다음 문화 현상의 긍정적·부정적 측면을 각각 서술하시오.

> 대중문화와 타협하려는 고급문화의 노력이 '팝 아트(pop art)'라는 영역을 탄생시켰다. 팝 아트란 대중에게 친숙한 만화나 광고, 사물, 대중 스타 등을 인용하여 이해하기 쉽고 재미있게 표현한 예술 양식을 말한다.

09 다음 글을 바탕으로 종교적 관용의 필요성을 서술하시오.

> 로크는 국가 권력이 신앙의 고유한 영역에 강제력을 행사하는 것을 반대하면서 다른 종교에 대한 배타적이고 폭력적인 태도를 지양해야 한다고 주장하였다.

내공 점검   Ⅵ. 평화와 공존의 윤리

01 다음 갈등을 해결하기 위한 방안으로 가장 적절한 것은?

> • 특정 지역에 대한 차별로 인한 지역 갈등
> • 소득의 불평등 현상의 심화로 인한 빈부 갈등

① 공익보다 사익을 중시해야 한다.
② 사회의 가치를 배분하는 과정이 공정해야 한다.
③ 사회 구성원 각자의 이익과 권리를 우선해야 한다.
④ 다양성을 인정하며 폐쇄적 소통을 지향해야 한다.
⑤ 자신의 행복과 권리를 추구하면서 타인의 권리를 침해해야 한다.

02 다음 글이 소통에 관하여 강조하는 내용으로 가장 적절한 것은?

> 참다운 모습이나 생성과 소멸의 모습은 모두 같으면서 다른 것에 불과하고, 결국 모든 종파의 주장은 다르면서도 같고, 같으면서도 다른 것이므로 다투거나 싸울 필요가 없다. 중요한 것은 부처의 깨달음을 실천하는 것이다.

① 나의 주장만을 일관성 있게 주장해야 한다.
② 자신의 원칙을 버리고 남의 의견에 따라야 한다.
③ 상대방의 가치를 인정하며 조화를 추구해야 한다.
④ 서로 의견이 상반될 때는 감정적으로 설득해야 한다.
⑤ 이것 아니면 저것이라는 확고한 자기 신념을 가져야 한다.

03 다음 사상가의 이상적 담화 조건으로 적절하지 않은 것은?

> 말할 수 있고 행위 능력이 있는 사람들은 모두가 자유롭게 참여할 자격이 있다. 자신의 주장뿐만 아니라 개인적인 바람, 욕구 등도 표현할 수 있다. 다른 사람의 주장에 의문을 제기하고 비판도 할 수 있다. 그리고 이와 같은 권리들을 행사할 때 내부나 외부의 강요 때문에 방해받지 않는다.

① 사회적으로 정당한 규범에 근거해야 한다.
② 서로 이해할 수 있는 이해 가능성이 있어야 한다.
③ 말하는 내용이 참이며, 진리에 바탕을 두어야 한다.
④ 대화를 할 때 상대를 현혹하려는 자세를 가져야 한다.
⑤ 자신이 말한 의도를 믿을 수 있도록 진실하게 표현해야 한다.

04 다음은 수행 평가 문제와 학생 답안이다. ㉠에 들어갈 학생의 점수로 옳은 것은?

수행 평가

◎ 문제: 다음 설명이 맞으면 ○표, 틀리면 ×표를 하시오.
◎ 학생 답안

문항	답안 표시
분단 비용에는 이산가족의 고통은 포함되지 않는다.	(○)
분단 비용은 통일 한국의 번영을 위한 투자적인 성격의 비용이다.	(×)
통일 편익은 통일 이후 1세대 동안만 발생하는 경제적 편익을 말한다.	(×)
남북한이 지출하는 막대한 군사비는 분단이 지속되는 동안 꾸준하게 발생한다.	(○)
통일 비용에는 제도 통합 비용은 포함되지만 경제적 투자 비용은 포함되지 않는다.	(×)

※ 참고: 1문항 당 1점   총점: (㉠)

① 1점   ② 2점   ③ 3점   ④ 4점   ⑤ 5점

05 다음 대화의 (가)에 들어갈 적절한 논거를 〈보기〉에서 고른 것은?

> 갑: 군사비와 같이 분단 상태에서 과도하게 소모되는 비용을 생각해 봐. 이런 비용을 줄이기 위해서라도 통일을 해야 해.
> 을: 통일을 하지 않았으면 좋겠어. 왜냐하면, ____(가)____ 때문이야.

보기
> ㄱ. 막대한 분단 비용이 들 수 있기
> ㄴ. 군사 도발로 북한에 대한 거부감이 심하기
> ㄷ. 전쟁의 공포를 없애 평화를 실현할 수 있기
> ㄹ. 오랜 분단으로 문화적 이질감이 클 수 있기

① ㄱ, ㄴ   ② ㄱ, ㄷ   ③ ㄴ, ㄷ
④ ㄴ, ㄹ   ⑤ ㄷ, ㄹ

06 다음 국제 관계를 바라보는 관점에 대한 설명으로 옳은 것은?

> 칸트는 분쟁 관계에서 국가는 도덕성을 고려해야 하며, 국가의 이익보다 인간의 존엄성, 자유, 평등과 같은 보편적 가치를 우선하여 달성해야 한다고 주장한다. 그는 국제기구, 국제법, 국제 규범 등 제도의 개선으로 집단 안보가 형성되면 국제 분쟁을 해결할 수 있다고 본다.

① 국제 질서를 잘 설명해 주는 지배적 관점이다.
② 분쟁은 상대방에 대한 무지나 오해로 발생한다고 본다.
③ 세계는 자국의 이익을 추구하는 국가들로 구성되어 있다고 본다.
④ 국가 간의 갈등을 해결하는 방법은 국가의 힘에 있다고 주장한다.
⑤ 자국의 우위를 확보하기 위해 군비 경쟁을 이끌 수 있는 한계를 지닌다.

07 갑이 주장한 평화에 대해 을의 입장에서 내릴 수 있는 평가로 가장 적절한 것은?

> 갑: 국가들은 비합리적이고 낭비적인 전쟁을 방지하기 위한 제도를 개발할 의무가 있다. 그래서 직접적인 폭력과 전쟁에서 벗어날 수 있도록 각국이 국제법의 적용을 받는 평화 연맹을 구성해야 한다.
> 을: 폭력은 직접적, 구조적, 문화적 폭력의 삼각형의 어느 꼭짓점에서도 시작될 수 있다. 그렇기 때문에 폭력에 관한 삼각형적 증후군은 마음속에서 문화적 평화가 다양한 당사자들 간의 공생적이고 동등한 관계와 함께 구조적인 평화를 낳고, 협력 활동과 우정, 사랑과 함께 직접적 평화를 낳는 평화의 증후군과 대비되어야 한다.

① 직접적 폭력의 위험성을 간과하고 있다.
② 진정한 의미의 평화로 적극적 평화를 중시하고 있다.
③ 간접적 폭력이 진정한 평화에 기여함을 강조하고 있다.
④ 문화적 폭력의 제거를 통해 소극적 평화를 추구하고 있다.
⑤ 소극적 평화를 달성하는 데 의미가 있지만 진정한 평화는 아니다.

08 노직의 입장에서 준호에게 제시할 수 있는 조언으로 가장 적절한 것은?

> 고등학생인 준호는 다른 나라의 빈곤을 해결하기 위해 만든 자선 단체에 회의적이다. 우리나라에서도 빈곤 문제가 해결되지 못했으므로, 자국민을 돕는 것이 우선이라고 생각하기 때문이다.

① 언제나 사람을 목적으로 대우해야 합니다.
② 빈곤국의 자생력을 키워 주기 위해 노력해야 합니다.
③ 해외 원조는 개인의 자유로운 선택이지, 의무가 아닙니다.
④ 빈곤국 사람들의 고통을 경감하는 것이 윤리적 의무입니다.
⑤ 공리주의 입장에서 인류 전체의 고통을 감소하기 위해 빈곤으로 고통받는 사람들을 도와야 합니다.

📖 주관식+서술형 문제

09 ㉠에 들어갈 내용을 쓰시오.

> "군자는 다른 사람들과 평화롭게 지낸다. 하지만 그들과 동화되어 같아지지는 않는다."라는 말에서 알 수 있듯이, 공자는 자기 것을 지키되 남의 것도 존중하여 서로 다른 생각이 공존하도록 노력해야 한다는 ㉠ 의 정신을 제시하였다. 이는 갈등 극복의 정신적 바탕이 될 수 있다.

10 ㉠에 들어갈 내용과 롤스가 생각한 해외 원조의 목적을 서술하시오.

> 롤스는 해외 원조에서 빈곤의 문제는 물질적 자원의 부족에 의한 것이 아니라 정치·사회 제도의 결함 때문이므로, 기본적인 정치적 권리가 보장되는 ㉠ 을/를 만들도록 도와주어야 한다고 주장하였다.

memo

15개정 교육과정

핵심만 빠르게~ 단기간에

내신 공부의 힘을

키운다

내공의 힘

생활과
윤리

정답과 해설

ABOVE IMAGINATION

우리는 남다른 상상과 혁신으로
교육 문화의 새로운 전형을 만들어
모든 이의 행복한 경험과 성장에 기여한다

내공의 힘

정답과 해설

생활과 윤리

현대 생활과 실천 윤리

 개념 짚어 보기   본문 9쪽

01 (1) × (2) ○ (3) ○ 02 윤리적 공백 03 실천 윤리학 04 (1)
ⓒ (2) ㉠ (3) ㉡ 05 (1) ㄴ (2) ㅁ (3) ㄹ

2단계 내신 다지기   본문 9~10쪽

01 ④   02 ②   03 ③   04 ③   05 ③
06 ①

01 (가)에는 순수 이론 학문과 명확히 구분되는 규범 학문으로서 윤리학의 학문적 성격의 특징이 들어가야 한다. 윤리학은 당위나 가치 등 규범을 다루고 숙고하며, 인간으로서 지켜야 할 도덕적 행동의 기준과 규범을 탐구하여 윤리적 문제의 옳고 그름에 대한 근거를 제시하는 학문이다.

바로알기 ④ 주어진 세계와 현상의 원인과 사실을 구체적으로 설명하는 학문은 자연 과학, 사회 과학에 해당하는 순수 이론 학문이다.

극비 노트	윤리학의 학문적 성격
순수 이론 학문	• 주어진 세계와 현상의 원인, 사실을 설명하는 학문 • 자연 과학, 사회 과학
윤리학	• 사실이 아니라 당위나 가치 등 규범을 다루는 학문인 규범 학문에 해당함 • 도덕적 규범과 가치를 통찰하고 숙고하는 학문 체계임 • '인간다운 삶을 살려면 어떻게 살아야 하는가?'와 같은 문제를 탐구함

02 제시된 글은 과학 기술의 급속한 발전으로 제기된 실천 윤리학의 등장 배경으로, ㉠은 윤리적 공백, ㉡은 실천 윤리학이다. 요나스는 급격한 과학 기술의 발달과 도덕적 숙고 간의 간격을 '윤리적 공백'으로 부르며, 실천 윤리학의 필요성을 역설하였다.

바로알기 ㄴ. ㉡은 실천 윤리학으로 구체적인 실천 방안을 모색하여 문제를 해결하는 데 중점을 둔다. ㄷ. 윤리적 공백은 과학 기술 자체에 대한 사실적 조사보다는 과학 기술에 대해 도덕적 숙고가 충분히 반영되지 못해서 생기는 간격을 의미한다.

극비 노트	윤리적 공백과 실천 윤리의 필요성
윤리적 공백의 의미	과학 기술의 발전 속도와 과학 기술의 영향에 대한 도덕적 숙고가 충분히 반영되지 못해 생기는 간격
실천 윤리의 필요성	과학 기술의 발달로 발생하는 새로운 윤리 문제에 대응하고, 구체적인 해결책을 모색하기 위해 필요함

03 (가)는 메타 윤리학, (나)는 실천 윤리학이다. 실천 윤리학은 실천적 측면에서 도덕 문제의 해결책을 모색하며, 여러 인접 학문과 연계하여 다양한 윤리적 쟁점을 다루는 학제적 성격을 지닌다.

바로알기 ㄱ. 보편적인 도덕 법칙을 규명하여 문제 해결의 근거를 제공하는 것은 이론 윤리학에 해당한다. ㄹ. 도덕적 추론의 타당성 입증과 언어의 의미 분석을 중시하는 것은 메타 윤리학에만 해당하는 진술이다.

04 갑은 도덕적 언어의 의미 분석과 추론의 타당성 입증을 목표로 하는 메타 윤리학의 입장, 을은 윤리학의 실생활 적용과 해결책 모색에 중점을 두는 실천 윤리학의 입장이다. 메타 윤리학은 '선', '악', '옳음', '그름'과 같은 도덕적 언어의 의미를 구체적으로 분석한다.

바로알기 ① 이론 없는 실천은 맹목적이라는 것은 이론 윤리학의 주장이다. ② 도덕적 행위를 정당화하는 이론을 탐구 주제로 설정하는 것은 이론 윤리학이다. ④ 윤리학의 학문적 성립 가능성을 논리적으로 탐구하는 것은 메타 윤리학이다. ⑤ 실천 윤리학에서는 사실적 의미보다는 윤리학을 실생활에 적용할 수 있는 해결책을 모색하는 데 관심을 둔다.

극비 노트	실천 윤리학과 메타 윤리학의 비교	
구분	실천 윤리학	메타 윤리학
성격	삶의 구체적인 상황에서 발생하는 문제에 대한 해결책을 모색함	• 도덕적 언어의 의미나 도덕적 진술의 논리적 구조를 분석함 • 윤리학의 학문적 성립 가능성을 탐구함
비판	실천 윤리학의 메타 윤리학에 대한 비판: 도덕적 언어의 의미 분석에 치중하여, 구체적이고 현실적인 해결책을 제시하지 못함	
주요 물음	• 인공 임신 중절, 뇌사, 안락사 등을 허용해야 하는가? • 과학 기술을 가치 중립적인 것으로 보아야 하는가?	• '선하다', '악하다'의 의미는 무엇인가? • '옳다', '그르다'의 의미는 무엇인가?
분류	규범 윤리학	분석 윤리학

05 실천 윤리학은 생명 윤리, 정보 윤리, 환경 윤리 등 각 영역에서 제기되는 쟁점을 다루며, 도덕 원리를 근거로 실제적이고 구체적인 해결책을 모색하는 데 주된 관심을 가진다.

바로알기 첫 번째 내용: 사회의 도덕적 질서 내에서 사실적 의미를 탐구하는 것은 기술 윤리학에 대한 설명이다. 두 번째 내용: 도덕적 추론의 형식적 타당성을 설명함으로써 혼란을 해결하는 것은 메타 윤리학에 해당한다.

06 제시된 글은 추상적이고 보편적인 이론 윤리학이 구체적인 행위에 대한 지침을 제공해 주지 못하는 한계를 극복하기 위해 실천 윤리학이 필요하다는 내용이다. 즉, 실천 윤리학은 구체적이고 실천적인 도덕 판단과 행위의 지침을 강조하는 특징을 가진다. 실천 윤리학은 환경 윤리 분야에서 '자연은 개발의 대상인가, 보존의 대상인가?', 문화 윤리 분야에서 '문화 다양성의 존중과 보편 윤리는 양립 가능한가?'와 같이 실생활의 구체적인 문제에 대한 물음에 해답을 찾는다.

바로알기 ㄴ. "'옳다', '그르다'의 표현의 의미와 용법은 무엇인가?'라는 질문은 메타 윤리학의 탐구 주제이다. ㄹ. '공정한 사회로 발전하기 위해 우리에게 필요한 정의는 무엇인가?'라는 질문은 실천 윤리학에서 생명 윤리 분야가 아닌 사회 윤리 분야에 해당한다.

01 ⑤   02 ①   03 ⑤   04 (1) 실천 윤리학
(2) 해설 참조

01 제시된 글에서 '나'는 규범 윤리학의 입장이고, '어떤 사람들'은 메타 윤리학의 입장이다. '나'는 윤리학의 근본 과제를 '옳다', '그르다'의 표현의 의미와 용법을 탐구하는 것이 아닌, 윤리에서 필수적인 당위나 가치를 활용하여 규범적 판단을 제시해야 한다고 주장한다. 따라서 (가)에는 규범 윤리학의 입장에서 메타 윤리학에 대하여 비판하는 내용이 들어가야 한다.
바로 알기 ①, ② 도덕적 관습에 대해 조사하고 객관적인 서술을 강조하는 것은 기술 윤리학의 입장이다. ③ 윤리학의 학문적 성립 가능성 문제에 관심을 갖는 것은 메타 윤리학이다. ④ 역사·과학적인 면에서 기술적이고 경험적인 탐구를 강조하는 것은 메타 윤리학과 거리가 멀다.

02 갑은 메타 윤리학, 을은 규범 윤리학, 병은 기술 윤리학의 입장이다. 메타 윤리학은 사고 과정에서 사용되는 용어의 의미를 명확하게 분석하는 것을 목표로 하며, 규범 윤리학은 이론 윤리학과 실천 윤리학으로 모두 현실의 윤리 문제에 대한 올바른 삶의 방향을 제시하는 것을 목표로 한다. 기술 윤리학은 사회의 도덕적 질서 내에서 사실적 의미를 탐구한다.
바로 알기 ㄷ. 도덕적 추론의 정당성을 검증하기 위하여 논리 분석에 관심을 두는 것은 메타 윤리학이다. ㄹ. 갑은 메타 윤리학, 을은 규범 윤리학, 병은 기술 윤리학의 입장이다.

03 ㉠은 실천 윤리학, ㉡은 이론 윤리학이다. 실천 윤리학과 이론 윤리학은 모두 규범 윤리학으로, 우리가 추구해야 할 바람직한 삶과 이상적인 사회의 모습을 안내하는 데 도움을 준다. 이론 윤리학은 도덕 원리 도출과 정당화에 주된 관심을 가지며, 실천 윤리학은 이론 윤리학에서 제공하는 도덕 원리를 토대로 현대 사회가 당면한 다양한 윤리 문제의 해결 방안을 제시해 준다. 이처럼 실천 윤리학과 이론 윤리학은 유기적 관계를 가진다.
바로 알기 ㄱ. 구체적인 윤리 문제가 일차적 물음이고, 도덕 원리는 이차적 의미를 지닌다. ㄴ. 실천 윤리학과 이론 윤리학은 가치와 당위의 규범적 문제를 다룬다.

서술형 문제

04 (1) 실천 윤리학
(2) **예시 답안** 실천 윤리학은 윤리 이론을 적용하여 윤리 문제에 대한 구체적인 해결 방안을 도출하는 데 관심을 가지는 반면, 이론 윤리학은 도덕 원리를 도출하여 정당화하는 데 관심을 가진다.

채점 기준	배점
실천 윤리학이 구체적인 문제 해결에 관심을 가지고, 이론 윤리학이 도덕 원리의 정당화에 관심을 가진다는 것을 정확히 서술한 경우	상
실천 윤리학과 이론 윤리학의 특징 중 한 가지만 서술한 경우	하

02 현대 윤리 문제에 대한 접근

01 (1) × (2) ○ (3) ×   02 (1) ㄴ (2) ㄷ (3) ㄱ   03 ㉠ 동기, ㉡ 최대 행복, ㉢ 존엄성, ㉣ 조화   04 (1) ㉡ (2) ㉢ (3) ㉠

01 ②	02 ①	03 ④	04 ①	05 ③
06 ④	07 ⑤	08 ⑤	09 ②	10 ④

01 제시된 글은 유교의 『중용』과 『시경』의 내용 중 일부이다. 유교에서는 천지만물에 인의예지라는 도덕적 가치가 내재해 있으며, 이러한 속성을 온전히 이어받은 존재가 인간이라고 본다. 즉, 유교에서는 인간이 선한 본성을 현실에서 실현할 수 있는 능력을 가지고 있다고 본다.

02 유교에 따르면 인간은 누구나 하늘로부터 도덕적 본성인 사단을 부여받았지만, 지나친 욕구 때문에 선한 본성을 발현하지 못하고 도덕적으로 타락할 수 있다. 따라서 유교에서는 자기 자신에 대한 성실로서 충(忠)과 내 마음을 미루어 다른 사람을 배려하는 서(恕)의 방법을 통해 타인에 대한 사랑인 인(仁)을 실천할 것을 강조한다.
바로 알기 ② 만물을 평등하게 바라보는 제물(齊物)을 강조한 것은 도가의 입장이다. ③ 위로는 진리를 구하고 아래로는 중생을 구제하는 방법을 제시한 것은 보살이 되기 위한 불교의 수양 방법이다. ④ 삼독에서 벗어나 육바라밀을 실천하는 것은 불교에서 강조한 내용이다. ⑤ 인위적인 삶에서 벗어나 마음을 가지런히 하는 심재(心齋)를 강조한 것은 도가의 입장이다.

03 (가)는 연기설을 주장한 불교 사상으로, 만물은 여러 가지 원인과 조건의 결합으로 생겨나며 모든 존재는 상호 의존성을 갖는다고 주장한다. (나)는 하늘을 인간에게 도덕적 본성을 부여하는 존재로 설정한 유교 사상이다. 불교에서는 고통에서 벗어나기 위한 팔정도의 수행 방법을 강조하였으며, 연기를 깨달아 만물을 차별하지 않아야 한다고 보았다. 유교에서는 이상적 인간상으로 자기 수양을 통해 도덕적으로 완성된 군자, 성인을 제시하였다.
바로 알기 ㄹ. 겸허와 부쟁의 개념은 유교가 아닌, 물과 같은 삶에서 다투지 않고 뭇사람들이 싫어할 곳에 머물 것을 강조한 도가에서 주장하는 내용이다.

04 제시된 글은 모두 도가 윤리와 관련 있다. 도가에서는 자연의 순리에 따르는 무위자연의 삶을 이상적인 삶의 모습으로 제시한다. 무위자연이란 천지 만물의 근원인 도의 특성이며, 인위적으로 강제하지 않고 자연스러움을 따르는 것이다. 또한 도가의 수양 방법으로는 조용히 앉아서 우리를 구속하는 일체의 것을 잊어버리는

좌망(坐忘)과 마음을 비워 깨끗이 하는 심재(心齋)가 있다.

바로 알기 두 번째 관점: 도가에서는 대자연과 하나가 되어 진정한 자유의 경지에 이르는 지인(至人), 진인(眞人), 신인(神人)을 이상적 인간상으로 본다. 세 번째 관점: 인간은 누구나 하늘로부터 도덕적 본성인 사단을 부여받는다는 관점은 유교의 성선설의 입장이다.

극비 노트 유교와 도가 사상의 비교

구분	유교	도가
특징	• 인간의 현실에서 나타나는 삶의 문제를 중시함 • 효제와 같은 가족 윤리와 함께 공동체의 질서를 강조함	• 억지로 하지 않고 자연스러운 도의 흐름에 맡기는 무위자연의 삶을 강조함 • 상대적·평등적 세계관
인간관	• 인간은 하늘로부터 도덕적 본성을 부여받은 존재임 • 인간의 주체적인 도덕 실천을 중시함	인간을 자연의 일부로 보고 다른 존재와 구별하지 않음
하늘관	하늘은 인간에게 도덕적 본성을 부여하는 존재임	하늘은 인간과 직접 관련이 없는 자연법칙임
이상적 인간	성인(聖人), 군자: 지속적인 수양을 통해 도덕적 본성을 확충하고 실천하여 일상 속에서 지극한 선을 실현하는 사람	지인(至人), 진인(眞人), 신인(神人): 대자연과 하나가 되어 자연의 흐름에 따르는 사람
수양 방법	• 충(忠): 거짓이나 꾸밈없이 자신의 참된 마음에 최선을 다하는 것 • 서(恕): 내 마음을 미루어 다른 사람을 헤아림	• 좌망(坐忘): 조용히 앉아 우리를 구속하는 일체의 것을 잊어버림 • 심재(心齋): 마음을 비워 깨끗이 함
의의	• 현대 사회의 물질 만능주의, 인간 소외 문제 해결에 도움을 줌 • 공동체주의 윤리를 제시하고 생명의 소중함을 알게 함	• 내면의 자유를 추구함으로써 세속적 가치에 대한 집착을 버리게 함 • 환경 문제의 근본적 해결을 위한 사고방식 전환의 계기를 마련함

05 제시된 글은 칸트의 입장으로, 칸트는 도덕 실천에서 주체적인 자율성을 강조하였다. 칸트가 제시한 도덕 법칙은 도덕 행위자가 자신에게 스스로 부과하고 준수하는 자율 법칙이다. 그는 "너 자신과 다른 모든 사람들을 결코 한낱 수단으로서가 아니라, 항상 동시에 목적 그 자체로서 대하도록 행위하라."라는 정식을 통해 인간 존엄성을 강조하였다. 또한 오로지 의무 의식에서 나온 행위만이 도덕적 가치를 지닌다고 보고, 도덕 법칙을 어떤 상황에서도 무조건 따라야 하는 정언 명령의 형태로 제시하였다.

바로 알기 ㄱ. 칸트는 선의지가 동기인 행위만을 옳은 행위로 보았으며, 결과적으로 옳은 행동을 했더라도 개인의 이익 추구나 사회의 비난을 피하려는 의도에서 나온 행위는 결코 옳은 행위가 아니라고 보았다. ㄹ. 도덕 법칙은 무조건 따라야 하는 법칙인 정언 명령의 형식으로 제시되어야 한다.

06 (가)는 규칙 공리주의, (나)는 행위 공리주의이다. 규칙 공리주의는 규칙 결과의 유용성을, 행위 공리주의는 행위 결과의 유용성을 각각 판단 기준으로 삼는다. 규칙 공리주의는 행위 공리주의가 각각의 상황마다 행위의 결과를 계산하기가 어렵다는 한계를 지닌다고 비판한다.

바로 알기 ① 덕 윤리는 인간의 품성을 도야하여 덕성을 함양하는 것을 강조한다. 덕 윤리에서는 '어떤 품성을 갖추어야 하는가?'에 관심을 가진다. ② 자연법 윤리에서는 보편타당한 법칙인 자연법이 존재하고 인간은 누구나 이성을 통해 이를 파악할 수 있다고 본다.

극비 노트 행위 공리주의와 규칙 공리주의 비교

구분	행위 공리주의	규칙 공리주의
판단 기준	• 행위 결과의 유용성 • 어떤 행위가 최대의 유용성을 낳는가?	• 규칙 결과의 유용성 • 어떤 규칙이 최대의 유용성을 낳는가?
한계	• 시험 부정행위나 뇌물 수수와 같은 그릇된 행위도 그 결과가 유용하다면 옳은 행위로 인정받을 수 있음 • 행위 결과의 합을 일일이 계산하여 적용하는 것이 현실적으로 어려움	• 규칙들이 충돌할 경우 어떤 규칙을 따라야 하는지에 대한 기준이 불분명함 • 규칙에 절대적 권위가 없어 상황에 따라 규칙에 대한 예외가 쉽게 정당화될 수 있음
공통점	• 행위의 동기보다는 이익과 행복이라는 결과를 강조함 • 개인의 행복과 사회 전체 행복의 조화를 추구함	

07 공리주의에서는 쾌락을 산출하고 고통을 피하는 결과를 고려하여 인공 임신 중절의 허용 여부를 결정할 것이다. 따라서 인공 임신 중절을 허용했을 때, 더 큰 사회적 이익을 가져온다면 인공 임신 중절은 허용될 수 있다고 주장할 것이다.

바로 알기 ① 무위자연의 삶을 강조하여 자연의 흐름에 맞추어 살 것을 강조한 사상은 도가이다. ② '모든 인간의 생명은 해치지 말아야 한다.'라는 도덕 법칙에 따를 것을 강조한 입장은 칸트의 의무론적 접근이다. ③ 인간 존엄성의 원칙을 강조한 것은 칸트의 의무론적 접근이다. ④ 인연(因緣)설을 바탕으로 모든 생명의 상호 의존성을 고려하여 소중히 여기는 사상은 불교이다.

08 양적 공리주의자인 벤담은 인간은 누구나 쾌락을 추구하고 고통을 피하는 존재라고 보았으며, 쾌락은 선이고 고통은 악이라고 보았다. 또한 쾌락의 계산법으로 강도, 지속성, 확실성, 근접성, 생산성, 순수성, 범위의 일곱 가지 기준을 제시하였다.

바로 알기 ⑤ 감각적 쾌락과 다른 고차적 쾌락을 추구해야 한다는 내용은 질적 공리주의자인 밀의 주장이다.

09 갑은 아리스토텔레스로 덕 윤리적 접근, 을은 벤담으로 공리주의적 접근이다. 덕 윤리에서는 개인의 자유와 권리보다 공동체의 전통을 중시하며, 행위의 습관화를 강조한다. 공리주의에서는 의무 의식이 아닌 '최대 다수의 최대 행복'이라는 도덕 원리를 통해 문제를 해결한다.

바로 알기 ㄱ. 매킨타이어로 대표되는 현대의 덕 윤리에서는 개인의 자유와 권리보다 공동체의 전통을 강조한다. ㄷ. 오로지 의무 의식에서 나온 행위만이 도덕적 가치를 가진다고 본 것은 칸트의 의무주의 윤리이다.

10 책임 윤리에서는 행위나 행위 결과에 대한 책임은 물론, 보편적인 책임까지 강조한다. 또한 책임의 범위와 대상을 개인을 넘어 집단, 미래 세대, 동물, 생태계 등 시공간적으로 확장한다. 도덕

과학적 접근은 도덕성과 관련한 현상을 과학적 법칙에 적용하여 설명하며, 뇌 과학에서 딜레마 상황에서는 이성이 도덕 판단을 위해 추론의 과정을 수행한다는 것을 밝혀냈다.

바로 알기 ④ 도덕 과학적 접근 중 뇌의 작동 방식을 탐구하는 신경 과학 분야의 방법론을 윤리학에 접목한 신경 윤리학은 감정과 이성이 도덕의 근원으로서 어떤 기능을 하며, 양자가 도덕 판단의 과정에서 어떤 관계를 갖는지에 대해 과학적으로 연구한다. 따라서 감정을 배제하고 이성만을 탐구 분야로 삼지 않는다.

극비 노트 요나스의 책임 윤리적 접근

책임의 범위	• 하지 않은 행위나 해야 할 행위에 대한 책임까지 강조함 • 행위나 행위 결과에 대한 책임 • 부여된 과제나 역할에 따른 책임, 보편적인 도덕적 책임 • 집단, 미래 세대, 동물, 생태계까지 확장된 책임
책임의 성격	• 인간은 책임을 질 수 있는 유일한 존재 • 책임의 능력을 책임져야 하는 당위로 연결하여 현세대, 미래 세대와 자연에 대한 책임과 의무를 강조함

3단계 등급 올리기

본문 16~17쪽

01 ② 02 ③ 03 ② 04 ② 05 ⑤
06 ③ 07 ④ 08 해설 참조

01 갑은 도가 사상, 을은 불교 사상의 입장이다. 도가에서는 자연스러운 도의 흐름에 따라 살아야 한다는 무위자연(無爲自然)의 삶을 강조하였으며, 도의 관점에서 만물을 평등하게 바라보아야 한다고 보았다. 불교에서는 모든 존재가 인연으로 연결되어 있다는 연기의 깨달음을 중시하였으며, 만물은 독립적으로 존재하지 않고 상호 의존 관계에 있다는 점을 강조하였다.

바로 알기 ㄴ. 무위에 따르는 삶을 강조하는 도가 윤리에서는 사회 혼란과 문제의 근본 원인이 인위적인 판단에 의한 옳고 그름, 선악과 같은 구별에서 비롯된다고 보았다. ㄹ. 불교에서는 이상적 인간상으로 보살을 제시하였다. 소인은 유교의 이상적 인간상인 군자와 대비되는 말로 자신의 이익만을 추구하는 사람을 말한다.

02 제시된 글은 노자의 『도덕경』으로 도가의 입장이다. 도가에서는 각종 편견과 차별 의식을 타파하고 도(道)의 관점에서 만물을 평등하게 바라볼 것을 강조한다.

바로 알기 ① 자기가 소중하듯이 남도 소중하다는 자비의 마음을 강조한 것은 불교 사상의 입장이다. ② 의로움을 추구하여 개인주의보다는 공동체주의 의식을 가질 것을 강조한 것은 유교 사상의 입장이다. ④ 내 마음을 미루어 다른 사람의 마음을 헤아리는 서(恕)의 덕목을 강조한 것은 유교 사상의 입장이다. ⑤ 모든 만물은 인연(因緣)으로 연결되어 있어 상호 의존성을 갖는다는 것은 불교 사상의 입장이다.

03 갑은 인간의 존엄성을 강조한 칸트의 의무주의, 을은 최대 다수의 최대 행복을 강조한 공리주의 입장이다. 칸트는 "네 의지의 준칙이 언제나 동시에 도덕의 보편적 입법 원리로서 항상 타당성을 지닐 수 있는 준칙에 따라 행위하라."라는 보편화 정식에 따라 보편인 이성의 법칙에 따를 것을 강조하였다.

바로 알기 ① 감각적인 쾌락보다 정신적 쾌락을 중시한 사상가는 질적 공리주의자인 밀이다. ③ 공리주의는 대안의 비용과 이익을 계산하여, 최대의 이익을 산출하는 대안을 선택할 것을 강조한다. ④ 의도하지 않은 결과에도 책임을 지는 삶을 살아야 한다고 주장한 것은 책임 윤리의 입장이다. ⑤ 결과의 유용성을 추구하는 삶을 강조한 것은 공리주의 입장으로 칸트와 공리주의의 공통 입장으로 볼 수 없다.

04 제시된 글은 칸트의 의무주의 입장이다. 칸트는 거짓말이 항상 그른 까닭은 거짓말을 금지하는 것이 정언 명령에서 직접 도출되기 때문이라고 보았다. 즉 거짓말을 하는 것이 보편 법칙이 되도록 한다면, 사람들은 서로 상대방의 말을 믿을 수 없게 될 것이기 때문에 선의의 거짓말 역시 보편 법칙이 될 수 없다고 주장하였다.

바로 알기 ① 고상한 쾌락을 추구하려는 성향에 따르는 것은 질적 공리주의인 밀의 주장이다. ③ 공동체가 중시하는 가치와 성품의 습관화를 강조하는 것은 덕 윤리이다. ④ 선의의 거짓말이 최대 다수의 최대 행복을 증진시킨다면 허용된다는 입장은 공리주의에 해당한다. ⑤ 도덕적 품성과 선한 행위의 습관화를 강조하는 입장은 아리스토텔레스의 덕 윤리이다.

극비 노트 칸트 윤리

특징	• 행위의 결과보다 동기를 중시하며, 오로지 의무 의식에서 나온 행위만이 도덕적 가치를 지님 • 이성적이고 자율적인 인간은 도덕 법칙을 알고, 그것을 정언 명령의 형식으로 제시함 • 준칙을 보편화 가능성, 인간 존엄성의 관점에서 검토해야 함
의의	• 인간의 존엄성을 중시하여 인권 보호에 기여함 • 보편적인 도덕의 중요성을 강조함
한계	• 형식에 치우쳐 구체적인 행위 지침을 제시하지 못함 • 도덕 법칙이 서로 충돌할 경우 해답을 제시하지 못함

05 갑은 규칙 공리주의, 을은 행위 공리주의 입장이다. 규칙 공리주의는 규칙 결과의 유용성을, 행위 공리주의는 행위 결과의 유용성을 도덕적 판단의 기준으로 삼는다. 규칙 공리주의는 행위 공리주의가 각각의 상황마다 행위의 결과를 계산하기가 어렵다는 한계를 지닌다는 점을 비판할 수 있다.

바로 알기 ① 결과를 중시하여 내면적 동기에 소홀할 수 있는 것은 공리주의에 대한 비판이다. ② 의무가 충돌할 때 명확한 해답을 내리기 어려운 것은 칸트의 의무주의에 대한 비판이다. ③ 행위 공리주의는 유용성의 원리를 개별 행위에 적용하므로 갑이 을에게 할 수 있는 비판이 아니다. ④ 칸트의 의무주의에 대한 비판이다.

06 ㉠은 덕 윤리, ㉡은 배려 윤리, ㉢은 책임 윤리이다. 덕 윤리는 행위 자체의 옳고 그름보다는 행위자의 품성 함양에 집중한다. 배려 윤리는 맥락적 사고를 바탕으로 관계성을 중시하여, 서로

배려하는 마음을 통해 따뜻한 인간관계를 맺는 것을 중시한다. 책임 윤리는 책임의 범위를 집단, 미래 세대, 동물, 생태계로 확장하여 책임질 수 있는 능력을 책임져야 하는 당위로 연결시킨다.

바로 알기 ㄱ. 덕 윤리는 각 행위 자체의 옳고 그름에 대한 판단보다 행위자에 초점을 맞춘다. 즉 도덕적 행위의 원리보다는 행위자의 성품에 초점을 맞추어 훌륭한 성품을 지닌 사람이 행할 것으로 기대되는 판단에 주목한다. ㄷ. 배려 윤리는 추상적 원리보다 배려를 해야 하는 상대방이 처해 있는 구체적인 문제 상황과 요구를 살펴야 한다고 주장한다.

07 제시된 글은 트롤리 딜레마에 대한 도덕 과학적 접근으로 도덕 과학적 접근에서는 이성과 감정이 어떻게 작용하는지를 분석한다. 뇌 과학적 접근 방법은 '도덕성과 관련된 뇌 영역이 심각하게 손상된 사람에게 도덕적 책임을 부과할 수 있을까?'라는 윤리적 물음에 대한 해답을 찾을 수 있다. 하지만 뇌의 특정 부위를 마음의 작용으로 파악하는 것은 부분을 전체로 혼동하는 오류를 범한다는 비판을 받을 수 있다.

바로 알기 ㄴ. 도덕 과학적 접근은 현대 사회의 다양한 윤리 문제를 해결하는 데 이성, 정서, 신체적 부분을 통합적으로 고려한다.

극비 노트 도덕 과학적 접근

특징	도덕적 현상을 과학적·분석적으로 접근함
신경 윤리학	뇌의 작동 방식을 탐구하는 신경 과학 분야의 방법론을 윤리학에 접목함
새로운 물음	'도덕성과 관련된 뇌 영역이 심각하게 손상된 사람에게 도덕적 책임을 부과할 수 있을까?', '도덕적 행동을 촉진할 수 있는 약물이 개발된다면 우리 사회는 어떻게 될까?' 등의 물음에 대한 답을 찾음
의의	• 인간의 도덕성과 도덕적 행동을 새롭게 해석해 이해의 폭을 넓혀줌 • 도덕 판단이나 윤리 문제에 대한 객관적 정보를 제공함 • 현대 사회의 다양한 윤리 문제를 해결하는 데 이성, 정서, 신체적 부분을 통합적으로 고려
한계	• 뇌의 특정 부위를 마음의 작용으로 파악하는 것은 부분을 전체로 혼동하는 오류를 범함 • 인간의 행동을 과학적 법칙에 적용하기 때문에 인간의 자율성과 존엄성을 배제함

서술형 문제

08 **예시 답안** 지속적으로 수양을 쌓아 도덕적 본성을 확충하고 실천해야 한다.

채점 기준	배점
수양을 쌓아 도덕적 본성을 확충하고 실천해야 한다는 내용을 정확히 서술한 경우	상
도덕적으로 살아야 한다는 점만 서술한 경우	하

---

03 윤리 문제에 대한 탐구와 성찰

1단계 개념 짚어 보기 본문 19쪽

01 (1) × (2) ○ **02** (1) ㉤ (2) ㉠ **03** 도덕적 탐구 **04** ㄷ - ㄴ - ㄹ - ㄱ **05** (1) ㄴ (2) ㄱ (3) ㄷ

2단계 내신 다지기 본문 19~20쪽

01 ① **02** ② **03** ② **04** ④ **05** ④ **06** ②

01 ㉠은 도덕 원리, ㉡은 사실 판단이다. 도덕 원리의 예로는 '어려운 사람을 도와주어야 한다.', '모든 일은 공정하게 처리해야 한다.' 등으로 구체적인 윤리 이론을 적용한 원리 근거이다.

바로 알기 ㄴ. 도덕 원리는 옳고 그름을 판단하고, 사실 판단은 참과 거짓을 판단한다. ㄹ. '이 상황에서 옳은 것은 무엇인가?', '나는 어떻게 살아야 하는가?'와 같이 상황의 지침을 제공하는 것은 도덕 원리이다.

02 도덕적 추론의 과정은 대전제, 소전제, 결론의 순서이다. 도덕적 추론의 과정에서는 어떤 도덕 원리와 사실 판단에 근거를 두었는가에 따라 도덕 판단이 달라지기 때문에, 설득력 있는 도덕적 추론을 위해서는 근거로 사용된 도덕 원리와 사실 판단이 타당하고 논리적으로 제시되었는지 비판적으로 검토해야 한다.

바로 알기 ② 대전제는 도덕 원리, 소전제는 사실 판단, 결론은 도덕 판단에 해당한다.

03 반증 사례 검사는 도덕 원리가 적용되지 않는 사례는 없는지 살펴보는 방법이다. 갑은 '동물 실험은 살아 있는 생명을 죽이는 것'이라는 주장을 펼치고 있기 때문에 이에 대해 적용되지 않는 부분을 묻는 '동물 실험에서 살생이 이루어지지 않는 경우는 없을까?'라는 질문이 가장 적절하다.

바로 알기 ① 도덕 원리가 적용되지 않는 반증 사례에 대한 질문이 아니다. ③ 각종 통계 자료, 신문 기사, 전문가의 연구 성과를 활용하는 사실 판단과 관련된 질문이다. ④ 도덕 원리가 적용되지 않는 사례를 찾는 것이 아닌 구체적인 근거를 묻고 있다. ⑤ 역할 교환 검사에 해당한다.

극비 노트 도덕 원리의 타당성 검토 방법

역할 교환 검사	도덕 원리를 자신에게 적용했을 때에도 받아들일 수 있는지 확인하는 방법
반증 사례 검사	도덕 원리가 적용되지 않는 사례는 없는지 확인하는 방법
보편화 결과 검사	도덕 원리를 모든 사람에게 적용할 때 나타나는 결과에 문제가 없는지 확인하는 방법

04 제시된 글은 애덤 스미스의 『도덕 감정론』으로 공감이나 배려 등의 정서가 도덕적 사건이나 사태를 올바르게 인식하고 탐구하는 데 필요하다고 강조한다. 즉, 도덕적 탐구 과정에서는 타인의 입장에 대해 공감하고 배려하는 능력이 필요하며, 역지사지의 관점에서 특정 도덕 판단을 자신이나 타인에게 모두 적용할 수 있는지 고려하는 자세도 필요하다.

바로알기 ① 각종 자료 수집을 통해 연구 성과를 객관적으로 활용하는 사실 판단에 해당한다. ② 제시된 글은 타인의 입장에 공감하며 배려하는 능력도 필요하다고 강조하고 있다. ③ 도덕적 탐구는 정서적 측면을 고려하므로 감정을 억제하기보다는 배려하는 능력도 필요하다. ⑤ 제시된 글은 동서양의 이론에 대한 이해보다는 도덕적 탐구 과정에서 공감과 배려에 집중하고 있다.

극비 노트 도덕적 탐구의 고려 요소

도덕적 추론 능력	• 도덕 원리: 옳고 그름을 판단함 • 사실 판단: 참과 거짓을 판단함 • 근거로 사용한 도덕 원리와 사실 판단이 논리적으로 제시되었는지 비판적으로 검토해야 함
공감, 배려 능력	• 도덕적 추론 능력만으로 설득력 있는 해결 방안을 내리는 데 한계가 있음 • 타인의 입장에 공감하며 배려하는 능력이 필요함 • 역지사지의 관점에서 특정 도덕 판단이 자신이나 타인에게 모두 적용할 수 있는지 고려함

05 제시된 글은 이이의 『격몽요결』로 삶에서 반성하는 자세에 따른 '윤리적 성찰'을 강조한 내용이다. 윤리적 성찰은 증자의 일일삼성(一日三省), 유교의 거경(居敬)의 과정에서 나타나며, 도덕적 앎과 실천 사이의 간격을 좁혀 삶에서 자발적 실천을 할 수 있게 해 준다. 또한 가치관과 인격을 함양할 수 있게 도와준다.

바로알기 ③ 윤리적 성찰의 과정에는 과거, 현재의 시간 구조만 고려하는 것이 아닌 과거, 현재, 미래까지 살펴보는 과정이다.

06 제시된 글은 밀의 『자유론』으로 도덕적 토론의 중요성을 강조하는 내용이다. 밀은 인간이란 오류 가능성이 있는 불완전한 존재이므로 토론을 막아서는 안 된다고 보았다. 밀에 따르면, 토론을 통해 인류는 더 명확한 이해와 생생한 인상을 가지며, 비록 단 한 사람의 의견이 다르고 다른 사람의 의견이 같더라도 그 의견을 억압하고 침묵을 강요하는 것은 정당하지 못하다.

바로알기 ㄱ. 인간을 오류 가능성이 있는 존재로 보았다. ㄷ. 토론은 자기의 오류 가능성을 인정한 채, 상대방의 도덕 원리와 사실 판단을 검토하면서 도덕적 탐구와 성찰이 타당한지를 점검하여 타당한 해결책을 찾는 것이다.

3단계 등급 올리기

본문 21쪽

01 ② 　　02 ② 　　03 ④ 　　04 (1) ㉠ 도덕적 탐구, ㉡ 사실 판단 (2) 해설 참조

---

01 도덕적 탐구 방법의 단계는 윤리적 쟁점 또는 딜레마 확인, 자료 수집 및 분석, 입장 채택 및 정당화 근거 제시, 최선의 대안 도출, 반성적 성찰 및 정리의 순서로 이루어진다. ㉠은 점심 배식 순서에 대한 핵심을 파악하여 윤리적 쟁점 또는 딜레마가 무엇인지 확인하는 단계이다. ㉢은 입장 채택 및 정당화 근거 제시 단계로, 도덕 원리 검사를 적용하여 정당성을 확보해야 한다.

바로알기 ㄴ. ㉡은 자료 수집 및 분석 단계로 다양한 관련된 자료를 수집하고 분석하는 단계이다. ㄷ. ㉢은 입장 채택 및 정당화 근거 제시 단계에 해당한다.

극비 노트 도덕적 탐구 방법의 단계

윤리적 쟁점 또는 딜레마 확인	문제의 핵심, 관련된 사람들과 그들의 관계, 발생 원인 등을 파악함
자료 수집 및 분석 입장 채택 및	다양한 자료를 수집, 분석함
정당화 근거 제시	• 자신의 입장을 채택하고 대안을 설정하며, 이에 대한 정당화 근거를 제시함 • 도덕 원리 검사 방법 적용, 도덕적 정서도 고려해야 함
최선의 대안 도출	토론을 통해 최선의 해결책을 도출함
반성적 성찰 및 입장 정리	탐구 과정에서 달라진 생각, 참여 태도 등을 성찰함

02 제시된 글은 증자의 일일삼성(一日三省)으로 윤리적 성찰의 중요성을 강조하고 있다. 윤리적 성찰은 자신의 도덕적 경험을 바탕으로 깊이 있게 반성하고, 도덕적 삶의 실천 방향을 결정하는 활동으로 도덕적 지식을 실천으로 옮길 수 있도록 도움을 준다.

바로알기 ① 공리주의 입장이다. ③ 불교의 입장이다. ④ 칸트의 입장이다. ⑤ 불교의 입장이다.

03 (가)는 도덕적 토론의 중요성을 강조한 밀의 주장이다. 그는 소수의 의견이 진리일 때와 오류일 때 모두 소수의 의견을 참고해야 한다고 주장하였다. 왜냐하면 소수의 의견이 진리이고 다수의 의견이 오류이면 오류를 바로잡을 수 있기 때문이다. 또한 소수의 의견이 오류인 상황이라도, 부분적으로는 진리일 수 있으며 근거를 제시하여 더욱 명확한 이해와 생생한 인상을 획득할 수 있기 때문이다.

바로알기 ㄹ. 다수가 지지하는 의견이 오류일 수 있기 때문에 오류 가능성을 고려하여 도덕적 토론을 통해 타당한 해결책을 찾아야 한다.

서술형 문제

04 (1) ㉠ 도덕적 탐구, ㉡ 사실 판단
(2) **예시답안** 도덕 원리는 옳고 그름을 판단하며 윤리 이론을 적용한 원리 근거를 설정하는 반면, 사실 판단은 참과 거짓을 판단하며 각종 통계 자료, 신문 기사, 전문가의 연구 성과 등의 자료를 활용하여 제시한다.

채점 기준	배점
도덕 원리와 사실 판단의 개념을 명확히 서술하고, 도덕 원리는 윤리 이론을 적용하며, 사실 판단은 통계 자료 등을 활용한다는 내용을 서술한 경우	상
도덕 원리와 사실 판단의 개념만 서술하고, 각각이 무엇을 활용하는지를 서술하지 않은 경우	하

삶과 죽음의 윤리

 1단계 개념 짚어 보기

본문 23쪽

01 (1) ○ (2) × (3) ○　02 ㉠ 생명권, ㉡ 선택권　03 (1) ㄴ (2) ㄷ
04 (1) 장자 (2) 수단　05 ㉠ 존엄성, ㉡ 태아, ㉢ 인간, ㉣ 무고

2단계 내신 다지기

본문 23~24쪽

01 ①　02 ⑤　03 ②　04 ⑤　05 ⑤
06 ④

01 제시된 서술형 평가는 죽음을 바라보는 동서양 사상 또는 사상가의 다양한 관점을 알아보는 것이다. 유교의 공자는 죽음을 자연의 과정으로 받아들이고 애도하는 것을 마땅하게 여겼다. 하지만 "사람을 섬길 줄도 모르면서 어떻게 귀신을 섬길 수 있으며, 삶도 아직 모르면서 어떻게 죽음을 알겠는가?"라고 말하면서 죽음에 집착하기보다는 현실의 삶 속에서 도덕적 실천을 하기 위해 노력해야 한다고 보았다.
바로 알기 ㉡은 도가, ㉢은 불교, ㉣은 에피쿠로스, ㉤은 하이데거의 관점이다.

극비 노트 동서양 사상가들의 죽음에 대한 견해

동양	• 공자: 죽음에 대한 관심보다 현실의 도덕적 실천을 강조함 • 석가모니: 죽음은 고통이며 또 다른 세계로 윤회하는 것임 • 장자: 삶과 죽음은 서로 연결된 과정임
서양	• 플라톤: 죽음은 영혼이 육체로부터 해방되어 자유를 얻는 것임 • 에피쿠로스: 죽음은 경험할 수 없으므로 두려워할 필요가 없음 • 하이데거: 죽음에 대한 자각을 통해 삶을 더욱 의미 있게 살아갈 수 있음

02 갑은 플라톤, 을은 하이데거, 병은 불교 사상의 입장이다.
바로 알기 ⑤ 자신의 본모습을 깨달아야 윤회의 고통에서 벗어날 수 있다고 본 것은 불교의 입장이다. 불교에서는 죽음을 또 다른 세계로 윤회하는 것이라고 본다.

03 제시된 글은 죽음에 대한 장자의 입장이다. 장자는 삶과 죽음을 서로 연결된 순환 과정으로 보고, 죽음을 너무 슬퍼하거나 삶에 지나치게 집착하지 말 것을 강조하였다.
바로 알기 ㄴ은 플라톤의 입장, ㄹ은 불교의 입장이다.

04 그림의 강연자는 인공 임신 중절(낙태)에 대해 설명하고 있다. 태아의 생명권을 우선으로 보호하자는 입장은 인공 임신 중절에 반대하는 입장이므로 잠재성 논거, 존엄성 논거, 무고한 인간의 신성불가침 논거 등을 제시할 수 있다.
바로 알기 ① 정당방위 논거, ② 생산 논거, ③ 자율권 논거, ④ 소유권 논거는 여성의 선택권을 우선으로 보호하자는 입장을 지지하는 논거에 해당한다.

극비 노트 인공 임신 중절에 대한 찬반 논거

찬성 (선택 옹호주의)	• 소유권 논거: 여성은 자기 몸에 대한 소유권을 지니며, 태아는 여성 몸의 일부임 • 생산 논거: 여성은 태아를 생산하므로 태아에 대한 권리를 지님 • 자율권 논거: 여성은 자신의 삶을 자율적으로 선택할 권리가 있음 • 평등권 논거: 여성이 인공 임신 중절에 대해 자유롭게 선택할 수 있을 때 남성과 동등한 권리를 지님 • 정당방위 논거: 모든 인간은 자기방어와 정당방위의 권리를 지니므로 여성은 일정한 조건하에서 낙태를 할 권리가 있음
반대 (생명 옹호주의)	• 존엄성 논거: 모든 인간의 생명은 존엄하며, 태아 역시 생명을 가진 인간임 • 잠재성 논거: 태아는 임신 순간부터 한 인간으로 성장할 잠재성을 지님 • 무고한 인간의 신성불가침 논거: 잘못이 없는 인간을 해치는 행위는 옳지 않고, 태아는 무고한 인간임

05 안락사에 대한 찬성 논거로는 불치병으로 고통받고 있는 환자의 자율성과 삶의 질을 중시해야 한다는 점과 불치병 환자에 대한 연명 치료가 환자 본인과 가족에게 심리적·경제적 부담을 주어 사회의 이익 증진을 해친다는 점을 들 수 있다.
바로 알기 ⑤ 안락사를 반대하는 입장의 논거에 해당한다.

극비 노트 안락사에 대한 찬반 논거

찬성	• 모든 인간은 인간답게 죽을 권리가 있음 • 불치병으로 고통받는 환자의 자율성과 삶의 질을 중시함 • 의료 자원의 적절한 배분을 위해 필요함
반대	• 모든 인간의 생명은 존엄함 • 인간은 자신의 죽음을 인위적으로 선택할 권리가 없음 • 자연법 윤리, 의무론의 관점에 어긋남

06 제시된 글은 과거에는 심폐사만이 죽음의 기준이었지만, 현대에 와서 간혹 사고 등으로 심장과 폐의 기능보다 뇌의 기능이 먼저 멈추는 경우가 있어, 뇌사도 죽음의 판정 기준으로 인정해야 한다는 주장이 제기되었다는 내용이다. 뇌사를 죽음의 판정 기준으로 삼아야 한다고 주장하는 논거로는 뇌사자가 존엄하게 죽을 수 있는 권리를 존중해야 한다는 것과, 뇌사자의 장기로 다른 환자의 생명을 구하거나 질병을 치료함으로써 사회의 이익을 증진시킬 수 있다는 점을 들 수 있다.
바로 알기 ㄱ. 뇌사 판정 과정의 오류 가능성을 제기하고 ㄷ. 뇌사자의 장기 이식이 인간의 생명을 수단으로 여기게 만들어 생명 경시 풍조를 조장한다고 보는 것은 뇌사를 죽음의 판정 기준으로 삼는 데 반대하는 입장의 논거에 해당한다.

극비 노트 뇌사를 죽음의 판정 기준으로 삼는 것에 대한 찬반 논거

찬성	• 장기적인 연명 치료로 인한 부담을 줄일 수 있음 • 이식용 장기를 확보하여 다른 환자의 생명을 구할 수 있음
반대	• 생명에 대한 인위적 개입은 생명의 신성함을 해침 • 뇌사 판정 과정에서 오류 가능성이 있음 • 장기 이식을 위해 뇌사 판정을 악용할 수 있음

| 01 ② | 02 ⑤ | 03 ③ | 04 해설 참조 |

01 갑은 장자, 을은 에피쿠로스이다. 장자는 삶은 기의 모임이고 죽음은 기의 흩어짐이라고 정의하면서, 삶과 죽음은 서로 연결된 과정이므로 죽음을 너무 슬퍼할 필요가 없다고 강조하였다. 에피쿠로스는 인간이 살아 있는 동안에는 죽음을 경험할 수 없으므로, 죽음을 두려워할 필요가 없다고 주장하였다. 제시된 글에서 가사성(可死性)이란 죽을 가능성을 의미한다.

(바로 알기) ㄴ. 장자는 죽음에 대해 너무 슬퍼할 필요가 없다고 보았다. ㄹ. 장자는 삶과 죽음을 서로 연결된 과정이라고 보았으며, 장자와 에피쿠로스는 죽음을 걱정하거나 두려워할 필요가 없다고 하였다. 이런 점에서 장자와 에피쿠로스가 불멸(죽지 않음)과 영생(영원한 삶)에 대한 갈망을 중시한다고 보기는 어렵다.

극비 노트 ┃ 장자와 에피쿠로스의 죽음에 대한 언급

장자	• "삶은 기(氣)의 모임이고 죽음은 기의 흩어짐이다." • "망막하고 혼돈한 대도(大道) 속에 섞여 있던 것이 변해서 기(氣)가 되고, 기가 변해서 형체가 되고, 형체가 변해서 생명이 되었다. 그리고 그것이 변해서 죽음이 된 것이다. 마치 춘하추동이 서로 되풀이하여 운행함과 같다."
에피쿠로스	• "살아 있으면 죽음은 없고, 죽으면 느끼는 내가 없으므로 죽음을 의식하거나 두려워할 필요가 없다." • "죽음은 우리에게 아무것도 아니다. 왜냐하면 우리가 존재하는 한 죽음은 우리와 함께 있지 않으며, 죽음이 오면 우리는 이미 존재하지 않기 때문이다."

02 갑은 플라톤, 을은 장자이다. 플라톤은 죽음을 영혼이 육체에서 해방되어 영원불변한 이데아의 세계로 들어가 자유를 얻고 진리를 깨닫게 되는 것으로 이해하였다. 장자는 삶과 죽음이 서로 연결된 순환 과정이므로 죽음에 대해 너무 슬퍼하거나 걱정할 필요가 없다고 강조하였다. 따라서 플라톤과 장자는 모두 '죽음에 대해 두려움을 가질 필요가 없는가?'라는 질문에 긍정의 대답을 할 것이다.

(바로 알기) ① 플라톤이 부정의 대답을 할 질문이다. ② 장자가 긍정의 대답을 할 질문이다. ③, ④ 죽음을 윤회로 설명하고, 생로병사의 네 가지 고통 중의 하나로 본 사상은 불교이다.

극비 노트 ┃ 죽음에 대한 플라톤의 입장

• 죽음을 영혼과 육체가 분리되는 것이라고 정의함
• 영혼은 불멸한 것으로 출생 이전에는 이데아*의 세계에 속해 있었으나 태어나서 육체에 갇혀 있다가 죽음으로 육체에서 벗어나 자유롭게 된다고 봄

*이데아: 감각적인 경험을 초월한 참된 존재

03 갑은 환자의 고통 경감과 가족의 부담 해소, 생명에 대한 자기 결정권을 근거로 안락사를 찬성하는 입장이고, 을은 인간 생명의 존엄성을 근거로 안락사를 반대하는 입장이다.

(바로 알기) ① 인간답게 죽을 권리, ② 생명에 대한 개인의 자율적 선택권 존중, ⑤ 사회의 이익 증진을 위한 의료 자원의 효율적 배분을 강조하는 것은 안락사를 찬성하는 입장에서 주장할 내용이다. ④ 안락사를 반대하는 입장에서 볼 때, 안락사는 인간의 존엄성을 훼손하는 행위이다.

서술형 문제

04 (예시 답안) 뇌사를 죽음의 판정 기준으로 삼을 경우, 뇌사자의 장기를 이식하여 다른 환자의 생명을 구할 수 있기 때문이다.

채점 기준	배점
뇌사자의 장기를 이식하여 다른 환자의 생명을 구할 수 있다는 내용을 정확히 서술한 경우	상
'장기 이식에 대한 언급 없이 생명을 구할 수 있다는 내용만 서술한 경우	하

02 생명 윤리

01 (1) ○ (2) ○ (3) × (4) × **02** (1) 배아 (2) 개체 **03** ㉠ 불임, ㉡ 존엄성 **04** 도덕 **05** (1) ㄴ (2) ㄱ

01 ②	02 ④	03 ①	04 ⑤	05 ①
06 ④				

01 제시된 글은 생명 복제의 의미와 그에 관한 설명이다. (가)에는 생명 복제를 반대하는 입장의 논거가 들어가야 한다. 생명 복제를 반대하는 입장의 논거로는, 인간을 제작·대체가 가능한 존재로 여기게 만든다는 점, 전통 가정을 토대로 하는 사회의 기본 구조를 파괴한다는 점, 인간의 고유성과 개체성, 정체성을 상실하게 만든다는 점 등을 들 수 있다.

(바로 알기) ㄴ, ㄹ. 생명 복제를 찬성하는 입장의 논거이다. 이외에도 멸종 동물의 보호와 생물종의 다양성 유지, 생명 과학 기술의 기반 확립 등이 생명 복제를 찬성하는 입장의 논거이다.

02 제시된 글은 유전자 치료의 의미이다. 유전자 치료법을 반대하는 입장의 논거로는 생식 세포를 변화시켜 인간 성향을 개선하려는 우생학이 발생할 우려가 있다는 점, 임상 실험의 위험성과 과학적 불확실성으로 예측할 수 없는 부작용이 나타날 수 있다는 점 등을 들 수 있다.

ㄱ. 유전자 치료에 찬성하는 입장에서는 유전자 치료가 유전 질환을 물려주지 않으려는 부모의 자율적 선택을 존중하는 것이라고 본다. ㄷ. 유전자 치료에 찬성하는 입장에서는 유전자 치료가 유전적 결함이 있는 배아를 바로잡아 출생시킬 가능성을 열어 준다고 본다.

03 갑은 인간 배아 복제를 찬성하는 입장이고, 을은 인간 배아 복제를 반대하는 입장이다. 인간 배아 복제를 찬성하는 입장에서는 인간 배아가 인간으로서 도덕적 지위를 갖는다고 인정하지 않는 반면, 인간 배아 복제를 반대하는 입장에서는 인간 배아가 인간으로서 도덕적 지위를 갖는다고 인정한다. 따라서 인간 배아 복제에 찬성하는 입장에서는 부정, 반대하는 입장에서는 긍정의 대답을 할 질문은 '인간 배아는 인간으로서 도덕적 지위를 지니는가?'이다.
②, ③, ④, ⑤는 인간 배아 복제를 찬성하는 입장에서 긍정, 반대하는 입장에서는 부정의 대답을 할 질문이다.

극비 노트	인간 배아의 도덕적 지위를 주장하는 논거
종의 구성원 논거	배아는 인간 종(種)에 속하며 도덕적 주체가 될 수 있음
잠재성 논거	배아는 인간이 될 수 있는 잠재성을 가짐
동일성 논거	배아는 도덕적 존중의 기초가 되는 속성을 인간과 동일하게 가짐
연속성 논거	배아는 선명한 경계선이 없는 연속적인 인간 발달의 과정에 있음

04 동물 실험을 찬성하는 입장의 논거로는 인간이 동물과 근본적으로 다른 존재 지위를 갖고 있다는 점과 인간과 동물이 생물학적으로 유사하므로 동물 실험의 결과를 인간에게 적용할 수 있다는 점을 들 수 있다. 반면, 동물 실험을 반대하는 입장의 논거로는 인간과 동물은 존재 지위에 별 차이가 없다는 점을 들 수 있다.
⑤ 고통을 느낄 수 있는 동물을 도덕적으로 고려해야 한다고 보는 벤담이나 싱어의 관점에서 볼 때, 인간의 이익을 위해 동물에게 고통을 가하는 것은 윤리적으로 정당화될 수 없다.

05 갑은 아퀴나스, 을은 칸트이다. 아퀴나스와 칸트는 동물이 도덕적으로 고려받을 권리를 갖지는 않지만, 그렇다고 해서 동물을 함부로 다루어서는 안 된다고 주장하였다. 왜냐하면 동물을 함부로 다루는 것은 인간의 품성에 부정적인 영향을 끼치기 때문이다. 아퀴나스와 칸트는 동물에게 친절한 사람은 사람에게도 친절할 것이고, 동물에게 잔인한 사람은 사람에게도 잔인할 것이라고 주장하였다.
ㄷ. 아퀴나스와 칸트에 따르면, 동물이 인간을 위해 존재하더라도 함부로 다루어서는 안 된다. ㄹ. 동물은 고통을 느낄 수 없는 '움직이는 기계'에 불과하다고 본 사상가는 데카르트이다.

06 제시된 글은 동물 실험의 윤리적 쟁점 중 '동물의 도덕적 지위'에 관한 내용이다. 아퀴나스와 칸트는 동물이 도덕적으로 고려받을 권리를 갖지 않는다는 입장이고, 벤담, 싱어, 레건은 동물이 도덕적으로 고려받을 권리를 가진다는 입장이다.
④ 아퀴나스는 동물에 대한 잔혹한 처우가 인간에 대한 잔혹한 처우를 조장할 수 있다고 보았다.

극비 노트	'동물이 도덕적으로 고려받을 권리'에 대한 입장	
찬성	• 벤담: 동물도 고통을 느끼므로 도덕적으로 고려받을 권리를 가짐 • 싱어: 동물도 쾌고 감수 능력을 갖고 있으므로 동물의 이익도 평등하게 고려되어야 함 • 레건: 한 살 정도의 포유류는 자신의 삶을 영위할 수 있는 능력, 즉 믿음, 욕구, 지각, 기억, 감정 등을 가진 삶의 주체가 될 수 있으므로 인간처럼 내재적 가치를 지님	
반대	• 데카르트: 동물은 '자동인형' 또는 '움직이는 기계'에 불과함 • 아퀴나스와 칸트: 동물은 도덕적으로 고려받을 권리를 갖지는 않지만, 동물을 함부로 다루어서는 안 됨 • 코헨: 동물은 윤리 규범의 고안 능력이나 자율성 등이 없으므로 도덕적 권리를 갖지 않음	

3단계 등급 올리기
본문 29쪽

01 ①	02 ①	03 ②	04 해설 참조

01 (가)는 레건의 동물에 대한 입장이 나타나 있다. 레건은 동물 실험과 관련하여 과학의 발전을 위해 동물에게 고통을 주는 것은 동물의 내재적 가치를 존중하지 않고, 단지 동물을 인간의 목적을 위한 수단으로 이용하는 것이기 때문에 부당하다고 본다.
②, ③, ⑤는 동물 실험을 허용하므로 레건의 관점과 어긋난다. ④ 레건에 따르면, 동물 실험은 동물의 내재적 가치를 존중하지 않고 동물을 수단으로 이용하기 때문에 부당하다.

02 (나) 그림의 ㉠에는 '인위적으로 동일한 유전 형질을 가진 동물을 만들어 내는 동물 복제는 종의 다양성을 훼손한다.'라는 내용이 들어가야 한다. 따라서 ㉠에 대한 반론의 근거는 동물 복제가 종의 다양성을 훼손하지 않는다는 내용이어야 한다. 동물 복제를 찬성하는 입장에서는 동물 복제가 멸종 위기의 동물을 복원하고 희귀 동물을 보존하는 방법을 제공하여 종의 다양성을 유지하는 데 기여한다고 본다.
ㄷ, ㄹ. 동물 복제를 반대하는 입장의 근거에 해당한다.

03 갑은 인간 실험은 부당하지만 동물 실험은 정당하다고 보는 입장이고, 을은 인간 실험과 마찬가지로 동물 실험도 부당하다고 보는 입장이다. 따라서 토론의 핵심 쟁점은 동물 실험의 정당성, 즉 '인간 실험과 달리 동물 실험은 정당한가?'이다.
①, ③, ④, ⑤는 토론의 핵심 쟁점과 거리가 멀다.

서술형 문제

04 인간의 존엄성을 훼손한다. 인간의 자연스러운 출산 과정에 어긋난다. 인간의 고유성을 위협한다. 가족 관계에 혼란을 준다.

채점 기준	배점
개체 복제를 금지하는 이유를 두 가지 이상 정확히 서술한 경우	상
개체 복제를 금지하는 이유를 한 가지만 정확히 서술한 경우	하

03 사랑과 성 윤리

01 (1) ◯ (2) ✕ (3) ◯ (4) ◯   02 (1) ㄱ (2) ㄷ   03 성의 자기 결정권   04 (1) 성차별 (2) 성 상품화   05 ㉠ 효도, ㉡ 우애

01 ④   02 ④   03 ⑤   04 ①   05 ②
06 ①

01 밑줄 친 '어떤 사상가'는 프롬이다. 프롬은 사랑이 보호, 책임, 존경, 이해의 요소를 포함한다고 보고, 사랑하는 상대방을 보호하고, 상대방의 요구를 배려하면서 자신의 행동에 책임지는 것, 상대방을 있는 그대로 받아들이며 존경하는 것, 상대방을 올바로 이해하는 것이 진정한 사랑의 모습이라고 주장하였다.
바로 알기 ㄱ, ㄷ. 프롬에 따르면, 사랑은 상대방을 소유의 대상으로 보지 않고, 내가 바라는 대로 상대방을 변화시키는 것이 아니라 있는 그대로 보는 것이다.

02 사랑과 성의 관계에 대해 갑은 자유주의, 을은 보수주의, 병은 중도주의 입장이다. 사랑 중심의 성 윤리를 제시하는 중도주의 입장은 성을 결혼과 결부시키지 않으며, 사랑을 동반한 성적 관계는 허용될 수 있다고 본다.
바로 알기 ①, ②, ⑤는 보수주의 입장이고, ③은 자유주의 입장에 해당한다.

극비 노트 사랑과 성의 관계에 대한 입장

보수주의 입장	• 결혼과 출산 중심의 성 윤리를 제시함 • 성은 부부간의 신뢰와 사랑을 전제로 할 때만 도덕적임
중도주의 입장	• 사랑 중심의 성 윤리를 제시함 • 성을 결혼과 결부시키지 않으며, 사랑을 동반한 성적 관계는 허용될 수 있음
자유주의 입장	• 자발적인 동의 중심의 성 윤리를 제시함 • 성숙한 성인의 자발적 동의에 따라 이루어지는 성적 관계를 옹호하며, 개인의 자유로운 선택을 중시함

03 제시된 글은 성의 자기 결정권에 대한 설명이다. 성의 자기 결정권에 대한 침해는 인간의 존엄성에 대한 침해로 이어질 수 있고, 성적 행동은 생명 윤리 문제와 연결될 수 있다. 따라서 성의 자기 결정권은 반드시 타인의 권리를 침해하지 않는 범위로 제한되어야 하고, 자신의 결정에 대한 책임이 뒤따라야 한다. 성의 자기 결정권을 올바르게 행사하기 위해서는 상대방을 대할 때 존중과 배려 등 윤리적 가치를 실천해야 한다.
바로 알기 ⑤ 성의 자기 결정권은 성과 관련된 자율적 권리이기는

하지만 성매매나 성적 방종까지 인정하는 것은 아니다.

04 제시된 글은 성 상품화에 대한 설명으로, (가)에는 성 상품화를 찬성하는 입장의 주장이 들어가야 한다. 성 상품화를 찬성하는 입장은 성의 자기 결정권 존중과 표현의 자유를 강조한다. 또한 성 상품화가 이윤 극대화를 추구하는 자본주의 경제 논리에 부합할 수 있다고 본다.
바로 알기 ②, ④, ⑤는 성 상품화를 반대하는 입장의 주장으로 적절하다.

극비 노트 성 상품화에 관한 입장

찬성 입장	• 성의 자기 결정권과 표현의 자유를 강조함 • 이윤 극대화를 추구하는 자본주의 경제 논리에 부합함
반대 입장	• 성을 상품으로 대상화하여 성의 가치와 의미를 훼손함 • 인간을 도구화하고 외모 지상주의를 조장함

05 제시된 기사는 맞벌이 가구의 가사 노동 분담 형태가 여전히 아내 중심으로 이루어지고 있는 현실을 보여 주고 있다. 이러한 가정 내 부부간 역할 분담의 불균형 문제를 해소하기 위해서는 부부가 서로 동등한 존재임을 인식하고 존중하며 협력하는 자세가 필요하다.
바로 알기 ㄴ. 남녀 간에 고정된 성 역할이 있다고 보는 인식은 역할 분담의 불균형 문제를 더욱 심화시킨다. ㄷ. 부족한 부분을 서로 채워 주고 서로 조화시키는 음양의 원리에 따르는 것은 바람직하지만, 부부간의 위계질서를 바로 세운다는 것은 음양의 원리에도 맞지 않고 바람직한 자세가 아니다.

극비 노트 음양론(陰陽論)

- 우주나 인간 사회의 모든 현상을 음양의 변화로 설명하는 이론
- 음과 양은 서로 다르지만, 단독으로 존재할 수 없으므로 보완하여 조화를 이루어야 함

06 제시된 글은 가족 해체 현상에 대한 내용으로, (가)에는 가족 해체 현상을 극복하기 위해 부모와 자녀 간에 지켜야 할 윤리가 들어가야 한다. 부모와 자녀 간의 윤리로는 자애와 효도를 들 수 있으며, 전통 윤리에서는 부자유친, 부자자효의 덕목을 들 수 있다.
바로 알기 ㄷ. 음양론에 바탕을 둔 부부상경은 부부간의 윤리에 해당한다. ㄹ. 형우제공은 형제자매 간의 윤리에 해당한다.

극비 노트 가족 간에 지켜야 할 윤리

부부간	• 부부상경(夫婦相敬): 부부간에는 서로 공경해야 함 • 상경여빈(相敬如賓): 부부간에 서로 공경하기를 손님과 같이 해야 함
부모 자식 간	• 자애와 효도를 실천해야 함 • 부자유친(父子有親): 부모와 자식 간에는 친밀함이 있어야 함 • 부자자효(父子慈孝): 부모는 자애롭고 자식은 효성스러워야 함
형제 자매 간	형우제공(兄友弟恭): 형은 동생을 사랑하고, 동생은 형을 공경해야 함

3단계 등급 올리기

본문 33쪽

01 ②   02 ③   03 ④   04 해설 참조

01 그림의 강연자는 프롬이다. 프롬은 사랑에는 보호, 책임, 존경, 이해의 요소가 포함된다고 주장하면서, 상대방을 보호하는 것, 상대방의 요구를 배려하면서 자신의 행동에 책임지는 것, 상대방을 있는 그대로 받아들이며 존중하는 것, 상대방을 올바로 이해하는 것을 진정한 사랑의 모습이라고 주장하였다.

(바로 알기) ① 프롬에 따르면, 진정한 사랑은 상대방을 소유하는 것이 아니라 있는 그대로 받아들이고 인정하는 것이다.

02 갑은 사랑과 성의 관계에 대한 보수주의 입장이고, 을은 중도주의 입장이다. 보수주의 입장에서는 결혼한 부부의 성만이 도덕적으로 정당하다고 보며, 성이 출산을 통해 사회의 안정과 질서 유지에도 기여한다고 본다. 중도주의 입장에서는 사랑 없는 성은 비도덕적이며 성의 인격적 가치를 떨어뜨릴 수 있다고 본다.

(바로 알기) ③ 사랑과 성의 관계에 대한 자유주의 입장이다.

03 가상 편지의 ㉠에 들어갈 말은 부부이다. 부부는 혼인을 통해 맺어진 친밀한 관계이며, 서로 예의를 지켜 공경하고 존중해야 하는 관계이다. ㉠ 뒤에 상대를 아끼는 마음으로 손님을 대하듯 존중한다는 것은 부부간에 지켜야 할 도리인 '상경여빈'을 말한다.

(바로 알기) ㄱ. 항렬에 따른 도리를 중시하는 관계는 친족 관계이다. ㄷ. 동기간은 같은 기운을 타고난 관계로, 형제자매 관계를 말한다.

서술형 문제

04 (예시 답안) (가) 부모의 뜻을 헤아려 실천함으로써 부모를 기쁘게 해 드리는 것, (나) 표정을 항상 부드럽게 하여 부모가 편안한 마음을 지닐 수 있도록 해 드리는 것

채점 기준	배점
양지와 공대의 의미를 모두 정확히 서술한 경우	상
양지와 공대의 의미 중 한 가지만 정확히 서술한 경우	하

극비 노트 전통적인 효의 실천 방법

불감훼상 (不敢毀傷)	효의 시작으로, 부모로부터 물려받은 몸을 깨끗하고 온전하게 하는 것
봉양(奉養)	부모를 실질적으로 잘 모시는 것
양지(養志)	부모의 뜻을 헤아려 실천함으로써 부모를 기쁘게 해 드리는 것
공대(恭待)	표정을 항상 부드럽게 하여 부모가 편안한 마음을 지닐 수 있도록 해 드리는 것
불욕(不辱)	부모를 욕되지 않게 해 드리는 것
혼정신성 (昏定晨省)	아침저녁으로 부모에게 문안을 드리는 것
입신양명 (立身揚名)	효의 마침으로, 후세에 이름을 떨쳐 부모를 영광되게 해 드리는 것

01 직업과 청렴의 윤리

1단계 개념 짚어 보기

본문 35쪽

01 (1) × (2) ○ (3) ○   02 ㉠ 항산, ㉡ 항심   03 (1) ㄴ (2) ㄱ (3) ㄷ (4) ㅁ (5) ㄹ   04 ㉠ 이윤 추구, ㉡ 노동 3권, ㉢ 직무(업무), ㉣ 노블레스 오블리주, ㉤ 공직자 윤리, ㉥ 대리인, ㉦ 봉공(선공후사)

2단계 내신 다지기

본문 35~36쪽

01 ⑤   02 ①   03 ③   04 ③   05 ⑤
06 ③   07 ③

01 제시된 글은 직업 생활이 개인의 역할 수행을 통해 사회 전체의 발전과 조화를 가져올 수 있다고 강조하고 있다. ⑤ 직업은 개인적 차원의 의미만 성립하는 것이 아니라 사회적 차원에서도 생각해 보아야 한다는 제시된 글의 내용을 통해 추론할 수 있다. 또한 플라톤이 말한 통치자, 방위자, 생산자 계층의 역할 분담과 조화를 통해서도 사회 전체의 발전과 조화를 파악할 수 있다.

(바로 알기) ② 직업 생활에 대한 개인적 차원의 자아실현보다는 사회적 차원의 의미를 강조하고 있다. ③ 직업 생활에서 경제적 안정과 도덕성 함양을 비교하는 내용이 아니다.

02 제시된 글은 맹자의 주장이다. 맹자는 '대인의 할 일과 소인의 할 일'이라는 표현을 통해 정신노동과 육체노동이 구분된다고 보았으며, 사회적 역할 분담을 하게 될 때 훨씬 더 효율적이며 좋은 사회를 구현할 수 있다고 보았다.

(바로 알기) ② 맹자는 개인의 선호에 따라 자유롭게 직업을 선택할 수 있다고 보지 않았다. ③ 맹자는 통치자가 백성들의 생계유지를 위해 힘써야 한다고 주장하였다. ④ 맹자는 자급자족의 삶의 방식이 사람들을 힘들고 지치게 할 것이라고 지적하였다. ⑤ 인간의 본성이 악하기 때문에 예로써 악한 본성을 다스려야 한다는 내용은 순자의 주장이다.

03 제시된 글은 덴마크에서 22년째 택시 기사를 하고 있는 사람을 만나 대화하면서 느꼈던 점을 통해 직업 생활의 의미와 행복에 대해 생각해 보게 한다. 이 글을 통해 직업 생활은 단순한 생계유지 수단 이상의 의미를 지니고 있으며, 사람은 직업 생활을 통해 자신의 재능과 능력을 발휘하여 성취감이나 보람, 자부심 등을 느끼고 자아를 실현할 수 있다는 점을 알 수 있다.

(바로 알기) ①, ② 제시된 글은 직업을 통한 생계유지나 경제적 안정의 가치보다 만족감과 행복 등을 강조하고 있다. ④ 제시된 글은 직업 생활에서 다른 사람들의 시선이나 평가보다 자기 자신이 어떻게 생각하고 만족감을 느끼는지가 중요하다고 강조하고 있다.

04 갑은 공자, 을은 플라톤이다. 공자는 각자 자신의 지위와 역할, 신분에 맞는 책임과 임무를 다해야 한다고 보았다. 플라톤은 통치자, 방위자, 생산자로 구분될 수 있는 사회의 각 계층 사람들이 자신의 역할에 최선을 다할 때 정의로운 이상 사회가 실현될 것

이라고 보았다.

바로알기 ① 플라톤은 다양한 직업 생활을 경험하는 것보다는 자신의 덕에 맞는 직업 생활에 충실히 임할 것을 강조하였다. ② 루터나 칼뱅을 비롯한 그리스도교 사상가들이 지지할 내용이다. ④ 공자나 플라톤 모두 다양한 직업을 풍부하게 경험해 볼 것을 강조하지 않았다.

극비노트 동서양 사상가들의 직업관

공자	정명(正名): 자신의 지위와 신분에 맞는 책임과 역할을 수행함
맹자	• 항심(恒心)을 유지해 주기 위해 백성들의 항산(恒産) 보장에 힘써야 함 • 대인(大人)이 할 일과 소인(小人)이 할 일을 구분함
순자	예(禮)를 통해 적성과 능력에 따라 사회적 역할 분담을 하게 해야 함
정약용	신분적 질서에서 벗어나 사회 분업에 따라 직능적으로 파악함
플라톤	• 정의로운 국가: 통치자, 방위자, 생산자 세 계층이 각각 지혜, 용기, 절제의 덕을 실천하여 조화를 이룰 때 정의가 실현됨 • 각자 자신의 타고난 성향에 따라 맡겨진 일에 충실함
칼뱅	• 직업 소명설: 직업은 신이 각 사람을 불러 맡겨 주신 소명임 • 근면 성실한 가운데 부를 축적하는 것은 죄가 아님
마르크스	자본주의 체제에서의 강제된 노동으로 노동 소외 문제가 심화됨 → 노동을 통해 자기 본질을 실현하는 인간 존재의 특성을 되찾아야 함

---

05 제시된 글은 정약용의 『목민심서』 내용 중 일부이다. 정약용은 목민관이 청렴을 기본으로 해야 한다고 보면서 청렴하려면 자애로워야 하고 자애로우려면 절용해야 한다고 강조하였다. 또한 청렴한 목민관이 되기 위해 사사로운 정에 이끌리지 않도록 조심해야 한다고 보면서 불필요한 만남을 자제해야 한다고 강조하였다.

바로알기 ① 정약용은 단기적 이익, 장기적 이익을 탐하고 계산할 것을 강조하지 않았다. ② 정약용은 사사로운 이익을 넘어서 청렴의 자세를 지녀야 한다고 보았다. ③ 정약용은 관직에서 물러날 것을 주장하지 않았다. ④ 정약용은 모든 공적 업무를 백성들의 제안대로 시행하라고 주장하지 않았다.

06 공직자는 공적인 업무를 맡아 일을 처리하는 사람으로 국민의 대리인이며 국민을 위해 봉사하는 자리이지, 군림하거나 대접받는 자리가 아니다. 공직자는 내부의 문제점에 대해 정직하게 지적하고 개선할 수 있도록 노력해야 한다.

바로알기 ③ 자신과 관련된 공직자라 할지라도 부패를 저질렀다면 그에 대한 적절한 징계나 처벌을 인정해야 한다.

07 ㉠은 '부패'이다. 부패는 불법적 또는 부당한 방법으로 재물, 지위, 기회 등과 같은 금전적, 사회적 이득을 얻거나 다른 사람이 그것을 얻도록 돕는 행위이다. 공정하고 건전한 사회 질서를 유지하고 정의로운 사회를 만들기 위해서는 부패 방지가 필요하다.

바로알기 ① 공정하고 투명한 사회를 위해 부패 방지가 필요하다. ② 부패는 결과적으로 시간을 낭비하게 하고 비효율성을 초래한다고 볼 수 있다. ④ 연고주의와 정실주의는 부패를 양산하는 대표적인 원인에 해당한다. ⑤ 부패는 국가의 신인도를 떨어뜨리고 국가 경쟁력을 약화시키는 요인이 된다.

---

01 ②   02 ④   03 ②   04 (1) ㉠ 전문직, ㉡ 공직자 (2) 해설 참조

01 제시된 글은 순자의 주장이다. 순자는 인간이 이기적이기 때문에 편안한 직업만을 가지려 한다고 보았다. 따라서 성왕들이 제정한 사회 규범인 예(禮)를 통해 각자의 적성과 능력에 따라 사회적 신분과 직분을 분담하여 역할 수행을 해야 한다고 주장하였다. 그는 예에 따른 직업과 신분의 분별이 필요하다고 보았다. 또한 재화에 대한 인간의 욕망을 인정하지만 예를 통해 욕망을 절제할 것을 강조하였다.

바로알기 ㄴ. 순자는 인간의 본성이 이기적이라고 보았다. 따라서 타고난 본성과 성향에 따라 직업이 배분되는 것이 아니라 외면적 규범인 예(禮)에 따라 직업이 배분되어야 한다고 보았다. ㄷ. 순자는 타고난 재능과 능력이 인정된다면 신분을 넘어 직업을 배분할 필요가 있다고 보았다.

02 갑은 칼뱅, 을은 마르크스이다. 칼뱅은 직업을 신의 거룩한 부르심, 즉 소명으로 보았으며, 근면, 성실, 검소한 직업 생활을 통해 신의 영광을 드러내고 이웃을 사랑할 수 있다고 보았다. 마르크스는 자본주의 사회에서 노동자는 강제된 노동을 하게 되며 자본가의 착취로 노동 소외를 경험하게 된다고 보았다. 이러한 노동 소외를 극복하기 위해서는 사유 재산과 계급, 국가가 소멸된 공산 사회를 이룩해야 한다고 주장하였다.

바로알기 ① 칼뱅은 직업을 통해 신의 영광을 드러낼 수 있으며 직업이 이웃을 사랑하는 통로가 될 수 있다고 보았다. ② 칼뱅은 직업 생활의 성공이 구원의 징표가 될 수 있다고 보았지만 구원의 전제 조건이라고 보지는 않았다. 구원의 전제 조건은 믿음이다. ③ 마르크스에 따르면, 자본가와 노동자가 협력하여 이상 사회를 만들 수 있는 것이 아니라 사유 재산, 계급, 국가가 소멸될 때 이상 사회가 실현된다. 또한 강제된 노동은 노동 소외를 극복할 수 없다. ⑤ 직업을 신의 소명으로 본 것은 칼뱅만의 주장이다.

03 제시된 글은 프리드먼의 주장이다. 프리드먼에 따르면, 기업의 유일한 목표는 기업의 이윤 극대화를 위한 다양한 활동에 매진하는 것이다. 따라서 기업은 주주들이나 투자자들의 이윤 극대화를 위해 노력할 책임만을 지닐 뿐이며, 그 이외의 사회적 책임을 질 필요는 없다. 즉, 기업의 유일한 사회적 책임은 법적 테두리 내에서 기업의 이윤 극대화를 위한 다양한 활동에 매진하는 것이다. 만약 그 이외의 사회적 책임을 강요하는 것은 자유 시장 경제 질서를 파괴하는 행위이므로 바람직하지 않다.

바로알기 ① 프리드먼은 이윤의 사회적 환원을 강조하지 않았다. 오히려 기업의 이윤 극대화 전략에 매진하는 것이 유일한 사회적 책임이라고 보았다. ③ 프리드먼은 기업의 이윤 극대화에 힘써야 한다고 주장하였다. ④ 프리드먼은 기업 이미지 제고를 위한 해외 원조 사업에 동참해야 한다고 강조하지 않았다. ⑤ 프리드먼은 기업이 소비자를 위한 직접적인 책임을 져야 한다고 주장하지 않았다. 다만 주주들을 위한 책임만을 질 뿐이라고 보았다.

프리드먼	• 자유 시장 경제의 틀을 인정하는 가운데 자유로운 기업의 이윤 추구를 강조함 • 기업의 유일한 사회적 책임은 이윤 극대화에 매진하는 것임 • 기업에 이윤 극대화 이외의 책임을 지우는 것은 자유 시장 경제 질서를 해치는 것임
보겔	• 기업은 사회적 책임에 적극적이고 윤리 경영에 힘쓰려고 할 것임 • 기업이 사회적 책임에 적극적으로 임하는 이유는 많은 불안 요소들을 제거할 수 있고, 장기적으로 더 많은 이익 창출에 도움이 될 수 있기 때문임

서술형 문제

04 (1) ㉠ 전문직, ㉡ 공직자
(2) 예시 답안 사회에 미치는 영향력이 크고, 일반 사람들이 모르는 지식이나 정보 등을 활용하여 부당한 이익을 취할 경우 국가와 국민 생활에 해악을 주기 때문이다.

채점 기준	배점
사회에 미치는 영향력이 크다는 점과 이들이 일반인이 모르는 정보나 전문적 지식을 활용하여 부정부패를 저지를 경우 사회에 큰 해악을 주기 때문이라는 점을 정확히 서술한 경우	상
사회에 미치는 영향력이 크기 때문이라는 점만 간단히 서술한 경우	하

02 사회 정의와 윤리

1단계 개념 짚어 보기
본문 39쪽

01 (1) ○ (2) ○ (3) × **02** ㉠ 원초적 입장, ㉡ 무지의 베일
03 (1) ㄱ (2) ㄷ (3) ㄴ (4) ㄹ (5) ㅁ **04** ㉠ 응보주의, ㉡ 인격, ㉢ 사회 계약론(설), ㉣ 베카리아, ㉤ 양도, ㉥ 종신 노역형

2단계 내신 다지기
본문 40~41쪽

01 ④ **02** ⑤ **03** ④ **04** ① **05** ⑤
06 ① **07** ① **08** ①

01 ㉠은 개인 윤리, ㉡은 사회 윤리이다. 개인 윤리는 사회 문제의 원인을 개인의 의사 결정 능력, 실천 의지, 습관의 결여 등에서 찾으며 개인의 양심을 함양하고 덕목을 실천하여 현대 사회에서 발생하는 윤리 문제를 해결하려고 한다. 한편 사회 윤리는 사회 문제의 원인을 개인보다는 사회 구조나 제도, 정책 등에서 찾으며 개인의 도덕성 함양과 함께 사회 구조와 제도를 개선하여 사회 윤리 문제를 해결하려 한다. ④ 사회 윤리는 개인 윤리만으로는 해결할 수 없는 현대 사회의 복잡한 윤리적 문제를 해결하는 데 도움을 줄 수 있다.

바로 알기 ① 개인 윤리는 인간의 양심, 선한 의지, 도덕성 등 인간의 이타적 가능성을 신뢰한다. ② 사회 윤리에서는 종교 윤리만으로 사회 문제를 해결하는 것이 쉽지 않다고 본다. ③ 개인의 도덕성 함양과 바람직한 습관, 실천 의지 등을 강조하는 것은 개인 윤리이다. ⑤ 개인 윤리와 사회 윤리는 양립 가능하고 조화를 이룰 수 있다.

02 제시된 글은 니부어의 주장이다. 그는 그의 저서 『도덕적 인간과 비도덕적 사회』를 통해 개인적으로는 도덕적인 사람도 자신이 속한 집단의 이익을 위해 비도덕적으로 행동하기 쉽다고 보았다. 또한 집단 간의 갈등을 해결하기 위해서는 선의지의 통제를 받는 강제력의 사용이 필요하다고 주장하였다. 니부어에 따르면, 사회 집단의 도덕성은 개인의 도덕성에 비해 현저히 떨어지고, 개인의 선한 양심이나 선의지만으로는 현대 사회의 복잡한 윤리 문제를 해결하기 어렵고 사회 구조나 제도, 정책의 개선이 필요하다.

바로 알기 ⑤ 니부어는 인간 사회 집단에서 갈등이 심화되더라도 정의를 실현하고자 노력해야 한다고 보았다.

03 ㉠은 절대적 평등, ㉡은 업적이다. 절대적 평등에 따른 분배는 모든 사람을 차별 없이 균등하게 대하고 동일한 기회와 혜택을 제공한다는 장점이 있는 반면, 생산성과 효율성이 떨어진다는 단점이 있다. 업적에 따른 분배는 생산성을 증대시킬 수 있고 객관적 평가가 용이하다는 장점이 있는 반면, 사회적 약자 배려에 소홀하고 과열 경쟁의 우려가 있다는 단점이 있다.

바로 알기 ④ 업적에 따른 분배는 사회적 약자를 배려하기 어렵다.

04 제시된 글은 롤스의 주장이다. 롤스는 최소 수혜자에게 최대의 혜택이 돌아갈 때 사회적·경제적 불평등은 인정될 수 있다는 차등의 원칙을 제시하였다. 롤스는 절차적 정의를 강조하였고, 정의로운 사회에서도 사회적·경제적 불평등이 존재할 수 있다고 보았다. 또한 원초적 입장에서 정의의 원칙이 도출되어야 한다고 보았다.

바로 알기 ① 롤스는 공리주의를 비판하면서 공정한 합의에 의한 정의의 원칙을 제시하였다.

05 노직은 재화의 취득과 양도 절차가 공정하면 그 결과도 공정하다고 보았고, 타인의 침해로부터 개인을 보호하기 위한 역할만을 수행하는 최소 국가가 정당하며, 그 이상의 역할을 하는 국가는 개인의 자유나 소유권을 침해할 것이라고 보았다. 또한 재화에 대한 분배는 최대한 개인의 자유에 위임해야 한다고 보았다. 그리고 빈곤 계층에 있는 사람들을 돕는 것은 의무가 아닌 개인의 자발적 선택의 문제라고 주장하였다.

바로 알기 ⑤ 노직은 약자나 빈곤 계층을 위한 국가의 소득 재분배 정책은 개인의 소유 권리를 심각하게 침해하는 것이라고 보았다.

06 갑은 공산 사회에서 정의가 실현될 것이라고 본 마르크스, 을은 복합 평등을 강조한 왈처, 병은 원초적 입장에서 도출한 정의의 원칙에 따를 것을 강조한 롤스이다. 마르크스는 능력에 따라 일하고 필요에 따라 분배받는 사회가 실현되어야 한다고 보았다.

바로 알기 ② 왈처는 다원적 평등으로서의 정의를 강조하면서 복지

정책의 필요성을 인정하였다. ③ 롤스에 따르면 원초적 입장에 놓인 계약 당사자들은 합리적이며 이기적 존재이다. ④ 사유 재산이 소멸되고 경제적 불평등이 해소된 사회를 추구한 것은 마르크스만 해당된다. ⑤ 최대 다수의 최대 이익은 공리주의자의 기본 관점이므로 왈처나 롤스에 대한 설명과는 거리가 멀다.

극비 노트 | 다양한 사상가들의 정의관

마르크스	• 능력에 따라 일하고 필요에 따라 분배받는 사회를 실현해야 함 • 사유 재산, 계급, 국가가 소멸된 공산 사회를 지향함
롤스	• 공리주의 정의관을 비판함 • 무지의 베일을 쓴 원초적 입장에 놓인 계약 당사자들이 도출한 정의의 원칙을 제시함
노직	• 개인의 자유와 소유 권리를 보장하는 것이 정의의 핵심임 • 사회적 약자를 위한 소득 재분배 정책에 반대함
왈처	• 서로 다른 가치는 서로 다른 주체, 서로 다른 기준과 절차에 따라 분배되어야 함 • 다원적 평등으로서의 정의를 주장함

07 제시된 글은 칸트의 주장이다. 칸트는 응보주의 관점에서 범죄의 경중에 비례하여 처벌이 결정되어야 하며, 살인자는 반드시 사형을 당해야 한다고 주장하였다.

바로 알기 ② 공리주의자들의 입장이다. ③ 루소와 같은 사회 계약론자들의 입장이다. ④, ⑤ 칸트는 동등성의 원리에 따라 사형이 필요하다고 보았다.

08 갑은 루소, 을은 베카리아이다. 루소는 사회 계약의 관점에서 시민의 생명을 보전하고 사회 방위를 위해 사형 제도가 유지되어야 한다고 보았다. 또한 살인자가 된다는 것은 자신이 죽임을 당해도 좋다고 동의한 것이라고 주장하였다. 베카리아는 형벌의 범죄 억제 효과를 근거로 사형보다 종신 노역형이 더 낫다고 주장하였다. 루소와 베카리아 모두 다른 사람의 권리를 침해한 사람은 처벌받는 것이 마땅하다고 보았다.

바로 알기 ① 루소는 사회 계약에 바탕을 둔 사회 방위론적 관점에서 사형 제도의 유지가 필요하다고 보았다.

3단계 등급 올리기

본문 42~43쪽

01 ③　　02 ④　　03 ⑤　　04 ④　　05 ①
06 ④　　07 ⑤　　08 (1) (소수자) 우대 정책
(2) 해설 참조

01 제시된 글은 니부어의 주장이다. 니부어는 사회 윤리적 관점에서 집단 간의 문제를 해결하기 위해 내면적 억제뿐만 아니라 사회적 억제도 반드시 필요하다고 주장하였다. 그는 집단 간의 갈등이 개인 간의 갈등보다 더 해결하기 어렵다고 보았으며, 집단 간 문제를 해결하고 정의를 실현하기 위해서는 선의지의 통제를 받는 외적 강제력의 동원이 필요하다고 주장하였다.

바로 알기 ㄱ. 니부어는 개인의 선의지, 도덕성, 이성도 사회 정의 실현에 기여할 수 있다고 보았다. ㄴ. 니부어는 종교적 덕목이나 도덕적 덕목만으로는 복잡한 사회 문제를 온전히 해결하기 어렵다고 보았다.

극비 노트 | 개인 윤리와 사회 윤리

구분	개인 윤리	사회 윤리
주안점	개인의 선의지, 양심, 윤리 의식에 중점을 둠	사회 구조, 제도, 정책 등에 중점을 둠
문제 원인	개인의 의사 결정 능력, 실천 의지, 습관의 결여 등에서 원인을 찾음	개인보다는 사회 구조나 제도에서 원인을 찾음
문제 해결	개인의 양심을 함양하고 덕목을 실천하여 현대 사회에서 발생하는 윤리 문제를 해결하고자 함	개인의 도덕성 함양과 함께 사회 구조와 제도를 개선해 사회 윤리 문제를 해결하고자 함

02 갑은 소유 권리로서의 정의를 강조한 노직, 을은 다원적 평등으로서의 정의를 강조한 왈처이다. 왈처는 '지배'나 '전제'가 다원적 평등을 방해한다고 보면서 이를 허용해서는 안 된다고 보았다.

바로 알기 ① 노직은 최소 국가에서 개인의 자유와 소유권이 가장 잘 보장된다고 보았다. ② 노직에 따르면 재화의 분배는 최대한 개인의 자유에 위임해야 한다. ③ 원초적 입장에서 도출된 정의의 원칙을 강조한 사상가는 롤스이다. ⑤ 왈처는 노직과 달리 사회 복지 정책, 소득 재분배 정책을 펼 수 있다고 보았다.

03 갑은 롤스, 을은 노직이다. 롤스와 노직은 정당한 절차와 원칙을 통해 이루어진 분배는 그 결과도 언제든지 정의롭다고 보았다. 또한 롤스와 노직은 사회주의와 달리 경제적 불평등 해소를 분배 정의의 궁극적 목표로 삼지 않았다. 한편 노직은 롤스와 달리 국가에 의한 소득 재분배 정책에 반대하였다.

바로 알기 ㄱ. 정의로운 사회에도 경제적 불평등이 존재할 수 있다고 보는 것은 롤스와 노직의 공통된 입장이다.

04 갑은 소수자 우대 정책을 찬성하고 있고, 을은 반대하고 있다. 우대 정책을 반대하는 입장에서는 역차별이 발생할 수 있다는 논거를 제시한다.

바로 알기 ①, ② 과거의 차별에 잘못이 없는 후손에게 보상의 책임을 지우는 것은 부당하다는 점, 업적주의 원칙에 위배된다는 점은 우대 정책을 반대하는 입장의 논거에 해당한다. ③, ⑤ 사회적 약자의 처지 개선에 도움을 줄 수 있다는 점, 우대 정책으로 사회 전체의 행복이 증진될 수 있다는 점은 우대 정책을 찬성하는 입장의 논거에 해당한다.

05 제시된 글은 칸트의 주장이다. 칸트는 응보주의 관점에서 살인자는 사형 이외의 어떤 다른 것으로 대체할 형벌이 존재하지 않는다고 보면서 동등성의 원리를 적용해야 한다고 보았다. ① 칸트는 보복법, 즉 동해 보복의 원칙만이 형벌의 양과 질을 명확하게 제시할 수 있다고 보면서 범죄자는 피해를 입힌 만큼 본인도 피해를 받아야 하며, 살인자는 반드시 사형에 처해져야 한다고 보았다.

바로알기 ② 칸트는 사형이 오히려 인격의 존엄성을 존중하는 처벌이라고 주장하였다. ③ 칸트는 처벌의 범죄 예방 효과보다는 응보적 관점이 적용되어야 한다고 보았다. ④ 벤담의 주장이다. ⑤ 칸트는 범죄에 상응하는 처벌을 내리는 것이 합당하고 정의롭다고 본 것이지, 범죄 예방 효과를 높일 수 있다면 무조건 강도를 높일 수 있다고 주장한 것은 아니다.

06 제시된 글은 베카리아의 주장이다. 베카리아는 아무도 자신의 생명을 박탈할 권리를 남에게 양도할 사람이 없다고 보면서, 국가는 사형을 집행할 권리가 없다고 주장하였다. 베카리아에 따르면, 사형은 국민에 대해 국가가 벌이는 전쟁이며 선전 포고이다. 베카리아는 사형이 정당성이나 효용성이 떨어진다고 보면서, 사형이 일순간 강한 충격을 줄 수는 있지만, 지속적인 범죄 억제력을 갖지 못한다고 비판하였다.

바로알기 ㄷ. 동등성의 원리에 따른 처벌을 주장한 사상가는 칸트이다.

07 갑은 칸트, 을은 루소, 병은 베카리아이다. 칸트와 루소는 사형 제도 유지를, 베카리아는 사형 제도 폐지를 주장하였다. 베카리아는 사형이 비인간적이며 충분한 범죄 억제력을 갖지 못한다고 비판하였다.

바로알기 ① 칸트는 살인범에 대한 사형은 인간 존엄성의 이념에 부합한다고 본다. ② 베카리아의 입장에 해당한다. ③ 베카리아는 낮은 범죄 예방 효과를 근거로 사형 제도에 반대하였다. ④ 칸트와 루소는 모두 범죄의 정도에 비례하여 형벌이 집행되어야 한다고 보았다.

극비노트 사형 제도에 대한 사상가들의 입장

칸트	• 응보주의 관점: 살인자에 대해 사형 이외의 형벌은 정의에 부합하지 않음 • 사형은 범죄자의 고통받는 인격을 해방하여 인간 존엄성을 실현하게 해 줌
루소	• 사회 계약론의 관점: 계약자는 자신의 생명 보존을 위해 살인자의 사형에 동의함 • 살인자는 자신이 죽임을 당해도 좋다고 동의한 것이라고 판단할 수 있음
베카리아	• 사형보다 종신 노역형이 범죄 억제 효과가 크기 때문에 사형 제도를 폐지해야 함 • 생명은 양도할 수 없는 것이며, 어느 누구도 자기 생명 박탈의 권리를 양도하지 않음

서술형 문제

08 (1) ㉠ (소수자) 우대 정책
(2) 예시답안 과거의 차별에 대해 잘못이 없는 후손에게 보상의 책임을 지우는 것은 부당하다

채점 기준	배점
밑줄 친 부분을 참고하여 차별에 대한 보상을 반박하는 논리로 잘못이 없는 후손에게 보상 책임이 없다는 논리를 정확히 서술한 경우	상
보상을 하는 것은 정당하지 않다는 정도로만 간단히 서술한 경우	하

---

03 국가와 시민의 윤리

1단계 개념 짚어 보기
본문 45쪽

01 (1) ○ (2) ○ (3) ✕ **02** ㉠ 공자, ㉡ 맹자 **03** (1) ㄷ (2) ㄱ (3) ㄹ (4) ㅁ (5) ㄴ **04** ㉠ 정의, ㉡ 양심, ㉢ 롤스, ㉣ 사회적 다수, ㉤ 의도적, ㉥ 존엄성

2단계 내신 다지기
본문 45~46쪽

01 ② **02** ② **03** ② **04** ① **05** ③
06 ④

01 갑은 인간의 자연적 본성이 공동체 성립의 근거라고 본 아리스토텔레스, 을은 인간의 이기적 성향으로 인해 계약을 맺어 국가가 성립되었다고 본 홉스이다. 아리스토텔레스는 인간의 사회적·정치적 본성에 의해 국가가 성립되었다고 보았으며, 개인은 자연스럽게 정치적 본성으로 인해 국가의 권위에 복종할 필요가 있다고 주장하였다.

바로알기 ① 아리스토텔레스는 개인이 국가 공동체의 일원으로 생활할 때 참된 자신을 실현할 수 있다고 보았다. ③ 홉스에 따르면 인간은 전쟁과 같은 혼란한 자연 상태에서 벗어나 생명과 재산을 보호받기 위해 계약을 맺어 국가를 수립한다. ④ 자유와 평화를 누리는 자연 상태를 설정하고 사유 재산으로 불평등이 심화되었다는 주장을 한 사상가는 루소이다. ⑤ 국가로부터 오는 혜택과 이익을 근거로 정치적 복종의 의무를 강조한 사상가는 흄이다.

극비노트 국가 권위의 정당화 관점

인간의 본성	• 국가는 인간의 사회적·정치적 본성에 의해 형성된 산물임 • 아리스토텔레스: "국가는 자연적으로 전재하는 것들에 속하며, 인간은 본질적으로 국가에서 살게 되어 있는 동물이다."
국민의 동의	국가는 시민의 동의와 계약으로 구성됨
공공재와 관행의 혜택	국가는 시민에게 공공재를 제공하고 각종 제도나 규칙 등 관행의 혜택을 줌
천명의 관점	동양에서는 국가의 권위를 민의에 기초한 천명(天命)의 관점에서 정당화함

---

02 제시된 글은 공자의 주장이다. 동양의 유교 사상에서는 군주가 덕을 갖추고 백성을 다스린다면, 국가에 대한 충(忠)의 자세를 백성에게 요구하는 것이 정당화된다. 공자는 통치자가 먼저 군자다운 인격을 닦고 난 후 백성을 편안하게 할 수 있다고 보았다. ② 공자는 군주가 스스로 인격을 연마하고 덕을 갖추어야 백성을 편안하게 해 주고 다스릴 수 있다고 주장하였다.

바로알기 ① 겸애를 주장한 사상가는 묵자이다. ③ 목민관의 임무를 강조한 정약용의 입장이다. ④ 상벌을 중심으로 통치해야 한다고 주장한 사상가는 한비자이다. ⑤ 사회 계약과 관련된 설명으로

공자의 입장으로 적절하지 않다.

03 제시된 글은 로크의 주장이다. 로크는 인간이 자연 상태에서 비교적 평화로운 삶을 누리나 생명, 자유, 재산권을 확실히 보장받지 못하기 때문에 계약을 맺어 정부를 구성하고 이러한 권리들을 보장받기 원한다고 보았다. ㄱ. 로크는 시민의 계약에 의해 성립된 정부 또는 국가가 시민의 생명과 자유, 재산을 보호해야 한다고 보았다. ㄷ. 로크는 모든 시민이 주권자로서 동등한 자유와 평등한 권리를 보장받아야 한다고 주장하였다.

바로 알기 ㄴ. 홉스의 주장이다. ㄹ. 로크는 명시적 동의뿐만 아니라 묵시적 동의도 정치적 복종의 의무를 산출하는 근거라고 보았다.

극비 노트 동서양 사상에 나타난 국가의 역할

동양	공자, 맹자	수기안인(修己安人), 덕으로 백성을 교화시킴
	묵자	겸애(兼愛), 차별 없이 자국과 타국을 사랑해야 함
	한비자	군주가 포상과 처벌로 백성을 적절히 조종해야 함
	정약용	목민관의 애민(愛民) 정신, 통치자는 백성을 위해 존재함
	유길준	정부는 국민들의 자유와 권리를 보호해야 하고, 정부는 법치주의, 질서 유지와 복지 실현에 힘써야 함
서양	홉스	만인의 만인에 대한 투쟁 상태에서 벗어나기 위해 개인의 권리를 양도함으로써 절대 권력(국가)이 탄생함
	로크	비교적 평화로운 자연 상태이지만 생명, 자유, 재산권을 온전히 보장받기 위해 계약을 맺어 정부를 구성함
	루소	자유롭고 평화로운 자연 상태에 있었으나 사유 재산으로 불평등이 발생하므로 계약을 맺어 정부를 구성함
	밀	시민이 타인에게 해악을 끼치는 경우를 제외한다면 국가는 시민의 자유와 권리를 최대한 보장해야 함
	롤스	국가 구성원의 선을 증진해 주는 질서 정연한 사회를 만들어야 함

04 ㉠은 유교, ㉡은 사회 계약론이다. 유교 사상에서는 국가에 대한 충성을 효의 확장이라는 맥락에서 인식하였고, 사회 계약론은 시민들의 동의와 계약에 의해 국가가 권위를 지닐 수 있다고 보았다.

바로 알기 ② 직접적인 선거에 의한 통치자 선출이 이루어지는 것은 민주주의이다. ③ 왕권신수설에 대한 설명이다. ④ 아리스토텔레스의 입장이다. ⑤ 유교 사상인 맹자는 군주가 백성을 위하지 않을 경우 역성혁명을 일으킬 수 있다고 주장하였고, 사회 계약론을 주장한 로크는 정부가 계약을 위반할 경우 이에 저항하고 새로운 정부를 구성할 수 있다고 주장하였다.

05 제시된 글은 민주주의가 제도나 형식, 절차뿐만 아니라 시민들의 정치의식과 적극적인 참여를 통해 완성된다고 강조하고 있다. ③ 진정한 민주주의의 실현을 위해서는 단순히 절차의 제도화뿐만 아니라 시민들의 주체적이고 적극적인 참여가 중요하다고 강조하고 있다.

바로 알기 ① 형식적 절차를 없애야 한다는 내용은 제시된 글에 나타나 있지 않다. ②, ④ 제시된 글에서는 시민의 참여가 필요하다는

내용을 강조하고 있다. ⑤ 제시된 글은 진정한 민주주의의 발전을 위해 시민의 적극적인 참여가 필요하다는 점을 제시하고 있으며, 오늘날 민주주의 이념을 구현하기 어렵다는 점을 강조하고 있는 것은 아니다.

06 시민 불복종은 부정의한 법과 정책에 대한 시민들의 의도적인 위법 행위이다. 시민 불복종은 사적인 이익을 추구하는 것이 아니므로 은밀하게 행해지는 것이 아니라 공개적으로 이루어져야 하고, 정의 실현과 같은 공적 목표를 실현해야 한다. 시민 불복종이 정당화되기 위해서는 폭력을 배제하고 평화적 수단을 이용해야 하며, 다른 합법적인 수단을 시도한 후에도 효과가 없을 때 최후의 수단으로 전개해야 한다.

바로 알기 ④ 시민 불복종이 정당화되기 위해서는 정의를 추구한다는 점을 공개적으로 알리기 위해 위법 행위로 인한 처벌도 감수해야 한다.

극비 노트 시민 불복종의 정당화 조건

법에 대한 충실성	기존 사회의 질서와 법질서를 존중함
최후의 수단	합법적 시도를 한 후 더 이상 효과가 없을 때 실시함
행위 목적의 정당성	개인이나 특정 집단의 이익을 추구하는 것이 아니라 사회 정의 실현을 목표로 해야 함
공개성	은밀히 행하는 것이 아니라 공개적으로 시행해야 함
비폭력성	폭력적인 방법을 동원해서는 안 됨
처벌 감수	위법 행위에 대한 처벌을 감수함으로써 법체계를 존중함

3단계 등급 올리기
본문 47쪽

01 ②   02 ④   03 ④   04 (1) ㉠ 홉스, ㉡ 밀
(2) 해설 참조

01 제시된 글은 맹자의 주장이다. 맹자는 일정한 생업[恒産]이 없어도 흔들리지 않는 마음[恒心]을 지닐 수 있는 사람은 오직 선비밖에 없으며, 백성의 경우 일정한 생업이 없으면 일정한 마음이 없게 된다고 보았다. 따라서 백성의 도덕성 실현에 앞서 경제적 안정과 생계유지에 힘써야 한다고 강조하였다. ② 맹자는 통치자가 백성의 뜻을 소중히 받들어 통치해야 한다고 보면서 민본주의 사상을 주장하였다.

바로 알기 ① 통치자의 직접적인 선출을 강조하는 것은 민주주의이다. ③ 인간의 악한 본성을 바꾸어야 한다고 강조한 사상가는 순자이다. ④ 맹자는 항산이 없으면 항심도 사라진다고 보면서 백성들의 도덕성 함양에 앞서 생업 보장이 필요하다고 보았다. ⑤ 맹자는 인의(仁義)를 저버린 군주는 더 이상 왕일 수 없으므로 난폭한 군주는 교체되어야 한다는 역성혁명을 주장하였다.

02 갑은 겸애설을 강조한 묵자, 을은 백성의 생업 보장을 강조한 맹자이다. 묵자는 무조건적이고 무차별적인 사랑인 겸애를 실천해야

정답과 해설 **17**

한다고 주장하였고, 똑같이 차별 없이 사랑하고 함께 이익을 나누는 겸애교리(兼愛交利)를 통해 바른 통치가 되고 온 세상이 바로잡힌다고 주장하였다. 맹자는 통치자가 백성들의 생업 보장에 힘써야 한다고 주장하였다. ⑤ 사회 질서를 유지하고, 함께 잘 살아가는 사회 등은 묵자나 맹자 모두 공통적으로 추구한 정치의 모습이라고 볼 수 있다.

바로알기 ④ 타고난 본성을 변화시켜야 한다고 주장한 사상가는 순자이다. 맹자는 타고난 선한 본성이 통치의 기반이라고 주장하였다.

03 갑은 소로, 을은 롤스이다. 롤스는 소로와 달리 시민 불복종의 근거를 사회의 공적인 정의관에서 찾아야 한다고 보았으며, 불의한 체제를 변혁시키는 것은 혁명과 관련된 것으로 시민 불복종의 영역에 포함되지 않는다고 보았다. ㄱ. 소로는 개인의 양심에 따라 부정의한 법과 정책에 제동을 걸고 불복종을 표현해야 한다고 주장하였다. ㄷ. 롤스는 체제 변혁이나 혁명은 시민 불복종의 영역에 포함되지 않는다고 보았다. ㄹ. 소로는 개인의 양심에서, 롤스는 사회적 다수의 공적인 정의관에서 시민 불복종의 근거를 찾아야 한다고 보았다.

바로알기 ㄴ. 롤스는 시민 불복종이 법에 대한 충실성의 한계 내에서 행해져야 한다고 주장하였다.

극비노트 시민 불복종에 대한 소로와 롤스의 입장

소로	• 시민 불복종의 근거: 개인의 양심 • 법에 대한 존경심보다 정의에 대한 존경심을 길러야 함 • 불의한 법에 대해 불복종할 것을 강조함
롤스	• 시민 불복종의 근거: 사회적 다수의 공적인 정의관 • 거의 정의로운 국가에서 법에 대한 심각한 위반이 일어날 때 시민 불복종이 가능함

서술형 문제

04 (1) ㉠ 홉스, ㉢ 밀
(2) **예시답안** ㉡ 만인의 만인에 대한 투쟁 상태, ㉣ 시민이 타인에게 해악을 끼치는 경우

채점 기준	배점
홉스의 자연 상태가 만인의 만인에 대한 투쟁 상태라는 점, 밀이 강조한 내용으로 타인의 자유와 권리를 침해하지 않는 범위 내에서 최대한 자신의 자유와 권리를 누릴 수 있다는 점을 정확히 서술한 경우	상
두 가지 내용 중 하나만 서술한 경우	하

---

01 과학 기술과 윤리

1단계 개념 짚어 보기
본문 49쪽

01 (1) ○ (2) × (3) ○   **02** (1) ㄱ, ㄴ, ㅁ (2) ㄷ, ㄹ   **03** 하이데거
04 ㉠ 내적 책임, ㉡ 외적 책임

2단계 내신 다지기
본문 49~50쪽

01 ②	02 ①	03 ④	04 ⑤	05 ②
06 ③	07 ④			

01 과학 기술은 우리가 물질적 풍요와 안락한 삶을 누리게 해 주었고, 시공간적 제약에서 벗어날 수 있게 해 주었으며, 건강을 증진하고 생명을 연장할 수 있게 해 주었다. 과학 기술의 발달은 이처럼 여러 가지 긍정적인 성과를 가져다주었지만 동시에 많은 윤리 문제를 발생시키기도 하였다. 과학 기술은 환경 문제를 발생시켰고, 인간의 주체성을 약화시키고 비인간화 현상을 초래하였으며, 인권과 사생활 침해 문제, 생명의 존엄성을 훼손하는 문제 등을 일으켰다. 제시된 대화에서 시공간적 제약에서 벗어나 세계 어느 곳에 있는 사람들과도 실시간으로 대화하고 소통하며 정보를 공유할 수 있는 것은 과학 기술이 가져온 혜택이다. 하지만 위치 추적 시스템, 감시 카메라와 같은 기술은 개인들을 감시하고 통제하며 사생활을 침해하는 문제를 발생시켰으며, '전자·정보 판옵티콘' 사회의 도래에 대한 우려 등 여러 가지 윤리적 문제를 불러일으켰다.

바로알기 을: 과학 기술의 발달로 정보는 특정 사람에게 독점되지 않고 일반 대중들도 쉽게 정보에 접근할 수 있게 되었다.
정: 생명 과학 기술이 발달했더라도 치료하지 못하는 병은 여전히 존재한다.

극비노트 전자·정보 판옵티콘

'판옵티콘(panopticon)'은 죄수를 교화할 목적으로 설계된 공리주의자 벤담의 원형 감옥이다. 판옵티콘 바깥쪽은 죄수의 밝은 방이고, 어두운 중앙은 간수의 감시 공간이다. 죄수는 간수에게 자신의 일상을 다 드러내 놓을 수밖에 없는 위치에 있으며, 간수는 보이지 않는 곳에서 죄수를 감시할 수 있다. 판옵티콘의 이러한 점에 주목한 미국의 사회학자 포스터는 과학 기술의 발달로 전자·정보 판옵티콘이 더욱 공고하게 우리의 삶을 감시할 수 있다고 주장하였다.

---

02 갑은 과학 기술의 가치 중립성을 부정하는 하이데거, 을은 과학 기술의 가치 중립성을 강조하는 야스퍼스이다. 하이데거는 과학 기술을 가치 중립적인 것으로 고찰하여 무방비 상태로 과학 기술에 내맡겨진 인간이 오히려 과학 기술에 조종당하는 상황이 올 수 있다고 경고한다. 따라서 과학 기술에 대한 가치 판단이 필요하다고 본다. 반면 야스퍼스는 과학 기술을 가치 중립적으로 파악하면서 과학 기술에 가치 판단이 개입해서는 안 된다고 본다.

바로알기 ②, ④, ⑤ 과학 기술의 가치 중립성을 강조하는 야스퍼스의 입장에서 하이데거에게 할 비판이다. ③ 하이데거와 야스퍼스는 모두 과학 기술이 사회에 발전을 가져다준다고 본다.

03 과학 기술의 연구 과정은 ⊙ 정당화 과정과 ⓒ 발견 및 활용의 과정으로 나눌 수 있다. 정당화 과정은 과학 기술이 객관적 타당성을 갖춘 지식이나 원리로 인정받는 과정으로, 연구자의 주관적 가치가 개입되어서는 안 된다. 어떤 이론을 증명할 때 연구자 개인의 주관적 가치 판단이 들어가면 그 이론 자체의 객관성을 확보할 수 없기 때문이다. 그러나 발견 및 활용의 과정에서는 가치가 개입된다. 연구 대상을 선정하고 그 결과가 활용되는 과정에는 개인의 가치관이나 기업의 이익, 사회적 필요, 정치적 목적 등 다양한 가치가 개입될 수 있기 때문이다. 이렇게 볼 때, 과학 기술의 가치 중립성은 정당화 과정에서는 타당하지만, 발견 및 활용의 과정에서는 타당하다고 볼 수 없다.

바로알기 ④ 과학 기술의 발견 및 활용의 과정은 단기간에 결과를 알 수 있는 과정이 아니다. 어떤 경우는 결과가 눈에 띄게 보이기도 하지만 새로운 과학 기술이 만들어 낸 변화가 장기간에 걸쳐 드러나기 때문이다. 따라서 과학 기술의 연구 결과가 가져오는 파급력은 현세대에 한정된다고 볼 수 없다.

04 (가)에는 과학 기술의 가치 중립성을 강조하는 입장의 근거가 들어가야 한다. 과학 기술의 가치 중립성을 강조하는 입장에서는 윤리적 관점에서 과학 기술을 규제하는 것이 과학 기술의 발달을 저해한다고 주장한다. 또한 과학 기술 이론의 사실성 여부를 파악할 때 특정 가치가 개입되면 객관성을 보장받을 수 없다고 주장한다.

바로알기 ㄱ. 과학 기술의 가치 중립성을 강조하는 입장에서는 과학 기술의 연구 결과를 미리 파악할 수 없으므로 섣부르게 가치 판단을 해서는 안 된다고 주장한다. ㄴ. 과학 기술의 가치 중립성을 부정하는 입장에서는 과학 기술이 다양한 사회적 요인들과 결합하여 발전하기 때문에 가치가 개입될 수밖에 없으며, 그로 인해 사회적 책임을 갖게 된다고 주장한다.

05 제시된 글은 과학 기술이 선하게 사용될 수도 있고 나쁘게

사용될 수도 있는 사례를 보여 준다. 이때 필요한 것은 과학자가 자신의 연구 결과가 사회에 미치는 영향을 파악하고 그에 대한 책임을 지는 것이다. 과학 기술의 사회적 책임을 강조하는 입장에서는 하버가 전문직 종사자로서 일반 대중이 알기 어려운 전문적 지식을 다루기 때문에 자신의 연구가 어떻게 사용될지를 고려하여 사회에 책임을 져야 한다고 주장할 것이다.

바로알기 ① 연구 과정에서 지켜야 할 연구 윤리는 사회적 책임을 강조하지 않는 입장에서도 강조하는 기본 윤리이다. ③ 과학자가 개인의 이익 추구를 위해서 연구를 한다면 사회에 대한 책임은 우선시하지 않을 것이다. ④ 사회적 책임을 강조하는 입장이 아니더라도 동의할 내용이다. ⑤ 사회적 책임을 강조하는 입장에서는 과학 기술의 가치 중립성을 부정하고 과학자가 연구 과정에서 자신의 연구가 사회에 미칠 영향을 충분히 고려하여 연구에 임해야 한다고 주장한다.

06 현대 사회에서 과학 기술의 중요성과 영향력이 증대됨에 따라 과학 기술의 파급 효과에 따른 윤리적 책임 문제가 등장하였다. 현대 과학 기술의 발전에서 윤리적 책임이 커지는 이유는 과학 기술의 적용이 강제성을 갖기 때문이다. 과학 기술의 사용이 지속적인 욕구로 자리 잡게 되면서 비윤리적인 과학 기술에 대한 개발과 적용을 막기 어려워졌다. 또한 과학 기술의 결과에 대한 예측이 분명하지 않기 때문에 순수한 학문적 동기에서 비롯된 과학적 발견이 과학자의 의도와는 상관없이 부정적인 영향을 줄 수 있다. 그리고 과학 기술이 선하고 정당한 목적으로 사용될 때조차도 장기간 영향력을 행사할 수 있는 위협적인 요소가 들어 있는 예도 있다.

바로알기 ③ 비윤리적인 과학 기술에 대한 개발과 적용을 막기가 어려워졌기 때문에 과학 기술의 윤리적 책임이 점점 커진다.

07 요나스는 윤리적 책임의 범위를 인간을 포함한 자연으로, 시간적으로는 미래 세대로 확대하였다. 과학 기술이 공간적으로 지구 전체에, 시간적으로 먼 미래의 인류에게까지 영향을 미칠 정도로 인과적 연쇄 작용을 보이기 때문이다. 요나스가 강조하는 책임은 부모가 신생아에게 가지는 책임처럼 총체적이고 미래 지향적인 책임이다. 한편, 요나스는 과학 기술이 가져다줄 부정적인 측면에 집중한다. 이를 '공포의 발견술'이라고 하며, 악의 인식이 선의 인식보다 쉽기 때문에 윤리학은 희망보다 공포를 논의의 대상으로 삼아야 한다는 것을 말한다. 공포의 발견술을 통해 인류가 져야 할 책임을 예측할 수 있다.

바로알기 (1) 요나스는 행해진 것에 대한 사후 책임 부과를 특징으로 하는 전통적 윤리학의 책임 개념과 다른, '행위되어야 할 것에 대한 책임'을 제시하였다. 즉, 과거의 행위에 대한 책임에서 더 나아가 미래의 결과에 대한 책임까지 강조하는 것이다.

3단계 등급 올리기

본문 51쪽

01 ⑤   **02** ④   **03** ⑤   **04** (1) 요나스
(2) 해설 참조

01 (가)는 과학 기술의 가치 중립성을 부정하는 입장이고, (나)는

과학 기술의 가치 중립성을 강조하는 입장이다. 과학 기술의 가치 중립성을 강조하는 입장에서는 과학 기술 자체는 좋은 것도 나쁜 것도 아니며, 그러한 판단을 내릴 수 없는 사실의 영역이라는 점을 강조한다. 따라서 과학자는 과학 기술을 연구하는 사람일 뿐이며, 과학 기술로 인한 책임은 전적으로 사용자에게 달려 있다고 본다.

바로 알기 ⑤ 과학 기술의 가치 중립성을 강조하는 입장에서는 과학 기술 연구의 독립성이 인류 진보에 공헌함을 강조하는 정도가 높다. 또한 과학 기술 자체에 대한 윤리적 판단을 배제해야 함을 강조하는 정도도 높은데, 윤리적 규제는 자유로운 연구를 방해하고 과학 기술 발달의 저해를 가져온다고 주장한다. 반면에 과학 기술 연구 결과의 활용에 대한 과학자의 사회적 책임을 강조하는 정도는 낮다. 따라서 X, Y는 높고, Z는 낮은 지점을 찾으면 ㉤이다.

02 갑은 기술 정책 결정과 관련하여 시민들에게 기술 시민권을 보장해야 한다고 주장한다. 을은 이 점에 대해서 동의하지만 시민들이 기술 정책 결정 과정에 직접 참여하는 것보다는 기술 정보에 대한 접근권으로 한정해야 한다고 주장한다. 핵심 쟁점은 기술 정책의 정당성은 전문가의 참여만으로 충분히 확보될 수 있는가 아니면 시민들의 직접 참여가 필요한가이다.

바로 알기 ① 과학 기술의 진보에 대한 내용은 갑과 을의 주장에 나타나 있지 않다. ② 과학 기술 개발에 대한 사회적 합의는 갑, 을 모두 필요하다고 보는 입장이다. ③ 기술 정책 결정에 시민이 참여하면 많은 비용이 발생한다는 점에도 모두 동의한다. 다만 갑은 많은 비용이 발생하더라도 시민들이 직접 참여할 권리를 보장해 주어야 한다는 입장이고, 을은 많은 비용이 들기 때문에 전문가의 참여만으로 기술 정책 결정의 정당성이 확보된다고 주장한다. ⑤ 과학 기술의 부정적인 영향을 최소화하기 위해 기술 정책이 필요하다는 점에는 모두 동의한다.

03 ㉠에 들어갈 소전제는 '과학 기술은 객관적인 사실의 영역이다.'라는 문장이다. 즉 과학 기술의 가치 중립성을 강조하는 주장이다. 따라서 이에 대한 반론의 근거로는 가치 중립성을 부정하는 입장의 주장을 고르면 된다. 과학 기술의 가치 중립성을 부정하는 입장에서는 과학 기술은 정치적, 경제적 목적에 따라 발견과 활용이 이루어지므로 과학 기술 연구의 발견 및 활용의 과정에는 가치 판단이 필요하다고 주장한다.

바로 알기 ① 과학 기술이 윤리적 평가에서 자유로워야 한다는 것은 가치 중립성을 강조하는 입장이다. ② 과학 기술은 현세대의 안락한 삶을 가능하게 하였으며, 미래 세대의 생존과 삶의 질을 위해서 연구되어야 한다. ③ 현대 과학은 단순히 과학자의 학문적 호기심에 따라 연구가 진행되기보다는 정부와 기업의 요구와 사회적 필요에 의해서 연구가 이루어진다. ④ 현대 과학의 인공 지능, 생명 공학은 미래 세대의 생존을 보장하기보다는 위협이 될 수 있는 기술이므로 기술에 대한 성찰과 비판적 적용이 필요한 분야이다.

서술형 문제

04 (1) 요나스

(2) **예시 답안** 과학 기술의 부정적인 결과는 사회에 많은 영향을 미치게 되므로 위험한 결과가 예측되는 과학 기술은 미래에 가져올 결과에 대해 두려움을 갖고 이에 대한 도덕적 책임을 져야 하기

때문이다.

채점 기준	배점
과학 기술의 부정적인 영향이 사회에 미칠 영향을 예측하고 그에 대하여 책임을 져야 한다는 내용을 정확히 서술한 경우	상
'사회에 미칠 영향, 과학 기술의 결과에 대한 예측, 책임' 등의 단어 없이 과학 기술이 부정적인 결과를 가져올 수 있다는 내용만 서술한 경우	하

2 정보 사회와 윤리

1단계 개념 짚어 보기
본문 53쪽

01 (1) × (2) ○ (3) ○ **02** ㄱ, ㄴ, ㅁ **03** 잊힐 권리 **04** ㉠ 사유 재산, ㉡ 공공재, ㉢ 배타적 독점권 **05** ㉠ 인간 존중, ㉡ 책임, ㉢ 정의, ㉣ 해악 금지 (※ 순서에 상관없음)

2단계 내신 다지기
본문 53~54쪽

01 ⑤   **02** ①   **03** ⑤   **04** ①   **05** ③
06 ④   **07** ③

01 정보 기술의 발달에 따라 나타난 변화 중 긍정적인 변화는 자기 의견을 자유롭게 표현하고 다양성을 존중하는 사회 분위기가 조성되었으며, 쉽고 빠른 일 처리로 삶의 편리성이 증대되었다는 점이다. 부정적인 변화는 기술에 대한 의존성이 증가하였고, 구성원들을 감시하고 통제할 가능성이 높아졌다는 점이다.

바로 알기 ⑤ 정보 교류의 형태는 수평적·쌍방향으로 변하였다.

02 제시된 글에 나타난 문제는 사이버 폭력이다. 사이버 폭력이 빈번하게 일어나는 이유는 주로 누리소통망(SNS)이나 문자 메시지 등을 통해 사이버 공간에서 발생하기 때문에 가해자들이 피해자의 고통을 직접 목격하기 어렵고, 사이버 폭력이 집단으로 이루어질 경우 가해자들이 자신의 잘못을 다른 사람에게 돌리기 쉽다는 데 있다. 또한 사이버 공간의 특성상 시공간의 제약을 받지 않고 일상적으로 발생할 수 있으며, 정보의 복제와 유포가 쉬워 광범위하고 빠르게 확산되기 때문이다.

바로 알기 ② 저작권 침해와 관련된 내용이다. ③ 사생활 침해, 개인정보 노출과 관련된 내용이다. ④ 해킹, 바이러스 유포와 같은 행위로 정신적·경제적 피해를 입는 문제이다. ⑤ 개인 정보가 쉽게 노출되고, 감시 카메라 등이 발달하면서 생긴 문제이다.

03 갑은 정보 공유 권리를 주장하는 입장이고, 을은 저작권 보호를 주장하는 입장이다. 갑의 입장에서는 저작권 보호가 저작자의 배타적 독점권을 인정함으로써 정보의 자유로운 교류를 방해하고, 이는 새로운 창작을 방해하는 것이라고 주장한다. 또한 저작자에게 배타적 독점권을 부여함으로써 정보에 대한 접근과 이용에서

격차가 생김으로써 불평등이 발생한다고 주장한다.

바로알기 ⑤ 저작권 보호를 주장하는 사람들은 저작자의 소유물인 저작물을 무단으로 사용함으로써 저작권을 침해하는 것은 저작자의 창작 활동의 동기를 약화시키고, 궁극적으로 양질의 정보를 생산할 수 없게 만든다고 주장한다.

극비노트 저작권에 관한 입장

저작권 보호 (copyright)	• 정보와 그 산물은 사유 재산이며, 창작자의 정보 생산에 필요한 시간과 노력, 비용에 대하여 대가를 지불해야 함 • 지적 재산권을 보호함으로써 창작자의 창작 의욕을 높이고 양질의 정보를 생산할 수 있음 • 창작자에게 정보에 대한 배타적 독점권을 부여하기 때문에 정보의 자유로운 교류를 방해할 수 있다는 비판을 받음
정보 공유 권리 (copyleft)	• 정보와 그 산물은 공공재이며, 공동체의 이익을 위해 사용되어야 함 • 저작물을 공유하고 자유롭게 이용함으로써 창작 활동이 활발해지며 정보의 질적 발전이 이루어짐 • 저작물에 대한 권리 행사는 정보 격차에 따른 불평등을 발생시킴 • 창작자의 노력을 충분히 고려하지 못하고, 저작물의 질적 수준이 낮아질 수 있다는 점에서 비판을 받음

04 제시된 글은 밀의 주장이다. 밀은 개인의 자유가 다른 사람에게 해를 끼칠 때는 제한될 수 있으며, 사회는 한 개인이 타인에게 위해를 가하면 표현의 자유를 통제할 수 있고, 그런 행위를 한 개인은 사회적, 법적 처벌을 감수해야 한다고 주장한다. 따라서 사이버 공간에서 다른 사람에게 해를 끼치는 글을 작성해서는 안 된다고 주장할 것이다.

바로알기 ②, ③ 밀은 타인에게 해를 가하지 않는 범위에서 자유를 누려야 한다고 주장하였다. ④ 밀에 따르면 한 개인의 표현의 자유는 다수의 선호와 상관없이 보장되어야 한다. ⑤ 밀은 다수와 다른 의견을 가진 사람이 단 한 사람일지라도 그 사람에게 침묵을 강요해서는 안 된다고 보았다.

05 뉴 미디어 시대에 매체들은 이용자가 능동적으로 정보를 소비하고 생산할 수 있고(능동화), 모든 정보가 디지털화되어 신속하고 정확하게 정보를 처리할 수 있으며(디지털화), 정보 교환에서 송수신자가 동시에 참여하지 않아도 수신자가 원하는 시간에 정보를 볼 수 있다는(비동시성) 특징이 있다.

바로알기 (2) 대규모 집단에 획일적으로 메시지를 전달하는 전통적인 매체와 달리 뉴 미디어 매체들은 특정한 대상과 특정 정보를 상호 교환할 수 있다는 탈대중화의 특징이 있다. (4) ○표를 해야 한다.

06 뉴 미디어의 정보가 기존 매체에 비해 신뢰하기 어려운 이유는 뉴 미디어의 정보가 객관성을 지니는지 점검할 장치가 부족하기 때문이다. 1인 미디어가 대표적인 예이다.

바로알기 ① 뉴 미디어는 정보의 확산력이 매우 크다. ② 뉴 미디어의 정보는 다수가 이용한다. ③ 뉴 미디어는 공적인 경향이 약화되고 사적인 경향이 강해졌다. ⑤ 뉴 미디어의 정보는 시간과 장소에 제한을 받지 않고 이용할 수 있다.

07 갑은 잊힐 권리를 강조하고 있고, 을은 대중의 알 권리를

강조하고 있다. 갑의 입장에서는 을에게 사생활 침해를 방지하고, 자신과 관련된 정보를 스스로 통제할 수 있는 권리인 정보의 자기 결정권의 중요성을 간과하고 있다고 비판할 것이다.

바로알기 ②, ⑤ 을이 갑에게 제기할 비판이다.

3단계 등급 올리기 본문 55쪽

01 ② **02** ⑤ **03** ③ **04** (1) 잊힐 권리

(2) 해설 참조

01 갑은 가상 공간에서 표현의 자유가 가져온 문제를 지적하며, 무분별한 가십의 유포를 규제하기 위한 법률적 규제가 필요하다고 주장하고 있다. 을은 자유로운 표현의 장(場)인 가상 공간에서는 제도적 규제 없이 개인들의 노력만으로도 충분히 건전한 표현이 살아남는다고 주장하고 있다. ② '개인의 자정 노력만으로도 인권이 보호될 수 있는가?'라는 질문에 갑은 '아니요', 을은 '예'라고 대답할 것이다.

바로알기 ① '표현의 자유가 제한 없이 보장되어야 하는가?'라는 질문에는 갑은 부정의 대답을 할 것이다. ③ '인격을 보호하기 위해 강력한 법적 제재가 필요한가?'라는 질문에는 갑은 긍정, 을은 부정의 대답을 할 것이다. ④, ⑤ 갑과 을 둘 다 부정의 대답을 할 것이다.

02 갑은 사이버 공간에서 개인 정보의 보호를 강조하며 다른 사람의 부당한 감시나 침해를 우려하는 입장이다. 을은 개인 정보를 보호해야 한다는 의견에는 동의하지만 모든 국민의 사생활이 반드시 보호되어야 할 필요는 없다고 주장한다. 즉, 공익을 위한 국민의 알 권리를 더욱 강조한다.

바로알기 ① 사이버 공간에서는 정보에 대한 접근이 쉬워져 개인 정보가 쉽게 유출되고 있고, 이에 따라 개인 정보를 보호해야 한다는 의견에 갑, 을 모두 동의하고 있다. ②, ③, ④ 을에 비해 갑이 강조할 내용이다.

03 갑은 정보 공유 권리를, 을은 저작권 보호를 주장한다. '양질의 정보 생산을 위해 정보 복제에 제약이 없어야 하는가?'라는 질문에 갑은 긍정, 을은 부정의 대답을 할 것이다.

바로알기 ① '정보는 삶의 질을 향상하기 위한 자산인가?'라는 질문에는 갑과 을 모두 긍정의 대답을 할 것이다. ②, ④, ⑤ 갑은 부정, 을은 긍정의 대답을 할 질문이다.

서술형 문제

04 (1) 잊힐 권리

(2) **예시답안**

• 나는 잊힐 권리를 법제화하는 것에 찬성한다. 왜냐하면 자신과 관련된 정보의 유통 과정 전체를 자신이 통제하는 권리가 보장되어야 하기 때문이다.

• 나는 잊힐 권리를 법제화하는 것에 반대한다. 왜냐하면 잊힐 권리를 법제화하면 대중의 '알 권리'를 침해할 수 있기 때문이다. 또한 잊힐 권리를 과거 행적 감추기에 악용하거나 공익을 위해

필요한 정보를 공개하지 않음으로써 국민의 삶과 행복에 영향을 줄 수 있기 때문이다.

채점 기준	배점
찬성 의견의 경우 정보의 자기 결정권을 근거로 삼거나, 반대 의견의 경우 대중의 알 권리 침해를 근거로 삼아 서술한 경우	상
적절한 근거를 들지 않고 찬성 또는 반대의 의견만 서술한 경우	하

03 자연과 윤리

1단계 개념 짚어 보기
본문 57쪽

01 (1) × (2) × (3) ○ **02** (1) ㅁ (2) ㄴ (3) ㄷ (4) ㄱ (5) ㄹ **03** 환경 파시즘 **04** ㉠ 천인합일, ㉡ 연기설, ㉢ 무위자연, ㉣ 상의(화해), ㉤ 화해(상의) **05** 탄소 배출권 거래 제도

2단계 내신 다지기
본문 58~59쪽

01 ④ **02** ⑤ **03** ⑤ **04** ① **05** ③
06 ② **07** ③ **08** ⑤ **09** ⑤ **10** ③
11 ⑤

01 제시된 글은 싱어의 주장이다. 싱어는 공리주의에 기초한 동물 중심주의를 주장하였다. 그는 동물의 고통을 저급하게 여기거나 무시하는 행위를 종 차별주의라고 비판하였다.
(바로 알기) ① 슈바이처의 주장이다. ② 생태 중심주의의 주장이다. ③ 테일러의 주장이다. ⑤ 레건의 주장이다.

02 갑은 테일러, 을은 베이컨이다. 테일러는 자연을 인간을 위한 수단으로만 보는 베이컨에게 모든 생명체는 인격체와 다름없는 내재적 존엄성을 지니고 있다는 점을 간과하고 있다고 비판할 것이다.
(바로 알기) ① 동물 중심주의의 한계이다. ② 생태 중심주의가 개체론적 환경 윤리 입장에 대하여 할 수 있는 비판이다. ③ 데카르트와 같은 인간 중심주의자가 탈인간 중심주의자에게 할 비판이다. ④ 아퀴나스의 주장이다.

03 싱어와 레건은 동물 중심주의자로서 공통적으로 동물을 도덕적으로 고려해야 한다고 주장한다. 따라서 인간의 상업적 이익을 위한 동물 실험을 비판할 것이다.
(바로 알기) ① 생명 중심주의의 주장이다. ② 동물 중심주의에서는 동물도 인간과 동등한 도덕적 고려의 대상으로 보아야 한다고 주장한다. ③ 인간 중심주의의 입장이다. ④ 전체론적 환경 윤리인 생태 중심주의의 주장이다.

04 슈바이처는 모든 생명은 살고자 하는 의지를 지니고 있으며,

그 자체로 신성하다는 생명 외경을 강조하였다. 또한 생명을 고양하는 것은 선이고, 생명을 훼손하는 것은 악이며, 불가피하게 다른 생명을 해쳐야 할 때도 생명을 함부로 죽여서는 안 되며 그에 대한 도덕적 책임을 자각해야 한다고 주장하였다.
(바로 알기) ① 슈바이처는 불가피하게 생명을 해쳐야 하는 상황이 있을 수 있다는 점을 인정하면서, 그러한 선택에 대해서는 도덕적 책임을 느껴야 한다고 주장하였다.

05 레오폴드는 대지 윤리의 입장에서 전체론적 환경 윤리를 주장한다. 레오폴드는 제시된 문제 상황에 대해 생태계 전체의 균형과 안정을 위해 늘어난 사슴을 죽일 수 있다고 판단할 것이다.
(바로 알기) ① 레건, ② 싱어, ④ 테일러, ⑤ 인간 중심주의에서 할 수 있는 주장이다.

극비 노트 개체론적 환경 윤리와 전일론적 환경 윤리

개체론	각 개체가 갖는 생명체의 도덕적 지위나 권리를 인정하고, 이를 도덕적으로 배려하는 것이 자연환경과 생태계를 보전하는 길이라고 보는 환경 윤리 이론 – 동물 중심주의, 생명 중심주의
전일론	전체로서의 자연환경, 종과 생태계의 보전에 초점을 맞추는 환경 윤리 이론 – 생태 중심주의

06 네스는 환경 위기 극복을 위해서 세계관과 생활 양식 자체를 생태 중심적으로 바꾸는 심층적 생태 중심주의를 강조하였다. 그는 자신을 자연과의 상호 연관 속에서 존재하는 것으로 이해하는 '큰 자아실현'과 모든 생명체를 상호 연결된 전체의 평등한 구성원으로 보는 '생명 중심적 평등'을 주장하였다.
(바로 알기) ① 생태 중심주의는 생태계 전체의 이익을 위해 개별 생명체를 희생시키는 환경 파시즘으로 흐를 수 있다. ③ 슈바이처는 모든 생명체는 살고자 하는 의지가 있으므로 그 자체로 신성하다는 생명 외경 사상을 주장하였다. ④ 싱어는 쾌고 감수 능력을 지닌 존재는 평등하게 이익 관심을 고려해야 한다는 평등한 이익 고려의 원칙을 주장하였다. ⑤ 생명 중심주의인 테일러는 모든 생명체를 의식의 여부에 상관없이 자기 보존과 행복이라는 목적을 지향하는 목적론적 삶의 중심으로 보았다.

07 동양의 자연관은 인간과 자연의 상호 의존과 조화를 강조하며, 현대 환경 위기를 극복하는 데 큰 시사점을 준다.
(바로 알기) ③ ㉢ 불교에서는 연기설에 근거하여 인간과 자연의 상호 의존성을 자각하고 모든 생명에 자비를 베풀 것을 강조하였다.

극비 노트 동서양의 자연관 비교

구분		유불도의 자연관	근대 서양의 자연관
인간과 자연의 관계		• 인간과 자연의 상호 의존성, 조화와 화합을 강조함 • 인간과 자연의 공존을 모색함	• 인간은 자연 조건을 극복하고 개발하는 주체라고 봄 • 자연에 대한 과학적이고 합리적인 태도를 강조함
한계		자연에 순응하는 소극적인 삶의 자세를 지님	심각한 환경 문제를 일으킴

08 제시된 기사에는 기후 변화로 선진국에 비해 온실가스를 거의 배출하지 않는 개발 도상국의 피해가 심각하다는 문제 상황이 나타나 있다. 이러한 문제 상황에 대해 기후 정의의 관점에서 온실가스를 많이 배출하여 기후 변화에 책임이 많은 선진국들이 개발 도상국에 책임 있는 보상을 해야 한다는 주장을 할 수 있다.

바로 알기 ① 기후 변화에 따른 자연재해는 대부분 개발 도상국에서 발생한다. ② 온실가스의 75%가 선진국에서 배출되는 만큼 기후 정의의 관점에서 선진국이 더 많은 책임을 져야 한다. ③ 기후 변화는 개별 국가의 노력으로는 해결하기 어려우므로 국제 협력이 필요한 문제이다. ④ 개발 도상국은 현재 발전을 하고 있는 단계이므로 현실성 있는 온실가스 배출 기준이 만들어져야 한다.

09 갑은 미래 세대의 생존을 위해 절제가 필요하다고 주장하고, 을은 미래 세대의 존재 가능성을 지적하며 미래 세대에 대한 현세대의 책임을 묻고 있다. 따라서 갑은 을의 질문에 대하여 현세대를 포함하여 어느 세대도 자신의 이익을 위해 전 인류의 공동 자산인 자연환경을 남용할 권리는 없다고 답변할 것이다.

바로 알기 ① 현세대의 삶도 중요하지만 미래 세대의 생존도 중요하다. ② 인류의 존속을 위해 현세대가 검소하고 절제하는 삶을 살아갈 책임이 있다. ③ 현세대는 지구의 자정 능력을 벗어날 정도로 환경을 오염시키고 있다. ④ 모든 개발을 중단하는 것이 아니라 겸손한 태도로 검소하고 절제하는 삶을 살아갈 책임에 대해 주장하고 있다.

10 제시된 글은 요나스의 정언 명령이다. 요나스는 칸트의 정언 명법을 수정해 새로운 생태학적 정언 명법을 제시하였다. 그는 미래 세대가 건강한 자연환경에서 살아갈 수 있는 권리를 보장해 주어야 하며, 현세대에 의한 환경 오염의 책임 범위는 시간적으로 미래 세대에까지 미친다고 하였다. 또한 인류가 존재해야 한다는 당위적 요청을 근거로 인류 존속에 관해 현세대는 책임을 져야 하며, 인류 존속을 위해 현세대의 잘못으로 미래 세대가 생존할 수 없을지도 모른다는 사실에 두려움을 갖고 겸손한 자세로 검소하고 절제하는 삶을 살아야 한다고 주장하였다.

바로 알기 ③ 현세대의 책임은 일차적으로 미래 세대의 생존이며, 이차적으로는 그들의 삶의 질을 배려하는 것이다.

11 '환경적으로 건전하고 지속 가능한 발전'이란 미래 세대가 그들의 필요를 충족할 수 있는 범위에서 현세대의 필요를 충족하는 개발 방식이다. 이를 위한 노력으로는 파리 협정과 같은 국제 협약, 친환경 기술과 신재생 에너지 활용, 녹색 소비 운동 등이 있다.

바로 알기 ㄷ. 농약을 사용하는 것은 환경을 오염시킨다.

3단계 등급 올리기

본문 60~61쪽

01 ①	02 ①	03 ⑤	04 ④	05 ③
06 ⑤	07 ①	08 (1) (가) – 레오폴드, 생태 중심주의, (나) – 칸트, 인간 중심주의 (2) 해설 참조		

---

01 갑은 인간 중심주의자인 칸트, 을은 생태 중심주의자인 레오폴드, 병은 생명 중심주의자인 테일러이다. ②, ③ 레오폴드는 긍정, 테일러는 부정의 대답을 할 질문이다. ④ 레오폴드가 긍정의 대답을 할 질문이다. ⑤ 테일러가 긍정의 대답을 할 질문이다.

바로 알기 ① 칸트는 이성을 지닌 자율적 존재만이 도덕적 지위를 지닌다고 보았다. 따라서 인간과 달리 동물은 기본적 권리를 지니고 있지 않다고 대답할 것이다.

극비노트 인간 중심주의를 대표하는 사상가들의 입장

사상가	입장
아리스토텔레스	"식물은 동물을 위해서, 동물은 인간을 위해서 존재한다."
아퀴나스	"신의 섭리에 따라 동물은 자연의 과정에서 인간이 사용하도록 운명 지어졌다."
베이컨	자연을 인류 복지의 수단으로 보고 자연에 관한 지식의 활용을 강조 → "지식은 곧 힘이다."
데카르트	• 이분법적 세계관: 인간과 자연의 관계를 주체와 인식 대상으로 설정함 • 기계론적 자연관: 자연을 단순한 물질 또는 기계로 파악함으로써 도덕적 고려의 대상에서 제외함
칸트	• 이성적 존재만이 자율적으로 행동하는 주체가 될 수 있음 • 동물과 자연은 도덕적 주체가 될 수 없고, 우리의 간접적인 도덕적 의무의 대상일 뿐임
패스모어	온건한 인간 중심주의를 주장하며, 현세대를 포함한 인류의 장기적인 이익을 위해 자연 친화적인 삶을 추구해야 한다고 함

02 갑은 패스모어, 을은 레오폴드이다. 패스모어와 레오폴드 모두 인간이 자연의 일부라는 점을 인정한다. 두 사상가의 차이점은 패스모어는 인간이 자연의 일부라는 점은 인정하지만 인간의 장기적인 이익을 위해서 인간과 자연의 관계를 바라보며, 레오폴드는 생태계 전체의 조화와 균형 속에서 인간과 자연의 관계를 바라본다.

바로 알기 ② 강경한 인간 중심주의의 주장이므로 둘 다 부정의 대답을 할 것이다. ③, ⑤ 테일러가 긍정의 대답을 할 질문이다. ④ 싱어가 긍정의 대답을 할 질문이다.

03 갑은 데카르트, 을은 레건, 병은 테일러이다. A는 데카르트만의 주장, B는 레건만의 주장, C는 테일러만의 주장, D는 데카르트와 레건의 공통점을 찾으면 된다. 레건은 동물의 권리를 존중하여 동물의 주체적 삶을 존중해야 한다고 보았다. 테일러는 인간이 다른 생명체에 해를 입혔을 경우에는 보상해야 한다고 주장하였다. 데카르트와 레건은 자연 안의 모든 생명체가 도덕적 지위를 갖는 것은 아니며, 데카르트는 인간만이, 레건은 인간과 몇몇 포유동물이 도덕적 지위를 갖는다고 주장하였다.

바로 알기 ㄱ. 데카르트는 동물은 기계일 뿐이므로 영혼이 존재하지 않는다고 주장하였다.

04 갑은 노자, 을은 베이컨이다. 노자의 사상은 인위적인 것에서 벗어나 자연을 본받고 따르는 것이 이상적이라고 보므로, 이러한 관점에서 인간을 자연의 해석자로 보고 인간의 필요에 맞게 이용하려는 베이컨의 태도를 비판할 수 있다.

바로 알기 ① 베이컨의 주장이다. ② 생태 중심주의의 주장이다. ③ 인간 중심주의자인 칸트의 주장이다. ⑤ 생명 중심주의자인 테일러의 주장이다.

05 (가)는 레오폴드의 주장이고, (나)는 심각한 바다 쓰레기 문제를 보여 주고 있다. 레오폴드의 입장에서는 생명 공동체 전체를 도덕적 고려의 대상으로 보므로, 쓰레기를 함부로 버림으로써 생태계의 균형을 깨뜨리는 것을 옳지 못하다고 주장할 것이다.
바로 알기 ① 인류가 아니라 동물만 도덕적으로 고려하는 환경 윤리는 설득력이 없다.

06 갑은 테일러, 을은 레건이다. ⑤의 질문에 테일러는 모든 생명체가 자기 보존과 행복이라는 목적을 지향한다고 주장하므로 긍정의 대답을, 레건은 몇몇 포유동물이 삶의 주체로서 권리를 지닌다고 주장하므로 부정의 대답을 할 것이다.
바로 알기 ① 테일러와 레건 모두 긍정의 대답을 할 질문이다. ② 테일러와 레건 모두 부정의 대답을 할 질문이다. ③ 싱어, ④ 레건이 긍정의 대답을 할 질문이다.

극비 노트 테일러의 자연 존중에서 비롯된 네 가지 의무

불침해의 의무	생명체에 해를 끼쳐서는 안 됨
불간섭의 의무	생명체의 자유에 제약을 가하는 것을 금지하고, 생태계의 진행 과정에 간섭하지 않음
신의의 의무	동물을 속이는 행위를 해서는 안 됨
보상적 정의의 의무	인간이 다른 생명체에 해를 입혔을 경우 그에 대한 보상을 해 줌으로써 정의의 형평성을 회복해야 함

07 (가)는 칸트, (나)는 네스의 주장이다. 인간 중심주의자인 칸트에 비해 심층 생태 중심주의자인 네스는 자연을 인간의 욕구 충족을 위한 수단으로 보지 않으며, 도덕적 고려의 대상으로서 자연과 인간의 가치 구분이 있다고 보지 않는다. 또한 모든 생명체를 생태계의 평등한 구성원으로 본다. 따라서 (나)의 입장이 (가)의 입장에 비해 갖는 상대적 특징은 X는 낮고, Y와 Z는 높다.

서술형 문제

08 (1) (가) – 레오폴드, 생태 중심주의, (나) – 칸트, 인간 중심주의
(2) **예시 답안** (가)의 레오폴드는 인간은 대지의 지배자가 아니라 한 구성원으로서 인간과 무생물을 포함한 생태계 전체가 직접적인 도덕적 고려의 대상이라고 보았다. 하지만 (나)의 칸트는 이성을 발휘할 수 있는 인간만이 유일한 도덕적 고려의 대상이라고 보았다. 칸트는 자연에 대한 인간의 의무는 인간의 도덕적 완성을 위해 요청되는 간접적 의무라고 주장하는데, 이는 레오폴드의 입장에서 볼 때 인간의 이해와 상관없이 존재하는 생태계 전체의 가치를 고려하지 못한다는 한계가 있다.

채점 기준	배점
(가), (나)의 관점에서 도덕적 고려의 대상으로서 인간의 지위를 비교하고, (가)의 관점에서 (나)의 한계를 비판하는 내용을 모두 정확히 서술한 경우	상
(가), (나)의 관점에서 도덕적 고려의 대상으로서 인간의 지위를 비교하는 내용과 (가)의 관점에서 (나)의 한계를 비판하는 내용 중 한 가지만 정확히 서술한 경우	하

01 예술과 대중문화 윤리

1단계 개념 짚어 보기
본문 63쪽

01 (1) ○ (2) × (3) ○　**02** (1) ㉢ (2) ㉠　**03** (1) 대중문화 (2) 예술의 상업화　**04** (1) ㄱ, ㄷ (2) ㄴ, ㄹ

2단계 내신 다지기
본문 63~64쪽

01 ②	02 ②	03 ①	04 ④	05 ③
06 ③	07 ④	08 ②		

01 예술은 인간의 마음을 정화하고 사고를 확장하며 인간의 의식과 사회를 개혁하는 데 이바지하는 기능을 한다.
바로 알기 ② 예술은 노동과 생존을 위한 활동 이면에 존재하는 삶의 의미와 미적 가치를 추구한다.

02 갑은 예술 지상주의 입장인 와일드, 을은 도덕주의 입장인 플라톤이다. 예술 지상주의에서는 미적 가치와 윤리적 가치가 무관하다고 보며, 예술 이외의 목적을 예술보다 우위에 두는 것을 경계한다. 반면 도덕주의에서는 예술가도 사회 구성원이므로 사회 발전에 이바지해야 한다고 주장한다.
바로 알기 ①, ③, ⑤는 을이 갑에게 할 수 있는 비판이다. ④ 도덕주의에서는 예술의 사회성을 예술의 자율성이나 독창성보다 강조한다.

03 제시된 글은 예술 지상주의 입장을 지닌 와일드의 주장이다. 예술 지상주의는 미적 가치와 윤리적 가치의 관련성을 낮게 보고, 예술가는 자율성과 독창성을 지녀야 한다고 주장한다.
바로 알기 ②, ③, ④는 도덕주의 입장이다. ⑤ 와일드는 예술가가 다른 사람의 욕구를 만족하게 하려는 순간 그는 예술가이기를 포기한 것이며, 예술가에게 윤리적 공감은 독창성을 잃게 하는 것이라고 하였다.

극비 노트 예술 지상주의(심미주의)와 도덕주의 비교

구분	예술 지상주의(심미주의)	도덕주의
예술의 목적	예술 그 자체의 아름다움을 추구함	인간의 올바른 품성을 함양하고 도덕적 교훈, 본보기를 제공함
윤리적 규제 여부	예술의 자율성과 독립성을 강조하여 예술에 대한 윤리적 규제에 반대하는 입장	예술은 사회의 도덕적 성숙에 기여해야 하므로 적절한 윤리적 규제가 필요하다는 입장
예술관	예술의 자율성을 강조하는 순수 예술론을 지지함	예술의 사회성을 강조하는 참여 예술론을 지지함

04 제시된 글은 칸트의 입장이다. 칸트는 자유로운 미적 체험이나 자유로운 도덕적 행위가 특정 이익을 추구하는 것이 아니라는 점에서 미와 도덕성은 유사성을 가지며 서로 상징 관계에 있다고 보았다. 그리고 상징 관계에 있는 미를 통해 도덕성을 실현할 수 있다고 보았다.

바로알기 ①, ⑤는 예술을 독립적인 영역으로 보는 입장이다. ② 칸트는 미적 체험을 통한 자유와 도덕의 전제인 자유는 서로 다른 것이기는 하지만 '이기적인 욕구에서 벗어나 있다.'라는 점에서는 동일하다고 주장하였다. ③ 칸트는 미의 판단 형식과 선의 판단 형식 간의 차이에도 불구하고 양자 간 형식상의 유사성에 근거하여 미와 선의 밀접한 관계를 주장하였다.

05 대중문화는 대중 사회를 기반으로 형성되어 다수의 사람이 소비하고 향유하는 문화로, 대중이 살아가는 시대상을 반영하고 시장을 통해 유통되며 상업적 특징을 지니고 대중 지향적이다.
바로알기 ③ 대중문화는 대량 생산의 특징을 지닌다.

06 대중문화가 자본에 종속될 경우 소수 집단이 독점을 하거나 예술의 미적 가치가 훼손될 수 있으며, 각 개인을 문화 산업의 도구로 전락시킬 수 있다. 또한 상업성을 지나치게 강조해 선정적이거나 폭력적인 작품을 통해 인격 형성을 저해할 우려가 있다.
바로알기 ③ 대중문화는 경제 원칙의 지배를 받기 때문에 대중문화를 단순한 상품으로 여길 우려가 있다. 그렇게 되면 대중문화를 물질적 필요에 따라 사용하고 버리는 일반 소비재와 동일하게 여기며, 대중문화가 미치는 정신적 영향이나 사회적 효과를 간과할 수 있다.

극비노트 대중문화의 윤리적 규제에 대한 입장

찬성 입장	• 성의 상품화 예방을 강조함 • 대중의 정서에 미칠 부정적 영향을 방지할 수 있음
반대 입장	• 자율성과 표현의 자유를 강조함 • 대중의 문화적 권리를 침해할 수 있음

07 아름다움의 요소가 대상 속에 객관적으로 주어져 있느냐 아니면 감상자의 주관에 따라 다르게 해석되느냐에 따라 객관주의와 주관주의로 나뉜다. ④는 객관주의 입장이다.
바로알기 ①, ②, ③, ⑤는 주관주의 입장이다.

극비노트 객관주의와 주관주의 비교

객관주의	주관주의
• 아름다움은 대상에 내재해 있는 객관적인 성질임 • 대상 자체가 가진 아름다움으로 우리는 미적 쾌감을 느끼게 됨 • 우리가 느끼지 않더라도 아름다움은 그 대상에 독립적으로 존재함	• 아름다움은 개인의 주관에 달려 있음 • 아름다움은 주관 속에서 생겨나는 감정의 산물임 • 아름다움은 대상이 가지고 있는 고유한 속성이 아니며, 대상을 관찰하는 관찰자의 마음속에 일어나는 현상임

08 제시된 글은 대중문화의 상업성을 비판한 아도르노의 주장이다. 아도르노는 문화 생산물이나 서비스가 상업적 전략 하에 하나의 상품으로 생산·판매되는 점을 비판하면서 대중문화라는 용어보다는 '문화 산업'이라고 표현해야 한다고 주장하였다.
바로알기 ㄴ. 아도르노는 문화 산업이 된 예술 작품을 감상하는 것은 감상자의 고유한 체험을 방해한다고 보았다. ㄹ. 예술의 양적·질적 변화는 예술의 상업화를 긍정적으로 바라보는 입장이다.

극비노트 예술의 상업화

긍정적 측면	• 예술의 대중화에 기여함 • 예술가에게 경제적 이익을 제공하고 창작 의욕을 북돋움 • 예술의 양적·질적 변화를 가져옴
부정적 측면	• 예술이 자본에 종속되어 예술의 미적 가치와 자율성을 훼손함 • 선정적·폭력적 작품을 만들어 인격 형성을 저해하고, 인간성을 상실함

3단계 등급 올리기
본문 65쪽

01 ⑤　　02 ④　　03 ⑤　　04 (1) 해설 참조
(2) 해설 참조

01 제시된 글은 예술과 도덕의 관계에 대하여 도덕주의 입장을 지닌 플라톤의 주장이다. 도덕주의에서는 예술이 사회의 도덕적 성숙에 도움이 되어야 한다고 주장한다.
바로알기 ①, ②, ③, ④는 예술 지상주의(심미주의) 입장이다.

02 갑은 예술의 상업화에 부정적 입장인 폐기 구겐하임이고, 을은 긍정적 입장인 앤디 워홀이다. 예술의 상업화를 부정적으로 보는 입장에서는 예술 작품을 하나의 상품이나 부의 축적 수단으로 보는 것을 비판하고, 예술의 상업화가 예술 작품의 경제적 가치만 중시한 나머지 예술 작품의 미적 가치와 윤리적 가치를 간과하고 있다고 본다.
바로알기 ① 을은 예술의 경제적 가치를 긍정적으로 본다. ② 예술 작품의 인문 교양적 가치를 강조하는 것은 갑의 입장이다. ③ 을은 예술의 상업화가 예술의 대중화에 기여한다고 본다. ⑤ 예술의 상업화를 긍정적으로 보는 입장에서는 재능 있는 사람들의 예술계 유입을 통해 다양한 예술 분야가 발전할 수 있다고 본다.

03 제시된 글의 A씨는 대중문화의 폭력성을 비판적으로 보는 입장이다. 이 입장에서는 폭력적이거나 선정적인 대중문화를 접하면 이를 모방하고 학습하게 된다고 주장한다. 대중문화를 통해 묘사되는 폭력에는 피해자의 고통에 관한 관심이 드러나지 않는 경우가 많으며, 폭력을 미화하거나 정당화하여 폭력에 대한 그릇된 인식을 지니게 할 위험이 있다.
바로알기 ㄱ, ㄴ. 대중문화의 폭력성을 긍정적으로 보는 입장이다.

서술형 문제

04 (1) **예시답안** 대중문화가 자본에 종속되었기 때문이다. 즉 대중문화는 자본의 영향을 많이 받고 대규모 자본을 소유한 사람이나 집단이 대중문화를 생산하고 유통할 수 있게 되면서 대중문화의 다양한 영역에서 자본이 지배적 영향력을 행사하게 되었다.

채점 기준	배점
대중문화가 자본에 종속되었기 때문에 발생하는 문제임을 지적하고 그 내용을 정확히 서술한 경우	상
제시된 사례를 대중문화의 자본 종속과 연결하지 못하거나 그 내용을 정확히 서술하지 못한 경우	하

(2) **예시 답안** 대중문화의 다양성과 자율성이 퇴색되고 획일적 상품의 생산과 소비가 주를 이루게 된다. 이것이 심해지면 대중의 지성과 판단력을 마비시켜 대중의 사유 가능성이 사라지게 된다.

채점 기준	배점
대중문화의 자본 종속으로 인한 문제점을 세 가지 이상 서술한 경우	상
대중문화의 자본 종속으로 인한 문제점을 두 가지 이하 서술한 경우	하

02 의식주 윤리와 윤리적 소비

1단계 개념 짚어 보기
본문 67쪽

01 (1) ○ (2) ○ (3) × **02** (1) © (2) ㉡ (3) ㉠ **03** 볼노브 **04** (1) 윤리적 소비 (2) 사회적 기업 (3) 합리적 소비

2단계 내신 다지기
본문 67~68쪽

01 ④	02 ②	03 ⑤	04 ⑤	05 ①
06 ②	07 ⑤	08 ③		

01 의복은 자아와 가치관의 형성과 관련되고 예의에 관한 사회적 기준을 반영한다. 또한 상황에 맞는 의복 착용을 통해 상대방에게 예의를 표현할 수 있으며, 그 사람의 됨됨이를 평가할 수 있다.
바로 알기 ④ 명품을 착용한다고 올바른 자아와 가치관이 형성되는 것은 아니다. 명품의 우수한 품질과 희소성이 만족감을 줄 수는 있지만, 무리한 명품 선호는 과시적 소비라는 그릇된 욕망의 표현으로 과소비와 사치 풍조를 조장하여 사회적 위화감을 조성할 수 있다.

극비 노트	의복 문화와 윤리적 문제
유행 추구 현상	• 긍정적 관점: 다양한 문화 발전의 바탕이 됨 • 부정적 관점: 몰개성화, 획일화, 비합리적 소비를 조장함
명품 선호 현상	• 긍정적 관점: 제품의 질적 향상이 가능함 • 부정적 관점: 정체성 위기 초래, 사치 풍조 조장, 사회적 위화감을 조성함

02 갑은 아리스토텔레스, 을은 에피쿠로스이다. 두 사상가 모두 절제를 통해 먹는 행위를 적절히 조절해야 함을 주장하고 있다.
바로 알기 ⑤ 아리스토텔레스는 지나치거나 모자라지 않는 중용의 덕을 강조한다. 지나칠 정도로 먹고 마시는 것은 자연의 한도를 넘어서며, 이런 사람은 노예나 다름없는 사람이라고 주장하는 것은 식생활에서도 중용이 필요하다는 점을 강조하는 것이다.

03 제시된 글은 음식의 윤리적 의미를 설명하고 있다. 슬로푸드는 비만 등을 유발하는 패스트푸드의 문제를 해결하고자 가공하지 않고 사람의 손맛이 들어간 음식, 자연적인 숙성이나 발효를 거친 음식 등 전통적인 방식으로 만든 음식을 의미한다. 로컬 푸드는

장거리 운송을 거치지 않은 안전하고 건강한 지역 농산물을 의미하는데, 생산자와 소비자를 직접 연결함으로써 식품의 안전성과 가격의 효율성을 높일 수 있다.
바로 알기 ㄱ. 정크 푸드는 열량은 높지만 영양가는 낮은 식품을 말한다. ㄴ. 유전자 변형 식품은 식품의 생산성과 질을 높이기 위해 본래의 유전자를 새롭게 조작하고 변형해 만든 식품으로, 안전성에 문제가 있을 수 있다.

04 제시된 글은 볼노브의 주장이다. 볼노브는 자신의 공간을 자기 삶의 중심으로 형성해야 할 공간 책임론을 제시하였다. 특히 집은 그곳에 거주하는 인간의 체험으로 구성되었으므로 자기 세계의 중심점이 되면서 자기 존재의 뿌리가 되는 곳이라고 보았다.
바로 알기 ① 진정한 거주는 단순히 공간을 점유하는 행위가 아니며 집과 내적인 관계를 맺는 문제를 더 중시하였다. ② 볼노브는 집이 외부의 위험으로부터 인간을 보호해 준다고 하였다. ③ 볼노브는 집을 단순히 부의 축적 수단으로만 여기지 말 것을 강조하였다. ④ 체험된 공간은 그것을 체험한 인간과 서로 밀접히 관계된다고 보았다.

극비 노트	주거 문화와 윤리적 문제
소통 단절	공동 주택의 폐쇄성으로 소통 단절 → 이웃 간의 갈등이 심화됨
삶의 질 저하	도시의 주거 밀집으로 삶의 질이 하락하고, 주거의 본질적 가치를 떨어뜨리는 문제가 발생함
경제적 가치 중시	• 집을 경제적 가치의 관점에서만 인식함 • 지나친 집값 상승으로 상대적 박탈감에 빠질 수 있음

05 현대 사회는 정보화와 세계화가 진행되면서 인간의 삶이 다양화되고 소비의 범위와 소비에 대한 인식의 지평이 확대되었다. 또한 소비자의 영향력이 확대되어 소비자가 어떤 의식을 가지고 소비를 하느냐에 따라 사회에 긍정적 영향을 끼칠 수도 있고 부정적 영향을 끼칠 수도 있게 되었다.
바로 알기 ① 현대 사회는 대량 소비와 과소비로 경제 규모가 확대되었다.

06 윤리적 소비는 인권과 정의를 생각하는 소비, 공동체적 가치를 생각하는 소비, 동물 복지를 생각하는 소비, 환경 보전을 생각하는 소비 등을 의미한다.
바로 알기 ②는 합리적 소비에 대한 설명이다.

극비 노트	윤리적 소비
의미	윤리적인 가치 판단에 따라 상품이나 서비스를 구매하고 사용하는 것
특징	• 환경, 인권, 복지, 노동 조건, 공동체를 중시함 • 원료의 재배, 생산과 유통 과정 전반에 관심을 가짐
유형	• 인권과 정의 고려: 노동자의 인권과 복지를 생각하는 기업의 상품이나 공정 무역 상품을 구매하는 것 • 공동체적 가치 추구: 지역 생산 농산물을 소비하는 로컬 푸드 운동 • 동물 복지 고려: 동물의 생명을 존중하고, 고통을 최소화하는 방식으로 생산된 상품을 소비하는 것 • 환경 보전 추구: 생태계의 보존과 지속 가능한 소비가 가능하도록 하는 친환경적 소비
필요성	환경 보호, 정의 실현, 인권 향상에 기여함

07 공정 무역은 다국적 기업 등이 자유 무역을 통해 이윤을 극대화하는 과정에서 적정한 몫을 분배받지 못하여 빈곤에 시달리는 개발 도상국의 생산자와 노동자를 보호하려는 목적을 갖는다.
(바로 알기) ⑤ 공정 무역은 윤리적 소비에 관심을 가지며, 개발 도상국에서 선진국으로 수출되는 상품 중 주로 농산물에 초점이 맞춰져 있다.

08 제시된 글은 사회적 기업의 사례이다. 사회적 기업은 취약 계층의 고용과 복지 문제를 해결하는 과정에서 등장하였으며, 일반 기업과 달리 주로 취약 계층을 대상으로 운영되고, 공공성을 기반으로 사회적 목적을 우선적으로 추구한다. 또한 민주적으로 운영되며 공익을 위한 일에 투자한다. 개인은 윤리적 소비를 통해 사회적 기업의 활동을 간접적으로 지원할 수 있다.
(바로 알기) ③ 사회적 기업은 자립적 운영을 위해 이익을 추구한다. 사회적 기업은 사회 문제 해결에 도움을 주는 공익 사업을 하면서도 운영 자금을 스스로 마련하기 위해 시장 경쟁력을 갖추어야 하는 어려움이 있다.

극비 노트 목적에 따른 사회적 기업의 유형

일자리 제공형	취약 계층에게 훈련, 고용 등을 통해 일자리를 제공함
사회 서비스 제공형	취약 계층에게 교육, 보건, 문화 등의 사회 서비스를 제공함
지역 사회 공헌형	지역 경제 발전 등 지역 사회에 공헌함
혼합형	일자리 제공형과 사회 서비스 제공형의 혼합임

3단계 등급 올리기
본문 69쪽

01 ④   **02** ⑤   **03** ①   **04** (1) 해설 참조
(2) 해설 참조

01 제시된 글은 과시적 소비에 대한 내용이다. 미국의 사회학자 베블런은 가격이 오르는 물건에 대해 높은 수요가 발생할 수도 있다고 주장하였는데, 그 이유는 과시적 소비가 존재하기 때문이다. 과시적 소비란 부를 과시하여 이루어지는 소비로, 주로 사치품 시장에서 일반 사람들과 신분이 다르다는 것을 과시하려는 부유층이나 이를 모방하려는 계층에 의해 주도된다.
(바로 알기) ④ 과시적 소비는 명성 획득과 체면 유지를 위한 요소로 강조되기 때문에 개인의 인간적인 접촉이 가장 광범위하게 이루어지고, 인구 이동이 가장 심한 사회의 구성원들에게 최선의 소비로 여겨진다.

02 제시된 글은 슬로푸드 운동과 관련된 내용이다. 음식 윤리를 강조하는 입장에서는 음식 소비가 개인뿐만 아니라 공동체에 영향을 미치며, 건강한 삶에 기여하는 방향으로 이루어져야 한다는 점을 강조한다.
(바로 알기) 두 번째 내용: 음식 재료가 산지에서 소비지까지 수송되는 거리를 푸드 마일리지라고 한다. 푸드 마일리지가 높을수록 배출하는 온실가스 양이 많다는 뜻이므로, 제시된 글에서는 푸드 마일리지가 낮은 음식 재료를 사용해야 한다고 주장할 것이다.

극비 노트 음식 문화와 윤리적 문제

식품의 안전성 문제	식량 생산 과정에서 과도한 화학 비료 사용, 유전자 변형 식품, 패스트푸드와 정크 푸드, 식품 제조 시 첨가물 사용 등이 인체 유해성 논란을 발생시킴
환경 문제	• 먹을거리의 생산, 유통, 소비 과정에서 환경 문제가 발생함 • 화학 비료로 토양·수질 오염, 음식 쓰레기 증가
동물 복지 문제	공장식 사육을 통한 동물의 비윤리적 처우 문제가 발생함
음식 불평등 문제	• 국가 간 빈부 격차 심화와 식량 수급의 불균형으로 발생함 • 심각한 기아와 영양실조로 고통받는 사람들이 많음

03 제시된 글은 윤리적 소비의 필요성을 강조하고 있다. 윤리적 소비는 보편적 가치가 실현된 사회의 혜택을 소비자도 누리기 때문에 결국 소비자 자신을 위한 것이기도 하다.
(바로 알기) ㄷ. 윤리적 소비는 당장 경제적인 이익이 되지 않더라도 장기적인 차원에서 이웃과 자연환경을 고려하는 소비 형태이다.
ㄹ. 합리적 소비는 자신의 경제력 내에서 가장 큰 만족을 추구하는 소비를 뜻한다. 하지만 소비자가 합리적 소비만을 중시한다면 생산자가 원가 절감을 위해 여러 가지 문제를 일으킬 수 있다. 이를 보완하기 위해 등장한 것이 윤리적 소비이다.

서술형 문제

04 (1) (예시 답안) 집은 우리에게 심리적인 안정과 휴식을 제공하고, 가족·이웃과 함께 생활하는 과정에서 유대감과 소속감을 형성할 수 있게 해 준다.

채점 기준	배점
집이 갖는 윤리적 의미를 두 가지 모두 정확히 서술한 경우	상
집이 갖는 윤리적 의미를 한 가지만 정확히 서술한 경우	하

(2) (예시 답안) 주거의 본질적 가치를 되살려 집을 부의 축적 수단으로만 여기지 말고 정신적 평화와 안정을 제공하는 공간으로 인식한다. 또한 이웃에 관심을 갖고 지역 사회의 일에 적극적으로 참여하여 유대감과 소속감을 형성하는 등 공동체를 고려하는 주거 문화를 형성한다.

채점 기준	배점
주거와 관련된 윤리적 문제의 해결 방안을 본질적 가치의 측면과 공동체의 측면에서 모두 정확히 서술한 경우	상
주거와 관련된 윤리적 문제의 해결 방안을 본질적 가치와 공동체의 측면 중 한 가지 측면에서만 정확히 서술한 경우	하

03 다문화 사회의 윤리

1단계 개념 짚어 보기
본문 71쪽

01 (1) × (2) × (3) ○   **02** (1) ㄹ (2) ㄱ, ㄴ   **03** (1) ㉡ (2) ㉢ (3) ㉠
04 관용의 역설

01 샐러드 볼 모형은 각각의 문화를 보존하면서 조화를 이루려는 이론이다.

바로알기 ①, ② 동화주의와 용광로 모형은 이주민이 출신국의 언어, 문화, 사회적 특성을 포기하고 주류 사회의 일원이 되게 한다. ③ 문화 사대주의는 자신이 속한 문화가 다른 집단의 문화보다 열등하다고 여기고, 다른 문화를 숭배하고 추종하는 태도를 말한다. ⑤ 국수 대접 모형은 국수가 주된 역할을 하고 고명이 부수적인 역할을 하여 맛을 내듯이, 주류 문화의 역할을 강조하면서 비주류 문화가 공존해야 한다고 보는 관점이다.

극비 노트 다문화를 바라보는 관점

동화주의	• 대표 이론: 용광로 모형 • 다양한 문화를 섞어 주류 문화 중심으로 통합하거나, 하나의 새로운 문화를 형성함 • 사회적 연대감과 결속력을 강화할 수 있지만, 문화적 역동성과 문화 다양성을 훼손할 수 있음
다문화주의	• 대표 이론: 샐러드 볼 모형 • 한 사회 안에서 다양한 문화를 평등하게 인정하여 이민자나 소수자의 문화를 존중하고 문화 간의 갈등을 줄이는 데 기여함 • 전통적인 관점에서 사회 통합을 이루기 어렵다는 문제가 있음
문화 다원주의	• 대표 이론: 국수 대접 모형 • 주류 문화를 중심으로 하되, 다양한 이질적인 비주류 문화를 허용해 줌으로써 문화의 다양성을 존중함 • 소수 문화의 문화 정체성을 존중하지만, 주류 문화가 주체로서 존재해야 한다는 점을 강조함

02 갑은 들뢰즈, 을은 레비나스이다. 들뢰즈는 다양성과 차이를 강조하면서 개개인의 삶을 강조하고, 레비나스는 자신의 관점에서 상대방을 이해하려는 태도에서 벗어나 차이와 다양성을 인정하는 관계가 되어야 한다고 강조한다.

바로알기 ① 차이와 다양성을 강조하는 입장에서는 단일성보다는 다원성을 추구해야 한다고 주장한다. ③ 제시된 입장은 다양성을 강조하고 있다. ④, ⑤ 개개인의 삶을 강조하고 각각의 차이를 인정해야 한다고 주장한다.

03 윤리적 상대주의는 윤리 원칙이 문화에 따라, 시대와 장소에 따라 다양할 수 있다는 주장이다. 윤리적 상대주의의 입장에서는 윤리를 문화의 산물로 보고, 각 사회마다 마땅히 따라야 할 규범이 다를 수 있다고 본다.

바로알기 ⑤ 윤리적 상대주의에서는 보편적 가치를 훼손하는 문화가 다양성이라는 이름으로 정당화될 위험성이 있다.

04 소극적 의미의 관용은 다른 문화를 접할 때 반대나 간섭, 배타적인 태도를 보이지 않는 것이고, 적극적 의미의 관용은 받아들일 수 없는 상대방의 주장이나 가치관을 이해하려고 노력하며 타자의 인권을 존중하고 평화를 실현하려는 자세이다. 제한 없는

관용의 태도를 가질 경우 결국 아무도 관용을 보장받을 수 없게 된다. 따라서 우리는 타인의 인권과 자유를 침해하지 않고, 사회 질서를 훼손하지 않는 범위 내에서 관용해야 한다.

바로알기 ㄱ. 무조건적인 관용의 태도를 가질 경우 보편 윤리를 위배하고, 자문화와 타 문화를 비판적으로 성찰할 수 없게 된다.

극비 노트 다문화 사회에서 관용의 의미와 한계

의미	자기 생각에 한계가 있음을 자각하고, 다른 생각이나 문화를 인정하고 받아들이려는 이성적 태도
필요성	이질적 문화를 가진 사람들의 평화적 공존, 문화적 풍요로움, 인간의 자율성 보장, 인간 존중 실현 등을 위해 필요함
한계	• 타인의 인권과 자유를 침해하지 않아야 함 • 사회 질서를 훼손하지 않아야 함

05 종교가 신앙심을 바탕으로 신에 대한 의존을 강조한다면, 윤리는 이성이나 양심 등을 근거로 도덕적 행위의 실천에 관심을 둔다. 그러나 대부분의 종교가 인간의 존엄성을 실현하는 윤리적인 계율과 덕목을 중시하고, 다른 사회 제도와 조화를 이루며 그 사회를 건전하게 이끈다는 점에서 종교와 윤리는 공통점을 지닌다.

바로알기 ㄴ. 종교에 해당하는 내용이다. ㄹ. 윤리에 해당하는 내용이다.

극비 노트 종교와 윤리의 차이점과 공통점

차이점	• 종교: 초월적 세계, 궁극적 존재에 근거한 종교적 신념이나 교리를 제시함 • 윤리: 인간의 이성, 상식, 양심에 근거한 규범을 제시함
공통점	도덕성과 인간의 존엄성을 중시하고 보편 윤리를 추구하며 사회 정의를 실현하기 위해 노력함

06 종교는 인간의 유한성과 불완전성을 극복하기 위해 등장하였다. 종교는 내용적인 측면에서는 초월성과 성스러움에 대한 믿음을 바탕으로 구성되어 있으며, 형식적인 측면에서는 경전과 교리, 의례와 형식, 교단을 구성 요소로 한다. 종교는 개인의 불안감을 극복하고 마음의 안정을 얻게 하며, 바람직한 삶의 방향을 모색할 수 있게 한다.

바로알기 ② 객관성을 추구하는 과학에서 강조하는 내용이다.

07 종교 갈등은 서로 다른 종교를 믿는 사람들의 가치관이나 교리의 차이에서 발생하며, 다른 종교에 대한 무지와 편견 혹은 자기 종교에 대한 맹신 등에서 비롯된다.

바로알기 ㄱ. 종교 갈등은 종교가 서로 다른 국가 사이에서만 발생하는 문제가 아니다. 한 국가 안에서도 다른 종교적 신념으로 내전이 벌어지는 경우가 있다. ㄹ. 최근 들어 정치 분쟁이나 영토 분쟁과 연결되는 종교 갈등이 더욱 심각해지고 있다.

08 종교 갈등을 극복하기 위해서는 다른 종교에 대한 자율성을 인정하고 이해하며 관용의 자세를 지녀야 한다. 종교 간 갈등은 단기간에 해결되기 어렵기 때문에 사랑과 자비, 평등과 평화와 같은

보편적 가치를 바탕으로 서로 대화하고 협력하고자 하는 노력을 기울여야 한다.

(바로 알기) ⑤ 종교 간의 갈등은 종교인들 간의 신앙과 가치관이 집단적으로 충돌하는 현상이기 때문에 개인 차원의 이성적 노력만으로는 극복하기 어렵다.

3단계 등급 올리기

본문 73쪽

01 ③   02 ②   03 ⑤   04 (1) 해설 참조
(2) 해설 참조

01 ㈎는 모자이크 모형, ㈏는 국수 대접 모형이다. 두 모형 모두 조화를 추구하는 다문화 모형이다. 모자이크 모형은 다양한 조각들이 모여 하나의 모자이크가 되듯이 여러 이주민 문화가 모여 하나의 문화를 이룬다는 모형으로 다문화 모형 중 하나이다.

(바로 알기) ㄱ. 동화주의의 입장이다. ㄹ. 국수 대접 모형에 대한 설명이다. 모자이크 모형은 타 문화를 평등하게 인정한다.

02 ㈎는 동화주의 입장, ㈏는 다문화주의 입장이다. ㈎에 비해 ㈏는 이주민의 문화와 기존 문화를 평등하게 인정해야 한다는 입장이므로 여러 문화의 공존과 화합을 강조하는 정도와 소수 문화의 정체성을 존중하는 정도는 높고, 문화 간의 위계를 강조하는 정도는 낮다. 따라서 X, Z는 높고, Y는 낮은 지점을 찾으면 ⓒ이다.

03 제시된 글은 원효의 일심 사상이다. 일심을 바탕으로 한 화쟁은 서로 다른 쟁론을 화회(和會)하고 이문(二門)을 묘합(妙合)하여 하나로 조화시키는 것이다.

(바로 알기) ①, ④ 제시된 글과 관련된 내용이 아니다. ②, ③ 원효는 다양한 사상을 인정하고 이를 더 높은 차원에서 통합하고자 한다.

서술형 문제

04 (1) (예시 답안) 윤리적 상대주의의 관점을 취하면 보편 윤리를 위배하는 노예 제도나 인종 차별도 하나의 문화로 인정하게 되어 인권을 침해하고 사회 질서가 무너진다. 또한 자문화와 타 문화를 비판적으로 성찰할 수 없다.

채점 기준	배점
윤리적 상대주의의 문제점을 보편 윤리, 관용의 역설과 모두 연관 지어 정확히 서술한 경우	상
윤리적 상대주의의 문제점을 보편 윤리와 관용의 역설 중 한 가지만 연관 지어 서술한 경우	하

(2) (예시 답안) 타인의 인권과 자유를 침해하지 않고 사회 질서를 훼손하지 않는 범위 내에서 관용해야 한다. 즉 인종을 차별하거나 다른 종교를 인정하지 않는 문화는 인권, 자유와 같은 보편적 가치를 훼손하므로 관용의 대상이 될 수 없다.

채점 기준	배점
윤리적 상대주의를 해결하기 위한 방안을 관용의 한계와 연관 지어 정확히 서술한 경우	상
윤리적 상대주의를 해결하기 위한 방안과 관용의 한계를 서로 연관 지어 서술하지 못한 경우	하

01 갈등 해결과 소통의 윤리

1단계 개념 짚어 보기

본문 75쪽

01 (1) ○ (2) × (3) ○ **02** (1) 행복한 (2) 국가 경쟁력 **03** ㉠ 화목, ㉡ 조화, ㉢ 공자, ㉣ 조화, ㉤ 상대적 **04** ㄱ, ㄴ, ㅁ, ㅂ **05** ㉠ 숙고적인 책임, ㉡ 참여, ㉢ 유지

2단계 내신 다지기

본문 75~76쪽

01 ⑤	02 ①	03 ④	04 ②	05 ②
06 ①	07 ②	08 ⑤		

01 제시된 대화는 고속 도로 건설을 자기 지역에 유치하려는 경쟁 과정에 대한 내용이다. 이는 철도, 공항, 산업 시설 등 지역 발전을 위한 시설이나 투자를 자신의 지역에 유치하려는 지역 갈등에 해당한다.

(바로 알기) ① 세대 갈등과 관련이 없다. ②, ④ 이념 갈등의 사례로는 보수와 진보의 대립을 들 수 있다. ③ 노사 갈등과 관련된 대화가 아니다.

02 사회 갈등은 사람들이 지닌 생각과 가치관의 차이로 발생한다. 민수는 모든 사람에게 고루 적용되는 보편적 복지를 주장하고, 지원이는 도움이 필요한 사람에게만 적용되는 선별적 복지를 주장한다.

(바로 알기) ㄷ. 무상 급식에 대한 민수와 지원이의 가치관은 각각 보편적, 선별적이라는 측면에서 차이가 있다. ㄹ. 민수와 지원이 모두 복지를 중시한다.

03 제시된 글은 뒤르켐의 『사회 분업론』의 일부이다. 뒤르켐은 기계적 연대가 구성원들이 동일한 가치와 규범을 공유하여 결속된 상태라면, 유기적 연대는 전문화된 개인들이 개별성을 유지하면서도 상호 의존적으로 결속한 상태라고 주장하였다. 그는 유기적 연대를 바탕으로 한 사회 통합을 강조하였다.

(바로 알기) ① 경제 성장과 복지는 뒤르켐의 사회 통합과 관련이 없다. ② 기계적 연대에 해당한다. ③ 뒤르켐은 유기적 연대를 중시하였다. ⑤ 뒤르켐은 개별성과 상호 결속을 모두 중시하였다.

04 전체주의 사회는 통제와 지시로 일사분란하게 운영되지만, 이를 두고 진정한 사회 통합이 이루어졌다고 하지는 않는다. 왜냐하면 사회 구성원 간의 소통과 담론이 배제되었기 때문이다. 사회 통합을 위한 소통과 담론을 통해 구성원의 자발적이고 적극적인 참여를 이끌어 내며, 도덕적 권위를 갖춘 합의를 도출할 수 있다. 소통을 통해 이루어진 합의는 도덕적 정당성과 설득력을 가진다.

(바로 알기) ①, ④ 일방적 통보와 폐쇄적인 결정으로 운영되는 사회는 불만과 갈등을 초래한다. ③ 경쟁 유발은 소통과 담론의 목적 또는 이유과 관련이 없다. ⑤ 전체주의 사회의 특징이다.

05 민주주의는 토론과 소통을 통해 공적 의사 결정에 관한 시민의

참여를 보장하여 시민이 주권자로서 위상을 되찾고 불필요한 갈등을 예방할 수 있다. ② 공적 의사 결정 과정에 적극적으로 참여하여 대의 민주주의의 한계를 보완하고, 심의 민주주의로 나아갈 수 있는 토대가 보장된다.

바로 알기 ① 편견과 독선의 자세에서 탈피해야 한다. ③ 자신의 오류 가능성을 인정하는 겸허한 태도를 지녀야 한다. ④ 감정적이 아닌 이성적으로 대화에 참여해야 한다. ⑤ 사회적·경제적 지위 등을 이유로 소통에서 배제되지 않아야 한다.

> **극비 노트** 심의 민주주의
>
> 소통이 의사 결정의 중심을 이루는 민주주의로, 사회적 쟁점에 관해 시민이 전문가, 공직자들과 공적 심의를 진행하고 합의를 이끌어 내는 정책 결정 방식을 의미함

06 장자의 글을 통해 서로 다른 것들의 상호 작용을 통해 만물이 존재할 수 있음을 인식한다면 우리 사회의 갈등은 줄어들 수 있다는 점을 알 수 있다. 즉, 진정한 의미의 소통을 위해서는 서로 다른 것을 그 자체로 인정하고 그것의 상호 의존 관계를 이해해야 한다.

바로 알기 ②, ③, ④ 자신과 남의 차이를 인정하고 상호 의존 관계를 이해해야 한다. ⑤ 흑백 사고는 이것 아니면 저것이라는 양 측면만을 바라보기 때문에 소통을 가로막는다.

07 원효는 불교의 여러 교설 간의 대립을 해소하기 위해 화쟁 사상을 제시하였다. 여러 교설은 모두 부처의 가르침에서 비롯된 것이기 때문에, 특수하고 상대적인 각자의 입장에서 벗어나 대승적으로 융합할 것을 강조하였다. 이처럼 개인이나 집단이 자신에 대한 집착과 상대방에 대한 편견을 버려야 서로 화해하고 포용할 수 있다고 보았다.

바로 알기 ② 원효는 나와 다른 사람을 구분하여 자신만의 입장을 정당화할 때 갈등과 다툼이 벌어지기 때문에 대승적으로 융합할 것을 강조하였다.

> **극비 노트** 원효의 화쟁 사상
>
> • 모든 종파와 사상을 분리시켜 고집하지 말고, 더 높은 차원에서 하나로 종합해야 함
> • 여러 교설은 모두 부처의 가르침에서 비롯된 것이며, 그것이 지향하는 바는 모두 깨달음이라는 점에서 한마음[一心]임
> • 내가 지금 바라보는 것이 부분에 지나지 않음을 인정하고, 다른 사람들이 바라보는 부분과의 조합을 통해 더욱 타당한 견해에 이를 수 있음

08 밑줄 친 그는 독일의 대표적 담론 윤리학자인 하버마스이다. 하버마스는 대화의 당사자들이 합의한 결과를 수용하고 그것을 의무로 받아들이기 위해서는 대화가 합리적인 의사소통의 과정을 거쳐야 한다고 보았다. 그는 시민이 누구나 자유롭게 소통에 참여할 자격이 있다고 주장한다. 또한 합리적인 의사소통을 위해서 돈이나 권력에 의한 왜곡과 억압이 없어야 하고, 사회적·경제적 지위

등을 이유로 소통에서 배제되지 않아야 한다고 강조하였다.

바로 알기 ①, ③ 합리적 의사소통을 위해 돈이나 권력에 의한 왜곡과 억압이 없어야 한다. ② 모든 사람에게 담론에 참여할 기회가 주어져야 한다. ④ 대화 당사자들이 말하는 내용은 참이어야 한다.

> **극비 노트** 하버마스의 이상적 담화 조건
>
> | 이해 가능성 | 대화 당사자들이 말하는 내용을 서로 이해할 수 있어야 함 |
> |---|---|
> | 정당성 | 대화 당사자들이 말하는 내용은 정당한 규범에 근거해야 함 |
> | 진리성 | 대화 당사자들이 말하는 내용은 참이며, 진리에 바탕을 두어야 함 |
> | 진실성 | 대화 당사자들은 자신이 말한 의도를 상대방이 믿을 수 있도록 진실하게 표현하며, 진지한 발언 태도를 지녀야 함 |

3단계 등급 올리기 본문 77쪽

01 ③   02 ④   03 ⑤   04 (1) ㉠ 화이부동(和而不同), ㉡ 화쟁(和諍) (2) 해설 참조

01 ㉠은 △△ 앞바다 기름 제거를 위해 수많은 자원봉사자와 정부가 힘을 합쳐 기름 제거 작업을 한 내용이다. 이는 사회 통합의 사례라고 볼 수 있다. 사회 통합을 위해서는 사회 윤리의 기본 원리인 연대성, 공익성, 보조성을 고려할 필요가 있다. 즉, 사회 구성원들 간에는 연대 의식이 필요하고, 사익뿐만 아니라 공익도 함께 존중해야 하며, 만약 개인이나 공동체가 제대로 기능을 못하여 국가의 도움을 받아야 할 경우, 국가는 개인이나 공동체의 권리를 침해하지 않으면서 보조적으로 이들을 도와주어야 한다.

02 제시된 내용은 담론 윤리학자인 하버마스의 주장이다. 하버마스는 현대 사회의 다양한 문제 해결을 위해 공정한 담론 절차를 강조하면서 자유로운 대화를 통한 상호 합의가 있어야 한다고 주장하였다. 그래서 그는 의사소통의 합리성을 실현하기 위해 이해 가능성, 정당성, 진리성, 진실성이라는 '이상적 담화 조건'을 제시하였다.

바로 알기 ㄹ. 대화 당사자들은 자신이 말한 의도를 상대방이 믿도록 진실하게 표현해야 한다.

03 ㉠은 담론이다. 담론은 갈등이나 문제를 해결하기 위한 이성적 의사소통 행위로 주로 토론의 형태로 이루어진다. 담론은 언어로 표현되는 인간의 모든 관계를 분석하는 도구로, 현실에서 전개되는 각종 사건과 행위를 해석하고 인식하는 틀을 제공한다.

바로 알기 ① 담론은 형식을 강조하기 때문에 도덕규범의 구체적 내용이나 삶의 방향을 제시하지 않는다. ② 합의 과정의 형식적인 조건을 통해 규범의 정당성을 파악하기 때문에 합의된 내용에 대해서 도덕적으로 옳고 그름을 평가하기 어렵다. ③ 감정적 의사소통이 아니라 이성적 의사소통 행위이다. ④ 도덕적 회의주의와 달리 담론은 규범의 정당성을 확보하고자 노력한다.

04 (1) ㉠ 화이부동(和而不同), ㉡ 화쟁(和諍)
(2) **예시 답안** 화이부동을 통해 소통과 담론 중 다른 사람들과의 견해 차이를 인정하며 조화를 추구해야 하는 자세를 도출할 수 있다. 또한 화쟁을 통해 갈등 해소를 위한 포용과 존중의 자세의 중요성을 알 수 있다.

채점 기준	배점
화이부동과 화쟁을 통해 소통과 담론의 현대적 의미의 윤리적 자세를 정확히 서술한 경우	상
화이부동과 화쟁의 의미만 간단히 서술한 경우	하

02 민족 통합의 윤리

1단계 개념 짚어 보기
본문 79쪽

01 (1) × (2) ○ (3) ○ **02** ㉠ 분단 비용, ㉡ 통일 비용 **03** ㉠ 인도적, ㉡ 민족 당위적, ㉢ 실용주의 **04** ㄱ, ㄴ, ㄹ, ㅂ **05** ㉠ 수준 높은 문화 국가, ㉡ 자주적인 민족 국가, ㉢ 자유로운 민주 국가, ㉣ 정의로운 복지 국가

2단계 내신 다지기
본문 79~80쪽

01 ④ **02** ② **03** ⑤ **04** ① **05** ⑤
06 ③ **07** ⑤ **08** ④

01 (가)에는 통일에 대한 찬성 논거가 들어가야 한다. 통일에 대한 찬성 논거는 전쟁의 공포를 해소하여 평화를 실현하고, 민족 동질성 회복을 통한 민족 공동체 실현이 있다.
바로 알기 ㄱ, ㄷ. 통일에 대한 반대 논거이다.

극비 노트 통일에 대한 찬반 논거

찬성 논거	반대 논거
• 이산가족의 고통 해소 • 전쟁 공포 해소와 평화 실현 • 민족 동질성 회복과 민족 공동체 실현 • 민족의 경제적 번영과 국제적 위상 향상 • 동북아시아의 긴장 완화, 세계 평화에 기여	• 문화적 이질감과 불신감 심화 • 군사 도발로 북한에 대해 갖는 부정적 인식 • 막대한 통일 비용에 따른 조세 부담과 경제적 위기 • 북한 주민의 이주 증가로 인한 실업과 범죄 증가 우려 • 정치·군사적 혼란 발생 가능성

02 ㉠은 통일 비용, ㉡은 분단 비용이다. 통일 비용은 통일 과정과 통일 이후에 한시적으로 발생하는 비용이고, 통일 한국의 번영을 위한 투자적인 성격을 갖는다. 반면, 분단 비용은 분단이 계속되는 한 지속적으로 발생하며, 민족 구성원 모두의 손해로 이어지는 소모적인 성격의 비용이다.

바로 알기 ① ㉠은 통일 비용이다. ③ ㉡은 분단 비용이다. ④ 분단 비용은 민족 구성원 모두의 손해로 이어지는 소모적인 성격의 비용이다. ⑤ 분단이 계속되는 한 지속적으로 발생하는 것은 분단 비용이다.

극비 노트 통일 비용과 분단 비용

통일 비용	분단 비용
• 의미: 통일 과정과 통일 이후 남북한 간 격차를 해소하고 이질적인 요소를 통합하는 데 필요한 비용 • 종류 　– 제도 통합 비용: 정치, 행정, 금융, 화폐 통합 비용 　– 위기관리 비용: 치안, 인도적 차원의 긴급 구호 비용, 실업 문제 처리 비용, 사회 갈등 해결 비용 　– 경제적 투자 비용: 생산·생활 기반 구축 비용 • 특징: 통일 과정과 통일 이후 한시적으로 발생하는 비용	• 의미: 분단으로 인해 남북한이 부담하는 유·무형의 모든 비용 • 종류 　– 경제적 비용: 군사비, 외교 비용 　– 경제 외적 비용: 전쟁 가능성에 대한 공포, 이산가족의 고통, 이념적 갈등과 대립, 한반도 전역의 발전 가능성 제한 • 특징: 분단이 지속되는 한 계속 발생하는 소모적 비용

03 북한 인권 문제에 대한 개입은 북한에 대한 내정 간섭이기 때문에 북한 당국이 스스로 해결하도록 해야 한다는 주장과 인권의 보편적 원칙에 따라 국제 사회의 개입이 필요하다는 주장이 맞서고 있다.
바로 알기 ①, ②, ③, ④ 북한 인권 문제를 북한이 스스로 해결하도록 해야 한다는 입장이다. ⑤ 북한 인권 문제 해결을 위해 국제 사회의 개입이 필요하다는 입장이다.

04 대북 지원 방식은 인도주의에 따라 북한 주민의 생존권을 보장하며 정치·군사적 상황과는 무관하게 대북 지원을 해야 한다는 인도주의 입장과 북한에 일정한 변화를 요구하면서 대북 지원을 해야 한다는 상호주의 입장으로 구분된다. 갑은 상호주의 입장, 을은 인도주의 입장을 갖고 있다.
바로 알기 ② 갑은 북한에 일정한 변화를 요구한다. ③ 을은 정치·군사 상황과는 무관하게 대북 지원의 필요성을 주장한다. ④ 을은 대북 지원에 대한 긍정적 입장을 갖고 있다. ⑤ 갑은 상호주의 입장, 을은 인도주의 입장을 갖고 있다.

05 남북한 사회 통합을 위해서는 먼저 문화, 예술, 스포츠 교류와 이산가족 교류 등 친밀감을 가질 수 있는 교류부터 시작하고, 사회·문화적 동질성의 회복을 모색하며, 교류·협력을 단계적으로 추진해야 한다.
바로 알기 ⑤ 사회 통합은 통일 이후의 부작용과 내부적 저항을 최소화할 수 있도록 단계적으로 꾸준히 접근해야 한다.

06 제시된 사례는 독일 통일 직후 동·서독 주민 사이의 갈등에 대한 내용이다. 이러한 독일의 사례를 교훈으로 삼아 남북 화해와 평화 실현을 위한 개인적 차원의 노력은 열린 마음으로 적극적인 대화를 통해 서로를 이해하도록 노력해야 한다는 점이다.
바로 알기 ①, ② 남북 화해와 평화 실현을 위한 국가적 차원의 노력 중 국제적인 통일 기반 구축에 관한 내용이다. ④, ⑤ 남북

화해와 평화 실현을 위한 국가적 차원의 노력 중 내부적인 통일 기반 조성에 관한 내용이다.

07 통일 한국은 평화적인 방법을 통해 점진적이고 단계적으로 접근해야 한다. 또한 남북한이 같은 민족이라는 공동체 의식을 기반으로 하여 지속적으로 교류해야 한다. 그리고 통일은 국민적 이해와 합의를 기초로 민주적으로 이루어 나가야 한다. 동시에 주변 국들과 협력을 강화하여 그들이 한반도의 통일을 지지하도록 유도해야 한다.

바로 알기 ⑤ 통일은 우리 민족의 문제인 동시에 국제적인 성격도 띠고 있으므로 통일을 실현하기 위한 민족 내부적인 노력과 함께 국제적 협력과 지지라는 기반도 함께 조성해 나가야 한다.

08 (가)는 정의로운 복지 국가를 지향하기 위해 노력해야 할 점이고, (나)는 자유로운 민주 국가를 지향하기 위해 노력해야 할 점이다.

바로 알기 ①, ②, ③ 자주적인 민족 국가를 지향하기 위해서는 정치·군사적 측면뿐만 아니라 경제·문화적 측면에서도 자주성을 실현하기 위해 노력해야 한다. ⑤ 수준 높은 문화 국가를 지향하기 위해서는 사회 발전과 국가 경쟁력의 원동력인 문화 자원을 발굴·육성하려는 노력을 해야 한다.

3단계 등급 올리기
본문 81쪽

01 ③ **02** ① **03** ⑤ **04** (1) 통일 편익
(2) 해설 참조

01 분단 비용은 분단이 계속되는 한 지속적으로 발생하며, 민족 구성원 모두의 손해로 이어지는 소모적인 성격의 비용이다. 그러나 통일 비용은 통일 과정과 통일 이후에 한시적으로 발생하는 비용이며, 통일 한국의 번영을 위한 투자적인 성격의 비용으로 다양한 통일 편익으로 이어질 수 있다.

바로 알기 ③ 분단 비용은 소모적인 성격의 비용이다.

02 제시된 사례를 통해 독일이 통일 이후 사회·문화적 통합의 어려움과 갈등을 겪었음을 알 수 있다. 이러한 내용을 통해 남북 간 편견 해소, 상호 존중, 차이의 수용, 타협과 양보라는 통일 한국이 지향해야 할 태도를 배울 수 있다.

바로 알기 ㄷ. 문화적 이질성을 인정하고 상호 존중하는 태도가 필요하다. ㄹ. 민족의 번영을 위해 배타적 민족주의가 아닌 여러 민족과 공존공영할 수 있는 열린 민족주의를 지향해야 한다.

03 제시된 글을 통해 남북한은 가족이 닮은 것처럼 언어, 문화 등 닮음의 끈을 가지고 있다는 내용을 도출할 수 있다. 즉, 민족 공통성은 서로 간의 이질성을 제거하고 동질성을 회복하는 것이 아니라 남북의 차이와 다름을 서로 인정하고 배우면서 새롭게 만들어 가는 것임을 알 수 있다.

바로 알기 ㄱ. 남북의 닮음을 인정하고 공존하는 관계로 보아야 한다. ㄴ. 민족 동질성 형성을 위해 이질성을 제거하는 것이 아니라 차이를 서로 인정하고 배우며 공존하기 위해 노력해야 한다.

04 (1) 통일 편익
(2) **예시 답안** 통일 비용은 통일 과정과 통일 이후에 한시적으로 발생하는 비용이며, 통일 한국의 번영을 위한 투자적인 성격의 비용으로 다양한 통일 편익으로 이어질 수 있다. 반면 분단 비용은 분단이 계속되는 한 지속적으로 발생하며, 민족 구성원 모두의 손해로 이어지는 소모적인 성격의 비용이다.

채점 기준	배점
통일 비용과 분단 비용을 비교하여 정확히 서술한 경우	상
통일 비용과 분단 비용의 의미만 간단히 서술한 경우	하

03 지구촌 평화의 윤리

1단계 개념 짚어 보기
본문 83쪽

01 (1) ○ (2) × (3) ○ **02** ㉠ 소극적, ㉡ 구조적, ㉢ 문화적 **03** (1) ㉡ (2) ㉠ **04** ㉠ 목적, ㉡ 자선 **05** ㉠ 싱어, ㉡ 고통, ㉢ 질서 정연한 사회, ㉣ 분배

2단계 내신 다지기
본문 83~84쪽

01 ③ **02** ④ **03** ③ **04** ⑤ **05** ①
06 ④ **07** ② **08** ③

01 제시된 글은 북극권의 영역과 자원을 선점하기 위한 국가 간 경쟁 과정에서 갈등과 분쟁이 발생하고 있음을 보여 준다. 영토, 영해, 영공을 포함한 국가의 영역은 국가의 주권이 미치는 범위이자 국민의 생활 터전이며, 자국의 영역에서 획득할 수 있는 다양한 자원은 국가 경쟁력의 토대가 된다.

바로 알기 ㄱ, ㄹ. 제시된 글에는 국제 분쟁의 원인 중 인종 간 분쟁, 문화에 따른 갈등은 나오지 않았다.

02 국제 관계를 바라보는 관점 중 (가)는 이상주의 입장, (나)는 구성주의 입장, (다)는 현실주의 입장이다.

바로 알기 ① (가)는 이상주의 입장이다. ② (나)는 국가 간의 상호 작용을 중시한다. ③ (다)는 국가 간의 세력 균형을 강조한다. ⑤ (다)는 (가)에 비해 보편적 가치보다 국가의 이익을 더 중시한다.

극비 노트 국제 관계를 바라보는 관점에 따른 분쟁 해결 방법

현실주의	이상주의	구성주의
국가의 힘을 키워 세력 균형을 유지해야 분쟁을 해결할 수 있다고 봄	국제기구, 국제법, 국제 규범 등 제도의 개선으로 집단 안보가 형성되면 분쟁을 해결할 수 있다고 봄	자국과 상대국의 긍정적인 상호 작용을 통해 분쟁을 해결할 수 있다고 봄

03 칸트는 영구 평화를 위한 확정 조항을 제시하면서, 직접적인 폭력과 전쟁에서 벗어날 수 있도록 각국이 국제법의 적용을 받는 평화 연맹을 구성할 것을 요구하였다.

바로 알기 ① 현실주의 입장의 주장이다. ② 칸트는 환대권을 강조하였다. ④ 칸트는 국가 안보보다 도덕성을 우선시하였다. ⑤ 칸트는 평화를 위해 전쟁을 없애야 한다고 주장하였다.

04 갈퉁은 소극적 평화만으로는 진정한 평화를 이루기 어렵다고 주장하면서, 직접적 폭력뿐만 아니라 구조적·문화적 폭력까지 제거하여 적극적인 평화를 이루어야 한다고 주장하였다.

바로 알기 ①, ②, ③, ④ 소극적 평화에 대한 내용이다.

극비 노트 **갈퉁의 구조적 폭력과 문화적 폭력**

구조적 폭력	문화적 폭력
• 정치적·억압적·경제적·착취적 폭력으로 구분함 • 분열, 붕괴, 사회적인 소외 등에 의해 조장됨	• 종교와 사상, 언어와 예술, 법과 과학, 대중 매체와 교육 전반에 영향을 미침 • 구조적 폭력과 직접적 폭력을 정당화하는 역할을 함

05 과학 기술의 발전으로 지구 공간이 상대적으로 축소되고 이데올로기 또한 퇴조하면서 세계화 현상이 나타났다. 세계화는 정치, 경제, 문화, 교육 등 다양한 분야에서 나타나기 때문에 국제 사회의 상호 의존성은 더욱 심화되고 있다.

바로 알기 ① 세계화로 각국의 상호 의존성이 예전에 비해 크게 높아졌다.

06 제시된 글은 싱어의 주장이다. 싱어는 고통받는 사람들은 이익 평등 고려의 원칙에 따라 누구나 차별 없이 도움을 받아야 한다고 주장하고 있다. 그는 공리주의 입장에서 빈곤에 따른 개인의 고통을 덜어 주어야 할 의무가 있으며, 이를 위해 해외 원조가 필요하다고 본다. 즉, 해외 원조의 목적은 가난과 굶주림에 따른 고통을 없애기 위해 인류에게 주어진 의무라는 것이다. 또한 싱어는 굶주림으로 죽어 가는 이웃에게 자신의 꼭 필요하지 않은 지출을 기부하는 방식으로 소득의 일정 부분을 적극적으로 기부할 것을 제안하였다.

바로 알기 ①, ③ 해외 원조의 목적은 가난과 굶주림에 따른 고통의 제거이다. ② 노직의 주장이다. ⑤ 롤스의 주장이다.

07 갑은 롤스이고, 을은 노직이다. 롤스는 빈곤국이 질서 정연한 사회로 이행하도록 돕기 위해 해외 원조를 해야 한다고 주장하였다. 그는 차등의 원칙을 국제 사회에 적용하는 것을 반대하였고, 질서 정연한 사회가 구현된 이후에는 원조를 중단해야 한다고 주장하였다. 반면, 노직은 약소국에 대한 부유한 나라의 원조는 의무가 아니라 선의를 베푸는 자선의 개념으로 바라보았다. 그래서 그는 해외 원조에 대한 어떠한 책임이나 의무도 존재하지 않는다고 주장하였다.

바로 알기 ① 갑은 롤스이다. ③ 싱어의 주장이다. ④ 롤스의 주장이다. ⑤ 롤스는 해외 원조를 윤리적 의무의 관점에서 보았으나,

노직은 자선의 관점에서 개인의 자유로운 선택에 따라 이루어져야 한다고 보았다.

08 평화로운 지구촌을 실현하기 위해서는 개인적으로는 후원과 기부에 관심을 갖고, 원조를 받는 나라들의 자존감과 존엄성을 배려하는 태도를 지녀야 한다. 또한 국가적·국제적으로는 공적 개발 원조를 더욱 확충하고, 국가의 경제적 수준에 부합하는 해외 원조를 윤리적 차원에서 자발적으로 실천해야 한다.

바로 알기 ③ 원조 수혜국의 주인 의식이나 자립 능력을 약화시키지 않는 적정 수준의 원조 제공이 필요하다.

01 ② **02** ② **03** ③ **04** (1) ⊙ **구조적 폭력**, ⓛ **문화적 폭력** (2) 해설 참조

01 (가)는 국제 관계를 바라보는 현실주의 입장에 대한 설명이다. 이 입장에서는 국제 분쟁의 해결을 위해서는 국가의 힘을 키워 세력 균형을 유지해야 한다고 주장한다. 반면, (나)는 구성주의 입장에 대한 설명이다. 이 입장에서는 자국과 상대국의 긍정적인 상호 작용을 통해 분쟁을 해결할 수 있다고 본다.

바로 알기 ① (가)는 현실주의 입장이다. ③ (나)는 구성주의 입장이다. ④ 이상주의 입장에서 제시하는 분쟁 해결 방안이다. ⑤ (나)에만 해당하는 분쟁 해결 방안이다.

02 칸트는 국제 분쟁 관계에서 국가는 도덕성을 고려해야 하며, 국가의 이익보다 인간의 존엄성, 자유, 평등과 같은 보편적인 가치를 우선하여 달성해야 한다고 주장하였다. 그는 국제기구, 국제법, 국제 규범 등 제도의 개선으로 집단 안보가 형성되면 국제 분쟁을 해결할 수 있다고 보았다.

바로 알기 ㄴ. 칸트의 주장이라고 볼 수 없다. ㄹ. 평화학자인 갈퉁에 대한 설명이다.

03 (가)는 롤스의 주장이고, (나)는 빈곤국에 대한 배우의 해외 원조가 빈곤국 스스로 어려운 처지를 개선하려는 능력을 향상시켜 주지 못하는 방식으로 이루어졌다는 내용이다. 롤스는 해외 원조가 빈곤국이 '질서 정연한 사회'가 되도록 돕는 것이며, 해외 원조의 목적은 빈곤국의 자생력을 키워 주는 것이라고 주장하였다.

바로 알기 ①, ② 노직의 관점이다. ④, ⑤ 싱어의 관점이다.

서술형 문제

04 (1) ⊙ 구조적 폭력, ⓛ 문화적 폭력

(2) **예시 답안** 진정한 평화란 직접적 폭력뿐만 아니라 구조적·문화적 폭력까지 제거하여 적극적 평화를 이루어야만 달성할 수 있다.

채점 기준	배점
구조적·문화적 폭력이라는 단어를 활용하여 진정한 평화에 대해 정확히 서술한 경우	상
구조적·문화적 폭력이라는 단어를 활용했으나 내용을 간단히 서술한 경우	하

Ⅰ 현대의 삶과 실천 윤리 88~89쪽

01 ②　　02 ③　　03 ⑤　　04 ③　　05 ①
06 ④　　07 ①　　08 윤리적 성찰
09 해설 참조

01 제시된 글은 이론 윤리학에 대한 설명이다. 이론 윤리학은 도덕적 행위를 정당화하는 규범적 근거를 제시하는 데 주된 관심을 둔다. 또한 보편적인 도덕 법칙을 규명하며, '인생에서 무엇을 추구해야 하는가?', '인생에서 옳고 그름, 선악은 무엇인가?'의 문제에 대한 해답을 찾는다.
바로 알기 ㄱ. 도덕적 추론에 대한 논리적 타당성을 검증하는 것은 메타 윤리학의 특징이다. ㄷ. 사회의 관습이나 규범을 조사하여 객관적으로 기술하는 것은 기술 윤리학에 해당한다. ㄹ. 이론 윤리학에서 도출한 도덕 원리를 구체적인 삶의 문제에 적용하는 것은 실천 윤리학의 특징이다.

02 갑은 메타 윤리학, 을은 실천 윤리학의 입장이다. 메타 윤리학은 윤리학이 과연 학문으로 성립할 수 있는지를 엄밀하게 탐구하며, 경험 과학적 접근보다는 도덕적 언어의 의미나 도덕적 진술의 논리적 구조를 분석한다. 실천 윤리학은 이론 윤리학에서 도출한 도덕 원리를 토대로 현실적 도덕 문제의 구체적인 해결책을 모색하며, 학제적 성격을 지닌다.
바로 알기 ㄱ. 도덕 현상에 대한 경험 과학적 접근을 강조하는 것은 기술 윤리학이다. ㄹ. 보편적 도덕 법칙의 이론적 정립을 추구하여 문제를 해결하는 것은 이론 윤리학이다.

03 갑과 을은 실천 윤리학의 필요성을 이야기하고 있으므로, (가)에는 실천 윤리학의 입장이 들어가야 한다. 실천 윤리학은 삶의 구체적 상황에서 발생하는 문제에 대한 해결책을 모색하여 실제적인 도덕 문제를 해결해 실천하는 데 목표가 있다.
바로 알기 ① 실천 윤리학은 학제적 성격을 가지므로, 여러 인접 학문과 학제적 연계를 통해 다양한 윤리적 쟁점을 다룬다. 따라서 인접 학문 영역과 분리하여 윤리학의 정체성을 확립하지 않는다. ②, ③ 도덕의 규범적 근거로서 보편적인 도덕 원리를 정립하고, 도덕적 행위에 대한 이론적 분석과 정당화 문제에 초점을 두는 것은 이론 윤리학이다. ④ 윤리학이 하나의 객관적 학문으로 성립 가능한지를 탐구하는 것은 메타 윤리학이다.

04 갑은 도가, 을은 불교, 병은 유교 윤리의 입장이다. 유교 윤리에서는 충과 서의 방법을 통해 인(仁)을 실천하고자 한다. 그래서 도덕적으로 인격을 완성하고 도덕적 공동체를 실현하고자 한다.
바로 알기 ① 유교에서의 하늘은 도덕적 존재로서 의미를 가지지만, 도교에서의 하늘은 자연법칙의 의미를 가진다. ② 불교에서는 모든 존재가 인연으로 연결되어 있다는 연기의 깨달음을 강조한다. 따라서 불교에서는 만물이 상호 의존 관계에 있다는 점을 강조한다. ④ 도를 체득하여 물아일체의 경지에서 소요와 제물을 실천하는 지인, 진인, 신인 등을 이상적 인간으로 제시하는 것은 도가 윤리이다. ⑤ 불교 윤리만의 입장이다.

05 갑은 불교 윤리, 을은 칸트의 의무론적 접근을 보여주고 있다. 불교에서는 생로병사의 끊임없는 삶의 고통에서 벗어나 열반의 상태에 도달하기 위한 깨달음을 추구한다. 또한 세상의 모든 존재와 현상은 다양한 원인과 조건에 의해 생겨나며 서로 연결되어 있다는 연기설을 주장한다. 한편 칸트는 의무론의 관점에서 도덕 법칙은 정언 명령의 형식으로 제시되어야 한다고 주장하였다.
바로 알기 ㄷ. 칸트는 행위의 결과보다 동기를 중시하여, 오로지 의무 의식에서 나온 행위만이 가치를 지닌다고 보았다. ㄹ. 무위의 다스림이 이루어지는 소국 과민을 이상 사회의 모습으로 제시한 것은 도가 윤리의 관점이다.

06 제시된 글은 밀의 『자유론』의 일부 내용이다. 밀은 인간의 오류 가능성에도 인류의 생각과 행동이 지금처럼 이성적인 방향으로 발전해 올 수 있었던 힘은 인간의 정신 능력 중 잘못을 시정할 수 있는 능력 때문이라고 보았다. 즉 인간은 도덕적 토론을 통해 더욱 명확한 이해와 생생한 인상을 가지며, 잘못을 시정할 수 있다고 보았다.
바로 알기 ㄷ. 밀은 만약 한 사람의 의견이 그릇된 의견이라도 이를 시정하는 과정에서 더욱 명확한 이해와 생생한 인상을 획득할 수 있다고 주장하였다. 따라서 다수의 의견에만 귀를 기울이는 것은 바람직하지 않다.

07 제시된 글은 아리스토텔레스가 품성적 덕을 획득하기 위해 실천에 대해 강조하는 내용이다. 아리스토텔레스의 덕 윤리에서는 도덕적으로 옳은 결정을 하고 착한 삶을 살기 위해 유덕한 성품을 갖추는 것이 중요하다고 말한다. 좋은 삶이란 '잘 사는 것'으로 유덕한 성품을 갖추기 위해서는 옳고 선한 행위를 습관화해야 한다. 또한 행위자의 성품에 주목하며 바람직한 인간관계의 맥락에 관심을 갖는다.
바로 알기 두 번째 관점: 덕 윤리에서는 행위 자체보다 행위자의 성품을 평가해야 한다고 본다. 세 번째 관점: 보편타당한 규칙을 따를 것을 강조하는 칸트의 의무론에서 특정한 도덕 원리나 규칙을 근거로 평가하는 것에 해당한다. 네 번째 관점: 매킨타이어를 중심으로 하는 현대의 덕 윤리는 개인의 자유와 권리보다는 공동체의 역사와 전통을 중시한다.

주관식+서술형 문제

08 '윤리적 성찰'이란 과거에 있던 자신의 행동, 생각, 감정, 도덕 판단 등의 경험이 오늘날 삶에 미치는 영향을 분석하여 앞으로 지향해야 할 행동과 인격 성향을 찾아보는 사고 과정으로 도덕적 주체의 도덕성에 중점을 둔다.

09 **예시 답안** 공리주의는 내면적 동기에 소홀할 수 있고, 사회를 개인의 단순한 집합체로 간주하여 개인의 권리에는 관심을 기울이지 않거나 소홀히 여길 수 있다는 한계가 있다.

채점 기준	배점
공리주의가 지니는 한계를 두 가지 모두 서술한 경우	상
공리주의가 지니는 한계를 한 가지만 서술한 경우	하

01 ⑤   02 ⑤   03 ④   04 ⑤   05 ②
06 ④   07 해설 참조   08 해설 참조   09 해설 참조

01 갑은 죽음에 대한 자각을 통해 삶을 더욱 의미 있고 가치 있게 살아갈 수 있다고 주장한 하이데거, 을은 살아 있는 동안에는 죽음을 경험할 수 없으므로 죽음을 두려워할 필요가 없다고 주장한 에피쿠로스, 병은 삶과 죽음이 서로 연결된 과정이므로 죽음 앞에서 너무 슬퍼할 필요가 없다고 주장한 장자이다.
바로알기 ① 죽음을 또 다른 세계로 윤회하는 것으로 본 사상은 불교이다. ② 죽음을 육체의 감옥으로부터 해방되는 것으로 본 사상가는 플라톤이다. ③ 에피쿠로스는 죽음을 의식하거나 두려워할 필요가 없다고 보았다. ④ 장자는 삶과 죽음을 서로 연결된 순환 과정으로 보았다.

02 을은 안락사를 반대하는 입장이므로, ㉠에는 안락사에 대한 반대 논거가 들어가면 된다. 안락사에 대한 반대 논거로는 모든 인간의 생명은 존엄하다는 점, 인간은 자신의 죽음을 인위적으로 선택할 권리를 갖고 있지 않다는 점, 그리고 자연법 윤리와 의무론의 관점에서 삶이 고통스럽다는 이유로 죽음을 인위적으로 앞당기는 행위는 자연의 질서에 부합하지 않을 뿐만 아니라 인간 생명의 존엄성을 훼손한다는 점을 들 수 있다.
바로알기 ㄱ, ㄴ. 불치의 병으로 고통받고 있는 환자의 자율성과 삶의 질을 중시한다는 점, 공리주의 관점에서 연명 치료가 환자 본인과 가족에게 심리적·경제적 부담을 준다는 점은 안락사를 찬성하는 입장의 논거에 해당한다.

03 생식 세포 유전자 치료를 찬성하는 입장의 논거로는 병의 유전을 막아 다음 세대의 병을 예방할 수 있고, 유전 질환을 물려주지 않으려는 부모의 자율적 선택을 존중하며, 새로운 치료법 개발을 통해 경제적 효용 가치를 산출할 수 있다는 점을 들 수 있다. 반면 생식 세포 유전자 치료를 반대하는 입장의 논거로는 미래 세대의 동의 여부가 불확실하고, 임상적으로 불확실하며 위험할 뿐만 아니라, 고가의 치료비로 그 혜택이 일부 사람에게 치중되어 분배 정의에 어긋날 수 있다는 점을 들 수 있다.
바로알기 ④ 인간의 유전자를 조작하여 인간의 성향을 개선하려는 우생학을 부추길 가능성이 있다는 점은 생식 세포 유전자 치료를 반대하는 입장의 논거이다. 우생학은 인간의 유전자를 함부로 조작한다는 점에서 인간의 존엄성을 훼손할 우려가 있다.

04 제시된 사례는 동물 실험을 거쳐 시판된 탈리도마이드의 부작용을 소개하고 있다. 탈리도마이드 부작용 사례는 인간과 동물이 생물학적으로 긴밀한 유사성을 가지지 않는다는 점과 동물 실험 결과를 그대로 인간에게 적용하는 데는 무리가 있다는 점을 보여 준다. 따라서 탈리도마이드 부작용 사례는 동물 실험을 반대하는 근거로 제시되기도 한다.
바로알기 ㄱ. 탈리도마이드 부작용 사례를 통해 동물 실험이 항상 인간에게 유용한 결과를 제공해 주는 것은 아니라는 사실을 확인할

수 있다. ㄴ. 탈리도마이드 부작용 사례를 볼 때, 동물 실험이 항상 유용한 결과를 제공하지 않으므로 굳이 동물 실험을 확대할 필요는 없다.

05 밑줄 친 '이것'은 성 상품화로, 제시된 글은 성 상품화의 의미와 사례를 설명하고 있다. 성 상품화란 성 자체를 상품처럼 사고팔거나, 다른 상품을 팔기 위한 수단으로 성을 이용하는 행위를 뜻한다. 성 상품화는 인격적 가치를 지니는 성을 상품으로 대상화하여 성의 진정한 가치와 의미를 파괴할 위험성이 있으므로, 궁극적으로 인간의 존엄성을 훼손할 가능성이 크다고 볼 수 있다. 또한 외모의 아름다움을 지나치게 추구하여 외모 지상주의를 조장할 우려가 있다. 한편 성 상품화에 찬성하는 입장에서는 성의 자기 결정권과 표현의 자유를 강조하며, 성 상품화가 이윤 극대화를 추구하는 자본주의 경제 논리에 부합할 수 있다고 본다.
바로알기 ② 성 상품화는 성을 상품화하여 이윤을 추구하는 것이므로 자본주의 속성에 부합한다고 볼 수 있다.

06 (가)는 음양론에 관한 설명이고, (나)는 전통 의례 중 혼례의 과정을 설명하고 있다. 혼례를 통해 맺은 인간관계는 부부 관계이므로, 상호 보완과 조화를 강조하는 음양론의 관점에서 부부 관계에 대해 제시할 조언을 찾으면 된다.
바로알기 ① 부부간에 독립적 영역을 구축하는 것은 음양론에 위배된다. ② 권위주의적 위계질서에 따르는 것도 음양론에 위배된다. ③ 부부간은 사랑으로 결합되었으므로 이해타산적 합리성을 바탕으로 하지 않는다. ⑤ 부부간에 고정된 성 역할은 존재하지 않는다.

주관식+서술형 문제

07 **예시답안** ㉠ 부모로부터 받은 자신의 신체를 훼손하지 않는 것, ㉡ 인간의 인격을 한낱 수단으로 이용하는 것임

채점 기준	배점
㉠과 ㉡의 내용을 모두 정확히 서술한 경우	상
㉠과 ㉡ 중 한 가지만 서술한 경우	하

08 **예시답안** 동물을 함부로 다루지 말아야 하는 이유는 그것이 인간의 품성에 부정적인 영향을 끼치기 때문이다.

채점 기준	배점
인간의 품성에 부정적인 영향을 끼친다는 내용을 정확히 서술한 경우	상
'인간의 품성'에 대한 언급 없이 단순히 부정적인 영향을 끼친다고만 서술한 경우	하

09 **예시답안** 부부는 서로 동등한 존재임을 인식해야 한다. 부부는 서로 존중하고 부족한 점을 보완하기 위해 협력해야 한다.

채점 기준	배점
바람직한 부부간의 윤리를 두 가지 모두 정확히 서술한 경우	상
바람직한 부부간의 윤리를 한 가지만 서술한 경우	하

01 ①	02 ④	03 ④	04 ⑤	05 ④
06 ④	07 ④	08 ②	09 ②	10 ③
11 ⑤	12 ③	13 ③	14 ③	15 ㉠

정명, ㉡ 항산, ㉢ 항심　16 ㉠ 생명, ㉡ 자유, ㉢ 재산(권),
㉣ 자연 상태, ㉤ 저항권　17 해설 참조

01 제시된 글은 플라톤의 주장이다. 플라톤은 사회의 세 계층인 통치자, 방위자, 생산자 계층이 각자 자신의 일에 충실하고 다른 계층의 일에 간섭하지 않으며, 자신들에게 요구되는 덕(德)을 잘 실현할 때 정의로운 국가를 이룰 수 있다고 보았다.
바로 알기 ① 플라톤은 직업 간 자유로운 이동을 강조하지 않았다.

02 제시된 글은 칼뱅의 주장이다. 칼뱅은 직업이 신과 이웃에 대한 사랑을 실천한다는 의미를 지닌다고 주장하였다.
바로 알기 ① 칼뱅은 부의 축적을 직업의 궁극적 목적이라고 보지 않았다. ② 루터나 칼뱅 등 그리스도교 사상가들은 직업이 생계 유지 그 이상의 의미와 가치를 지닌다고 본다. ③ 칼뱅은 직업이란 신이 각자에게 정해 준 것이라고 보아 사회적 역할 분담을 인정한다. ⑤ 칼뱅은 직업을 통해 신을 사랑하고 이웃을 사랑할 수 있다고 보았기 때문에 직업 생활에서 벗어난 삶을 추구한다는 것은 옳지 않다.

03 제시된 글은 마르크스의 주장이다. 마르크스는 인간이 노동을 통해 자신을 실현하는 존재라고 보았고, 자본주의적 분업이 노동 소외를 심화시킨다고 주장하였다.
바로 알기 ④ 마르크스는 노동 소외를 극복하기 위해서는 진정한 자아실현을 이루는 노동이 필요하며, 능력에 따라 일하고 필요에 따라 분배받는 공산 사회를 이룩해야 한다고 보았다.

04 제시된 글은 전문직 윤리의 특징에 대한 설명이다. 전문직 종사자는 일반인이 모르는 지식이나 정보를 악용하여 부당한 이익을 취할 수 있기 때문에 더 높은 수준의 윤리 의식이 필요하다.
바로 알기 ④ 전문직 종사자는 직종보다 더 수준 높은 윤리 의식을 지녀야 한다고 강조하고 있다.

05 제시된 글은 보겔의 주장이다. 보겔은 기업의 사회적 책임 수행이 장기적으로 기업의 이윤 확대와 안정적인 기업 경영에 도움을 준다고 보았다.
바로 알기 ㄱ. 보겔은 기업이 자선 사회봉사 단체로 전환할 것을 주장하지 않았다. ㄷ. 보겔은 기업의 설립 목적인 이윤 추구를 포기하라고 주장하지 않았다.

06 ㉠은 개인 윤리, ㉡은 사회 윤리이다. 개인 윤리는 이타성의 실현을, 사회 윤리는 공동선과 정의 실현을 강조한다. 개인 윤리만으로는 복잡한 현대 사회의 윤리 문제를 해결하기 어렵다.
바로 알기 ㄹ. 개인 윤리와 사회 윤리는 조화를 이룰 수 있다.

07 제시된 글은 공정한 분배의 기준으로 '필요'를 강조하고 있다.

필요에 따른 분배는 절대적 재화가 부족할 수 있다는 점, 효율성이나 생산성의 저하를 가져올 수 있다는 점을 한계로 들 수 있다.
바로 알기 ① 필요에 따른 분배는 일반적으로 사회적 약자에 대한 배려가 용이하다는 장점을 지닌다. ② 각 사람의 구체적인 상황이나 여건을 고려하지 않는다는 비판을 받는 것은 절대적 평등에 따른 분배이다. ③ 업적에 따른 분배의 문제점이라고 할 수 있다. ⑤ 모든 사람에게 균등하고 동일한 혜택을 주는 것은 절대적 평등에 따른 분배이다.

08 제시된 글은 아리스토텔레스의 정의에 대한 내용이다. 아리스토텔레스에 따르면 법을 잘 지키는 것이 일반적 정의이다.
바로 알기 ① 이익과 손해의 불균형을 교정하는 것은 교정적 정의이다. ③ 각 사람의 가치에 따라 재화를 분배하는 것은 분배적 정의이다. ④ 아리스토텔레스는 일반적 정의가 실현될 필요가 없다고 주장하지 않았다. ⑤ 아리스토텔레스가 강조한 분배적 정의는 각 사람의 가치에 따른 분배를 의미한다.

09 제시된 글은 롤스의 정의의 두 원칙이다. 롤스는 공정한 절차가 공정한 결과를 보장한다는 절차적 정의를 강조하였고, 무지의 베일을 쓴 원초적 입장의 계약 당사자들이 도출하는 정의의 원칙에 따를 때 정의가 실현된다고 보았다.
바로 알기 ㄴ. 롤스에 따르면, 무지의 베일을 쓴 계약 당사자들은 타인에 대한 시기심이 없고 서로에 관해 무관심한 합리성을 지닌 사람이다. ㄹ. 롤스는 모든 사회적·경제적 불평등이 사라져야 한다고 주장하지는 않았다.

10 제시된 글은 베카리아의 주장이다. 베카리아는 어느 누구도 자신의 생명 박탈의 권리를 양도하지 않을 것이기 때문에 사형 제도는 폐지되어야 한다고 주장하였다.
바로 알기 ① 동등성의 원리를 강조한 사상가는 칸트이다. ② 베카리아는 형벌의 강도보다 지속성을 강조하였다. ④ 베카리아는 사형은 공익에 이바지하는 바가 적고 비효율적이기 때문에 부당하다고 보았다. ⑤ 베카리아는 사형보다 종신 노역형이 낫다고 주장하였다.

11 제시된 글은 루소의 주장이다. 루소는 시민의 생명을 보전하기 위해 사형 제도가 필요하다고 보았다. 루소에 따르면, 다른 사람을 죽인 자는 자신이 죽임을 당해도 좋다고 동의한 것이다.
바로 알기 ㄱ. 루소는 국가가 사형을 집행할 권한이 있다고 보았다.

12 제시된 글은 국가가 국민에게 제공하는 다양한 혜택이나 이익이 있기 때문에 국가 권위에 복종할 필요가 있다고 보는 혜택론의 관점이다. ㈎에는 국가가 주는 혜택이나 이익이 정치적 복종의 근거가 된다는 내용이 들어가야 한다.
바로 알기 ① 동의론에 대한 내용이다. ② 아리스토텔레스의 입장에 해당한다. ④ 사회 계약론의 입장이다. ⑤ 제시된 글은 무조건적으로 따라야 한다는 내용이 아니라 혜택론의 관점이 나타나 있다.

13 제시된 글은 정약용의 주장이다. 정약용은 백성을 위한 통치, 애민 정치를 실천해야 한다고 주장하였고, 백성들이 추대하여

통치자가 생겨난 것이라고 보았다. 또한 목민관이 청렴의 덕을 실천하는 것이 큰 지혜라고 보았다.

바로 알기 ㄱ. 정약용은 백성이 통치자를 위해 존재하는 것이 아니라 통치자가 백성을 위해 존재한다고 주장하였다. ㄹ. 정약용은 통치자가 백성의 뜻을 받들어 통치해야 한다고 강조하였다.

14 ㉠은 정치 참여이다. 제시된 글은 민주주의 사회에서 정치 참여의 중요성을 강조하고 있다. 정치 참여는 대의 민주주의의 한계를 극복하는 방법이다. 정책을 건의하고 제도를 보완하는 구체적인 행동도 중요한 정치 참여 유형이다.

바로 알기 ③ 정치 참여는 정치적 무관심을 극복하게 한다.

주관식+서술형 문제

15 ㉠ 정명, ㉡ 항산, ㉢ 항심

16 ㉠ 생명, ㉡ 자유, ㉢ 재산(권), ㉣ 자연 상태, ㉤ 저항권

17 **예시 답안** ㉠ 다원적 평등, ㉡ 서로 다른 기준과 절차, 그리고 서로 다른 주체, ㉢ 다른 영역의 재화까지도 쉽게 소유하게 되는 '지배(전제)'에 반대함

채점 기준	배점
각각의 내용을 정확히 제시하여 서술한 경우	상
㉠~㉢ 중 한 가지만 서술한 경우	하

Ⅳ 과학과 윤리   96~99쪽

01 ③	02 ②	03 ④	04 ⑤	05 ①
06 ①	07 ⑤	08 ⑤	09 ③	10 ⑤
11 ①	12 ④	13 ④	14 ④	
15 해설 참조		16 해설 참조		17 해설 참조

01 제시된 글은 과학 기술의 발달에 따른 긍정적 영향과 부정적 영향을 서술하고 있다. 과학 기술은 이렇게 두 가지 측면을 모두 갖고 있으므로 우리는 과학 기술에 대해 성찰하는 비판적 자세를 가지고 과학 기술을 활용해야 한다.

바로 알기 ①, ④ 과학 기술의 모든 성과를 부정하는 과학 기술 비관주의에 해당한다. ②, ⑤ 과학 기술이 사회의 모든 문제를 해결해 줄 것이라고 기대하는 과학 기술 낙관주의에 해당한다.

02 제시된 글은 과학 기술의 가치 중립성을 부정하는 입장이다. 따라서 과학 기술은 윤리적 가치에 따라 지도되고 규제되어야 한다는 주장을 지지할 것이다.

바로 알기 ①, ③, ④, ⑤는 과학 기술의 가치 중립성을 강조하는 입장에서 지지할 주장이다.

03 ㉠ 특수한 책임은 과학자가 연구 과정에서 지켜야 할 기본적인 연구 윤리 외에도 사회적으로 책임을 져야 한다는 것을 뜻한다. 따라서 과학자는 자신의 연구 성과물이 인류에게 해악을 끼칠 위험성이 있다면 연구를 중단한다는 것이 이에 해당한다.

바로 알기 ① 과학 기술이 사회에 미치는 영향이 크기 때문에 필요하다. ② 과학자들은 대중이 쉽게 접근하기 어려운 지식을 다룬다. ③ 개인의 이익을 위해 타인을 수단으로 삼지 말아야 한다는 것은 시민이 따를 일반적인 의무에 해당한다. ⑤ 과학자는 과학 기술의 사용으로 발생하는 문제를 미리 예상할 수 있어야 하며, 이는 과학자의 능력을 벗어나는 일이 아니다.

04 제시된 제도는 일반 시민들이 과학 기술을 평가할 수 있게 만든 것이다. 이는 과학 기술의 영향을 받는 시민들이 과학 기술 개발 과정에 직접 참여하여 그 영향을 확인함으로써 과학 기술을 더 나은 방향으로 발전할 수 있게 한다.

바로 알기 ① 과학 기술이 끼치는 영향의 범위는 포괄적이다. ② 과학 기술은 특정 집단의 이익을 추구해서는 안 되며, 인류의 보편적인 행복을 추구해야 한다. ③ 과학 기술 개발에서 시민의 참여는 필요하다. ④ 시민들은 자신이 원하지 않더라도 과학 기술의 영향을 받게 된다.

05 (가)는 저작권 보호, (나)는 정보 공유 권리를 주장하는 입장이다. 정보 공유 권리를 주장하는 입장은 저작권 보호를 주장하는 입장에 비해 정보 창작자의 권리를 존중해 주는 정도가 낮고, 정보가 공공의 이익에 기여해야 한다고 보는 정도는 높으며, 정보의 활발한 교류가 정보 발전에 기여한다고 믿는 정도도 높다. 따라서 X는 낮고, Y와 Z가 높은 지점을 찾으면 ㉠이다.

06 정보 사회에서 필요한 정보 윤리에는 존중, 책임, 정의, 해악 금지 등이 있다. 정보의 진실성과 공정성을 추구하는 것은 정의를 실천하는 것이며, 지적 재산권을 존중하고 타인의 창작물을 보호하는 것은 존중에 해당한다.

바로 알기 병: 정보는 자유롭게 이동하는 것이기 때문에 이미 유포된 정보라도 그것으로 타인이 피해를 입었다면 책임을 져야 한다. 정: 사이버 스토킹, 사이버 폭력은 다른 사람은 물론 사회에도 해를 입히는 일이므로 해서는 안 된다.

07 제시된 글은 뉴 미디어 시대에 일어날 수 있는 상황이다. 뉴 미디어 시대에는 누구나 정보를 주체적으로 다룰 수 있기 때문에 거짓 정보를 양산할 수 있으며, 쌍방향적 의사소통 구조, 시간과 공간의 제약을 받지 않는 광범위한 연결망을 특징으로 하는 뉴 미디어가 전 세계적으로 확산되어 다양한 사회·국제 문제를 야기할 수 있다.

바로 알기 ㄱ. 온라인상에 올라온 정보는 자극적인 거짓 뉴스일 수도 있으므로 정확한 사실인지 판단해야 한다. ㄴ. 뉴 미디어는 정보의 객관성을 점검할 감시 장치가 기존 매체에 비해 부족하므로 미디어 리터러시가 필요하다.

08 (가)에는 대중 매체의 역기능을 해소하기 위한 자세가 들어가야 한다. 대중 매체는 불특정 다수에게 영향을 미칠 수 있는 거대

매체이기 때문에 그만큼 책임도 커진다. 따라서 대중 매체 종사자들은 정보가 사회에 미치는 영향력을 생각하며 책임감을 가지고 정보를 다루어야 한다.

바로 알기 ① 대중은 정보의 주체로서 정보를 소비해야 한다. ② 대중이 오락 프로그램에만 몰두할 경우 사회 문제에 무관심하거나 정치 참여를 외면할 수 있다. ③ 대중 매체는 사회의 전통과 가치, 규범을 재생산하는 역할을 하기 때문에 대중이 이를 무비판적으로 수용하게 되면 규격화되고 획일화된 태도에 빠질 수 있다. ④ 대중 매체가 제공하는 모든 정보의 신뢰도를 의심하고 거부하는 것은 바람직하지 않다.

09 미디어 리터러시(매체 이해력)란 매체가 형성하는 현실을 비판적으로 읽어 내면서 매체를 제대로 사용하고 바람직하게 표현하는 능력을 말한다.

바로 알기 ① 저작권 보호에 대한 설명이다. ② 제시된 내용과 관련이 없는 설명이다. 대중의 알 권리를 위하더라도 개인 정보를 공개하는 것은 주의해야 한다. ④ 정보 공유에 대한 설명이다. ⑤ 1인 미디어를 말한다.

10 ⓛ에는 뉴 미디어 시대의 현대인에게 요구되는 윤리가 들어가야 한다. 미디어는 다수에게 영향을 끼칠 수 있는 공적인 영역이므로 표현의 자유에는 한계가 있다는 점을 인식하고 타인의 권리와 공공복리를 침해하지 않는 범위에서 자유롭게 표현해야 한다. 또한 매체가 제공하는 정보를 능동적으로 수용하여 비판적으로 받아들여야 한다.

바로 알기 ㄱ. 정보를 통제하여 정치권력을 정당화하는 것은 미디어의 악영향이다. ㄴ. 시민의 알 권리와 인격권은 모두 기본적으로 보장되어야 할 중요한 권리이므로 두 가지 권리를 침해하지 않도록 개인 정보를 신중하게 다루어야 한다.

11 갑은 싱어, 을은 레건이다. 싱어와 레건은 모두 동물은 쾌고 감수 능력이 있다고 인정한다.

바로 알기 ② 생태 중심주의의 입장으로, 싱어와 레건 모두 부정의 대답을 할 질문이다. ③ 동물 중심주의에서는 인간의 동물에 대한 직접적인 의무를 강조하므로, 싱어와 레건 모두 부정의 대답을 할 질문이다. ④ 싱어는 부정, 레건은 긍정의 대답을 할 질문이다. ⑤ 싱어와 레건 모두 답을 내리기 어렵기 때문에 동물 중심주의의 한계로 비판을 받는다.

12 (가)는 요나스의 주장이다. 요나스는 (나)에 나타난 환경 문제의 심각성에 대해 현세대는 미래 세대의 존재를 보장할 책임이 있으므로 자연환경을 무분별하게 남용해서는 안 된다고 주장할 것이다.

바로 알기 ① 현세대는 자연을 남용할 권리가 없으며 미래 세대를 위해 자원을 남겨 놓아야 한다고 주장한다. ② 요나스는 현세대가 미래 세대의 존재를 보장하고, 그들의 삶의 질을 배려해야 한다고 하였다. ③ 인간의 의도와는 별개로 인간은 심각해진 환경 문제에 책임이 있다고 주장한다. ⑤ 현세대는 과거의 무분별한 개발로 나타난 환경 오염뿐만 아니라 현재도 계속 일어나고 있는 환경 오염에 책임이 있다.

13 제시된 글은 생명 중심주의자인 테일러의 주장이다. 생명 중심주의에 대한 비판으로는 개별 생명체의 가치만 강조하는 개체론적 환경 윤리이므로 생태계 전반의 문제를 해결하기 어렵다는 점을 들 수 있다.

바로 알기 ① 생태 중심주의에 대한 비판이다. ② 인간 중심주의에 대한 비판이다. ③ 동물 중심주의에 대한 비판이다. ⑤ 생태 중심주의에 대한 비판이다.

14 갑은 슈바이처, 을은 레오폴드, 병은 싱어이다. 레오폴드는 무생물을 포함한 생태계 전체를 도덕적 고려 대상으로 삼아야 한다는 생태 중심주의 윤리의 입장이다. 생명 중심주의인 슈바이처와 동물 중심주의인 싱어는 개체론의 입장을 벗어나지 못하였다.

바로 알기 ㄱ. 슈바이처와 레오폴드의 공통된 주장이다. ㄷ. 인간 중심주의의 주장이다.

주관식+서술형 문제

15 **예시 답안** 현대 사회에서 과학 기술의 중요성과 영향력이 커짐에 따라 과학 기술의 발전이 사회에 미치게 될 결과를 예측하여 이에 대한 도덕적 책임을 져야 하기 때문이다.

채점 기준	배점
'과학 기술의 영향력, 도덕적 책임'을 사용하여 정확히 서술한 경우	상
과학 기술의 책임이 필요하다고만 서술한 경우	하

16 **예시 답안** 범죄자의 신상은 공공의 이익과 안전을 위해 중요한 사항이기 때문에 공개될 수 있다. 공직자의 사생활은 국민의 삶과 행복에 영향을 미칠 수 있기 때문에 인사 청문회와 같은 제도를 통해 공개될 수 있다.

채점 기준	배점
알 권리가 보장되어야 하는 경우를 두 가지 모두 정확히 서술한 경우	상
알 권리가 보장되어야 하는 경우를 한 가지만 서술한 경우	하

17 **예시 답안** 기후 변화의 주요 원인인 온실가스 배출량은 개발 도상국이 선진국보다 훨씬 적지만 그 피해는 선진국보다 개발 도상국에서 더 크게 발생하고 있기 때문이다.

채점 기준	배점
'온실가스 배출량, 기후 변화의 피해'를 사용하여 정확히 서술한 경우	상
개발 도상국의 피해가 더 크다고만 서술한 경우	하

Ⅴ 문화와 윤리　　100~101쪽

01 ① 　 **02** ⑤ 　 **03** ⑤ 　 **04** ④ 　 **05** ②
06 ① 　 **07** ④ 　 **08** 해설참조 　 **09** 해설참조

01 갑은 톨스토이로 도덕주의 입장, 을은 와일드로 예술 지상주의 입장이다. 도덕주의에서는 예술이 지닌 윤리적 가치를 중시하여

예술의 목적을 인간의 올바른 품성을 기르는 도덕적 교훈이나 모범을 제공하는 것으로 본다. 예술 지상주의는 예술이 현실적 목적을 추구해서는 안 되며, 예술의 목적은 미적 가치를 구현하는 데 있다고 본다.

바로 알기 ㄷ. 도덕주의 입장이다. ㄹ. 예술 지상주의 입장이다.

02 제시된 글과 어떤 가수의 입장은 모두 예술에 대한 도덕주의 입장이다. 도덕주의에서는 예술의 사회적·교육적 기능에 주목하며 예술의 사회 참여를 강조한다.

바로 알기 ① 예술 지상주의 입장에서 비판할 수 있는 내용이다. ② 도덕주의에서는 미적 가치와 도덕적 가치의 상호 관련성을 강조한다. ③ 심미적 측면을 강조하는 것은 예술 지상주의 입장이다. ④ 도덕주의에서는 예술을 통한 창작자와 관람자의 소통을 강조한다.

03 제시된 글은 호르크하이머의 주장이다. 호르크하이머는 자본이 이윤 추구를 극대화하려는 목적을 가지고 대중문화의 생산·유통·소비의 전 과정에 개입하고 있다고 비판한다. 이처럼 문화가 자본에 종속될 경우, 시장 논리로는 파악할 수 없는 문화 본연의 가치가 훼손될 수 있고, 개인의 미적 체험을 획일화시킬 수 있다.

바로 알기 ① 문화 산업은 예술의 도구적 가치를 인정한다. ② 대중문화와 문화 산업은 서로 연결되어 있다. ③ 문화 산업은 대중이 비판적으로 사고하기보다 문화 상품을 그대로 수용할 것을 장려한다. ④ 문화가 자본에 종속될 경우 문화 본연의 가치가 훼손될 수 있다.

04 제시된 글은 리프킨의 주장이다. 오늘날 소비는 사회의 모든 영역과 연계되고 일상화되었다. 소비를 통해 이익을 실현해야 하는 기업은 소비자의 의식과 태도에 민감하게 반응할 수밖에 없다. 따라서 소비자 대다수가 윤리적 의식과 태도를 가지고 소비를 하게 된다면 이에 따라 기업, 기업 자본과 관련된 사람들은 바람직한 변화를 도모할 것이다.

바로 알기 ① 합리적 소비와 관련된 질문이다. ② 현대 사회의 물질주의 추구 소비 형태와 관련된 질문이다. ③ 사회적 책임은 기업과 소비자 모두에게 요구된다. ⑤ 과시 소비와 관련된 질문이다.

05 공정 여행은 현지 환경을 존중하고 현지인에게 직접 혜택이 돌아가도록 하는 여행을 말한다. 공정 여행을 추구하는 사람들은 걷거나 자전거, 기차를 이용한 여행을 즐기며, 현지인이 운영하는 숙소를 이용하고 지역 전통 음식을 맛본다. 또한 현지인이 운영하는 상점에서 직접 제작한 물건을 공정한 가격에 구매한다.

바로 알기 ㄴ. 현지인이 운영하는 숙소와 식당을 이용하고 현지 물가를 존중한다. ㄷ. 공정 여행은 탄소를 많이 배출하는 비행기보다 걷거나 자전거, 기차를 이용한 여행을 즐기는 것이다.

06 갑은 다문화주의의 하나인 샐러드볼 모형, 을은 동화주의의 대표 이론인 용광로 모형, 병은 문화 다원주의의 대표 이론인 국수 대접 모형의 입장이다. 샐러드볼 모형에서는 주류 문화와 비주류 문화를 구분하지 않고 각각의 정체성을 인정하지만, 용광로 모형과 국수 대접 모형에서는 주류 문화와 비주류 문화를 구분하고 주류 문화를 우위에 둔다.

바로 알기 ㄷ. 용광로 모형은 소수 문화의 문화 정체성을 존중하지 않는다. ㄹ. 용광로 모형에서 긍정의 대답을 할 질문이다.

07 종교는 초월적 존재를 통해 심리적 안정을 추구하지만, 생활 규범의 역할을 하며 종교를 믿는 모든 사람들이 일상생활에서 선행을 실천할 수 있도록 동기를 제공한다. 이런 의미에서 종교와 윤리는 도덕성을 중시한다는 공통점을 가진다.

바로 알기 ④ 객관적인 사실을 바탕으로 어떤 현상을 검증하고자 하는 것은 과학의 영역이다.

주관식+서술형 문제

08 **예시 답안** 팝 아트는 예술의 상업화의 한 모습이라고 볼 수 있다. 예술의 상업화로 대중은 예술을 누리는 주체로 자리 잡았고 대중의 예술에 대한 접근성이 높아져 삶 속의 예술이 가능하게 되었다. 또한 예술 활동에 개인의 다양한 요구를 반영함으로써 새롭고 다양한 영역에서 예술이 발달할 수 있게 되었다. 반면 예술의 상업화가 심해지면 예술이 자본에 종속되어 예술이 지닌 미적 가치와 자율성을 침해할 수 있으며, 예술이 '돈이 되는 주제'에 한정되면서 다양성이 사라질 수 있다. 또한 예술이 상품성에 치우치다 보면 바람직한 인격 형성을 저해할 수도 있다.

채점 기준	배점
예술의 상업화의 긍정적 측면과 부정적 측면을 모두 정확히 서술한 경우	상
예술의 상업화의 긍정적 측면과 부정적 측면 중 한 가지만 서술한 경우	하

09 **예시 답안** 종교적 관용이 필요한 첫 번째 이유는 종교적 진리에 대한 인간의 인식이 상대적이고 오류가 있을 수 있기 때문이다. 부정의한 전쟁이나 테러, 범죄 등 악덕에 대해서는 관용에 한계를 두어야 하지만, 그렇지 않은 경우에는 다른 종교의 존재를 인정하고 종교를 가지지 않을 자유도 허용해야 한다. 두 번째 이유는 정의롭고 평화로운 공동체를 실현하기 위해서이다. 사람들이 가지고 있는 종교적 가르침의 지향점이 다를지라도 종교적 관용을 통해 공적 영역에서 공정하게 정책을 결정하고 공동선을 지향하려는 자세를 지녀야 한다.

채점 기준	배점
종교적 관용이 필요한 이유를 인간의 불완전한 인식과 평화로운 공동체 실현의 측면에서 모두 정확히 서술한 경우	상
종교적 관용이 필요한 이유를 인간의 불완전한 인식과 평화로운 공동체 실현 중 한 가지 측면에서만 정확히 서술한 경우	하

Ⅵ 평화와 공존의 윤리 　　102~103쪽

01 ②　　02 ③　　03 ④　　04 ④　　05 ④
06 ②　　07 ⑤　　08 ③　　09 화이부동(和而不同)　　10 해설 참조

01 제시된 지역 갈등, 빈부 갈등이라는 사회적 갈등에서 벗어나 사회적 통합을 이루기 위해서는 사회의 가치를 배분하는 과정에서 공정하고 투명한 절차와 기준을 확립하여 소외받는 사람이 생기지 않도록 해야 한다.
바로 알기 ① 사회 구성원들은 사익뿐만 아니라 공익을 존중할 때 자신의 인간 존엄성 역시 보장받을 수 있다. ③ 사회 구성원들 간의 연대 의식을 가져야 한다. ④ 다양성을 인정하며 열린 마음으로 소통을 해야 한다. ⑤ 양보와 관용을 통해 다른 사람의 권리를 보장해야 한다.

02 제시된 글은 원효의 화쟁에 대한 내용이다. 원효는 화쟁을 통해 대립하거나 갈등하는 불교 이론들에 대해서 각 종파의 서로 다른 이론을 인정하면서 더 높은 차원의 깨달음을 강조하였다.
바로 알기 ①, ②, ④, ⑤ 자신과 다른 의견을 가진 사람의 견해를 높은 차원에서 고려하여 서로에게 존중하는 마음을 지녀야 한다.

03 제시된 글은 하버마스의 주장이다. 하버마스는 합리적인 대화가 이루어지기 위한 과정을 중시하였고, 합리적인 의사소통이 이루어지기 위해서는 돈이나 권력에 의한 왜곡과 억압이 없어야 하며, 모든 사람에게 담론에 참여할 기회가 개방되어야 하고, 담론에 참여하는 사람들은 누구나 평등하게 발언할 수 있어야 한다고 보았다. 그는 이해 가능성, 정당성, 진리성, 진실성이라는 이상적 담화 조건을 제시하였다.
바로 알기 ④ 상대를 현혹하려는 태도를 버리고 진실하게 표현하고 거짓 없는 소통을 해야 한다.

04 분단 비용은 통일 한국의 번영을 위한 소모적인 성격의 비용이다. 통일 비용은 제도 통합 비용, 위기관리 비용, 경제적 투자 비용 등이 포함된다. 통일 편익은 통일에 따른 보상과 혜택으로 통일 이후 지속적으로 발생한다.
바로 알기 첫 번째 문항: 분단 비용에는 이산가족의 고통이 포함된다. 두 번째 문항: 분단 비용은 소모적 비용이다. 세 번째 문항: 통일 편익은 통일 이후 지속적으로 발생한다. 네 번째 문항: 남북한이 지출하는 군사비는 분단이 지속되면 꾸준하게 발생한다. 다섯 번째 문항: 통일 비용에는 경제적 투자 비용이 포함된다.

05 (가)에는 통일에 대한 반대 논거가 들어가야 한다. 따라서 군사 도발로 북한에 대한 거부감이 심하고, 오랜 분단으로 문화적 이질감이 크기 때문이라는 논거가 제시되어야 한다.
바로 알기 ㄱ. 통일을 하면 막대한 통일 비용이 들 수 있다. ㄷ. 전쟁의 공포를 없애 평화를 실현할 수 있다는 내용은 통일을 찬성하는 입장의 논거이다.

06 제시된 글은 칸트의 이상주의 관점이다. 이러한 관점은 현실이 실제로 어떤가를 설명하기보다는 세계가 어떻게 나아가야 하는가에 관심을 둔다. 그리고 분쟁은 인간 본성에서 유래하는 것이 아니라 상대방에 대한 무지나 오해, 잘못된 제도 때문에 발생한다고 본다.
바로 알기 ①, ③, ④, ⑤ 현실주의 관점에 대한 설명이다.

07 갑은 영구 평화를 주장한 칸트, 을은 적극적 평화를 강조한 갈퉁이다. 갈퉁은 칸트가 주장한 영구 평화의 방법은 전쟁, 테러 등이 일어나지 않는 소극적 평화를 달성하는 데 의미가 있지만, 소극적 평화만으로는 진정한 평화를 이루기 어렵다고 주장한다.
바로 알기 ① 칸트는 전쟁이라는 직접적 폭력의 위험성에 주목하였다. ②, ④ 칸트는 직접적 폭력을 제거하여 갈퉁의 입장에서 볼 때 소극적 평화를 강조한다. ③ 칸트는 폭력이 평화에 기여한다고 보지 않았다.

08 제시된 글에서 준호는 해외 원조에 대해 회의적인 생각을 하고 있다. 노직은 해외 원조를 개인의 자유로운 선택의 영역으로 강조하므로, 의무로 강요해서는 안 된다고 본다.
바로 알기 ① 의무론의 관점이다. ② 롤스의 관점이다. ④, ⑤ 싱어의 관점이다.

주관식+서술형 문제

09 화이부동(和而不同)

10 **예시 답안** ㉠에 들어갈 내용은 '질서 정연한 사회'이다. 롤스는 해외 원조의 진정한 목적을 빈곤국의 자생력을 키워 주는 것이라고 주장하였다.

채점 기준	배점
㉠에 들어갈 내용과 해외 원조의 목적을 정확히 서술한 경우	상
㉠에 들어갈 내용과 해외 원조의 목적 중 한 가지만 서술한 경우	하